Verloren zoon

Van Lieneke Dijkzeul verscheen eveneens bij uitgeverij Anthos

De stille zonde
Koude lente
De geur van regen

Lieneke Dijkzeul

Verloren zoon

Anthos|Amsterdam

Deze roman is fictie. Alle namen, personages, plaatsen en gebeurtenissen zijn ontsproten aan de verbeelding van de auteur of fictief gebruikt. Elke overeenkomst met ware gebeurtenissen of bestaande personen berust op toeval.

Mixed Sources
Productgroep uit goed beheerde
bossen, gecontroleerde bronnen
en gerecycled materiaal.
www.fsc.org Cert no. CU-COC-802528
© 1996 Forest Stewardship Council

ISBN 978 90 414 1764 0
© 2011 Lieneke Dijkzeul
Omslagontwerp Marry van Baar
Omslagillustratie © Stuart McClymont / Stone / Getty Images
Foto auteur Tessa Posthuma de Boer

Verspreiding voor België:
Veen Bosch & Keuning uitgevers n.v., Antwerpen

I

Leo Wissink geloofde niet in voorgevoelens. Waar hij wel in geloofde, was een vast stramien. Daarom stond hij – hoewel dat al een halfjaar geen noodzaak meer was – ook deze ochtend om zes uur op. De wekker hoefde hij nooit te zetten; stipt om zes uur was hij wakker, uitgeslapen en helder.

Hij keek naar zijn vrouw en besloot, eveneens naar gewoonte, haar te laten slapen. Het gaf uitstel van de oeverloze woordenstroom die losbarstte zodra ze haar ogen opende, en het leverde hem het beste uur van de dag op. In alle rust kon hij nu de tuin in lopen om zijn training af te werken en daarna, wachtend op de krant, zijn eerste kop koffie drinken.

Geruisloos stapte hij uit bed en schoot in zijn sportkleren. Het op peil houden van zijn conditie maakte een belangrijk deel uit van zijn dagelijkse schema, niet alleen 's ochtends, maar ook 's avonds. Douchen en scheren kon na het ontbijt, een volgorde die een van de weinige luxes was die hij zich na zijn pensionering permitteerde. Hij liep de trap af, trok in de hal zijn sportschoenen aan en deed de achterdeur van het slot.

De tuin verwelkomde hem onder een wolkeloze hemel, de zoveelste op rij. Begin september, maar weinig wees op herfst. Alleen het vermoeide groen van de bomen, de vochtigheid van het gras, en de spinnenwebben die glinsterden in het eerste zonlicht. Een enorme kruisspin scharrelde haastig naar een uithoek van zijn web. Wissink maakte een geestelijke aantekening: vanmiddag maaien, vanavond maar weer sproeien. Aan het eind van het jaar zou de waterrekening hoger uitvallen dan gewoonlijk, maar liever dat dan het geëmmer over vergeeld gras en verdroogde borders. Kutzomer. Geef hem weersomstandigheden waar je je tanden in kon zetten, in plaats van deze tropische indolentie. Hij stapte naar buiten, de frisse koelte in, en genoot ondanks zichzelf van de bedauwde rozen en het schrille roze van de uitbundig bloeiende oleander. Straks zou het opnieuw moordend heet zijn, zou het gejank van een naburige baby zijn rust verstoren en de geur van verbrand barbecuevlees zijn eetlust bederven, maar nu betrapte hij de kat van de buren, die kalmpjes de druppels likte van de enorme bladeren van de hosta, en de lijster die een ochtendbad nam in de imitatie Romeinse schaal. Kat en lijster vluchtten bij zijn nadering, en Wissink lachte. Enig gezag had hij nog.

Hij knielde, zette zijn tenen schrap op het tegelpad, strekte zijn lichaam en liet zijn gewicht op zijn armen rusten. Krikkrakken. Opdrukken was een term voor sportschoolwatjes. In het leger heette dit krikkrakken, en terecht, want na vijftig keer kon je bij wijze van spreken je spieren horen kraken. Vijftig keer was een minimum waaraan hij moeiteloos voldeed. Straks een uur baantjes trekken, vanavond het vaste rondje joggen. Sinds hij niet meer werkte, was hij geen gram aangekomen, iets waar hij grote voldoening uit putte. Ouder worden was één ding, je oud voelen een tweede. Dat verrekte Functioneel Leeftijdsontslag. Aan de term alleen al ergerde hij zich groen en geel. Op je vijfenvijftigste was je nog niet uitgerangeerd, integendeel. Je zou nog een hoop kunnen betekenen. Maar goed, de overheid had in haar wijsheid besloten dat vijfenvijftig de limiet was.

Hij telde binnensmonds terwijl hij uit zijn ooghoeken zag hoe bij de buren links de lamellen voor een van de slaapkamerramen werden opengetrokken. Ongetwijfeld kwam nu de striptease in omgekeerde volgorde, en je kon hem niet wijsmaken dat de buurvrouw zich niet bewust was van zijn aanwezigheid. Ze kon hem goddomme *zien*, zoals hij haar kon zien als ze in haar tuin topless lag te zonnen en hij in zijn eigen slaapkamer voor het raam stond. Het kleurde zijn dag, al ontbrak hem tot dusverre de moed gevolg te geven aan haar uitnodigende handelingen. Ruim in de veertig was ze, maar goed geconserveerd. Zonnebankbruin, strak in de lak.

Gescheiden, puberzoon. Ze was alles wat zijn vrouw niet was, en voor de zoveelste maal vroeg hij zich af wat hem tegenhield. De *fuss*? Want dat het zou uitkomen als hij iets begon, stond vast. Er was niets wat Hanna ontging. En had hij trek in nieuwe ellende, nu ze eindelijk was opgehouden met zeuren over het vorige akkefietje?

Een bh werd dichtgehaakt, een shirt tergend langzaam over het hoofd getrokken.

Vijfenveertig… Zesenveertig… Bruine tieten hadden iets. Vrouw Haverkamp, vrouw Haverkamp, wat heb je mooie tiet'n. Hoe vaak zou hij dat hebben gezongen? God, hij was een sentimentele ouwe lul aan het worden. Zesenveertig… Nee, zevenenveertig. Hij zou er zestig van maken vandaag. Gewoon om zichzelf te bewijzen dat hij het kon. Bruine borsten had Hanna nooit gehad. Altijd te preuts geweest. Nou ja, ze zou hem ook niet moeten flikken wat de buurvrouw flikte, want dan zou hij maatregelen treffen. Negenenveertig… vijftig. Eigenlijk was die hele show een compliment. Per slot van rekening was hij zo'n tien jaar ouder, maar dat scheen de buurvrouw niet te deren. En gelijk had ze. Leeftijd was onbelangrijk zolang je er goed uitzag. En met zijn pik was niks mis. Dat gezeik over prostaatvergroting… Nooit iets van gemerkt, laat staan van erectieproblemen. Hij kreeg hem moeiteloos overeind, als het moest elke avond. Niet dat het hoefde, jezus nee, was het maar waar. Als hij één keer per drie weken aan zijn trekken kwam, was het veel. Misschien moest hij toch eens een overstapje maken naar buurvrouws tuin, waar ze met dit weer tot 's avonds laat zat. Een wipje, zogezegd. Hij grinnikte onhoorbaar. Waarom vanavond niet wat later aan zijn rondje beginnen? Er was voetbal op de televisie; een prima smoes, en Hanna ging om halfelf naar bed. Buurvrouw zou er nog zitten als hij terugkwam, met haar olielampje en haar boek, terwijl zoonlief uit was of al sliep. Negenenvijftig… zestig.

Hijgend kwam hij overeind. Licht hijgend – hij hechtte eraan om dat vast te stellen. Een versnelde ademhaling, een verhoogde hartslag, het was alleen maar normaal. Hij zag het dat puisterige jong nog niet doen, zestig keer opdrukken. In plaats daarvan prutste hij aan zijn scooter, of draaide teringmuziek waarvan de halve straat kon meegenieten. Je vingers jeukten om zo'n knul een week of zes onder je hoede te nemen. Na afloop zou hij een ander mens zijn. Discipline was waar het om draaide, al kon de jeugd van nu het woord amper spellen. Maar je moest ze afbreken tot op het bot, en daarna weer opbouwen. Nadenkend streek hij over zijn kortgeschoren schedel. Was het een idee om brutaalweg aan te bellen onder het mom van een goed gesprek over overlast?

De schim achter het raam verdween. Einde voorstelling voor vandaag. Hij staakte zijn rek- en strekoefeningen en veegde met de rug van zijn hand het zweet van zijn voorhoofd. Gezien zijn feestelijke plannen zou hij bij wijze van verrassing het ontbijt maken. Het zou Hanna in een goede stemming brengen. Mocht het vanavond met de buurvrouw niks worden, dan had hij alsnog een alternatief. Per slot van rekening waren de drie weken alweer bijna om.

Hij was al op weg naar binnen toen hij kloppen hoorde op de houten poort die toegang gaf tot het pad dat bij wijze van brandgang achter de tuinen was aangelegd. Fronsend draaide hij zich om. Dit was niet de tijd van de dag waarop je last had van het opgeschoten tuig dat op scootertjes langs jakkerde of stond te flikflooien met giechelende meiden van veertien. Hij liep het pad af en ontweek een losgeschoten twijg van de klimroos die zich omhoog vocht langs de muur van het schuurtje. De bleekgele roos aan het uiteinde van de tak streek langs zijn wang, de fluwelen geur drong zijn neusgaten binnen. Hij schoof de grendels terug en zwaaide de poort open.

Het laatste wat hij zag – bijna het laatste wat hij zag – was de flikkering van staal, met daarachter een donker geklede schim. Daarna de dwaas kantelende dakgoot van het schuurtje toen hij met beide handen greep naar zijn buik waarin die flikkering was binnengedrongen. Hij zag de hemel daarboven, teerblauw en eindeloos diep, de tollende dakpannen van zijn huis omdat hij achteruit struikelde terwijl zijn knieën het begaven, en ten slotte een gezicht boven hem toen hij eindelijk lag op het vochtige gras, zijn ene been gebogen, het andere gestrekt.

De mond in het gezicht ging open, en er kwamen woorden uit

die hij niet begreep, niet kon begrijpen, omdat zijn buik brandde met withete vlammen, omdat het iets dat flikkerde terugkwam.

En opnieuw kwam.

En opnieuw. En de brand opjoeg tot een gloed die alle rede verzwolg, hem het denken belette, geen plaats bood voor reactie of begrip. Een gloeiende vuist die rond wroette en alles vernielde wat hij tegenkwam – maag, lever, milt, darmen. Christus, zijn darmen. Ze moesten uit zijn lijf hangen, hij moest eruitzien als een geslacht varken. Zijn ogen gingen dicht, omdat het onverdraaglijk was nog langer te kijken naar de wereld, naar de schoonheid ervan, de kleuren, het licht, omdat dat niet langer de werkelijkheid was. De werkelijkheid was pijn. Bloedbellen op zijn lippen, een lauwheid die zich in zijn kruis verspreidde, de stank van urine. Godjezus, hij piste in zijn broek.

2

De jongen kwam thuis in een leeg huis, gewoontegetrouw nadat zijn vader was vertrokken. Op die manier hoefden ze elkaar niet te zien, werden er geen vragen gesteld. De een ging weg, de ander kwam. Het maakte alles veel gemakkelijker. Hem interesseerde het niet wat zijn vader deed, zijn vader stelde geen belang in wat hij uitvoerde. Ze kwamen elkaar pas 's avonds weer tegen, als er gegeten moest worden.

De deur klikte achter hem dicht, en hij bukte zich om zijn schoenen uit te trekken, luisterde even naar de stilte. Het vale licht maakte de hal armoedig, accentueerde de doffe strepen van rubberzolen op het beige linoleum en toonde onbarmhartig de stofvlokken die zich in de hoeken hadden verzameld. Geen nacht meer, maar ook nog geen dag. Een schemeruur, te vroeg voor de belofte van de ochtend. Loze tijd, waarin niets gebeurde.

Opeens was hij doodmoe, drukten de gebeurtenissen van de afgelopen nacht zwaar op zijn schouders. Hij moest slapen. Maar eerst douchen en iets eten.

In de badkamer keek hij in de spiegel naar de kringen onder zijn ogen. Zijn haar was te lang, maar hij kwam er niet toe het te laten knippen. Hij kwam nergens toe. Hij draaide de douchekraan open en wachtte tot het water warm genoeg was.

In zijn slaapkamer trok hij de kastdeur open. Onderbroeken waren op, T-shirts waren op. Het enige waarin zijn vader nog consequent was, was zijn werk. Steeds vroeger vertrok hij 's ochtends, thermosfles met zwarte koffie, al de avond tevoren gezet, in zijn versleten imitatieleren tas, waarvan de naden waren gebarsten en het hengsel rafelde. De tas waarin hij vroeger ook zijn lunchdoos stopte, met altijd hetzelfde aantal boterhammen daarin: twee met worst, twee met kaas. Waarmee zou hij tegenwoordig lunchen? Was hij eindelijk bezweken voor de verleidingen van de nabij gelegen snackbar? Maar misschien lunchte hij niet, leefde hij nog uitsluitend op nicotine. In elk geval dronk hij niet meer, dat zou je vooruitgang kunnen noemen. Steeds later kwam hij thuis, zette twee diepvriesmaaltijden in de oven en ging voor de televisie zitten, bleef zitten tot tien uur, stoïcijns rokend, keek naar het journaal, de actualiteiten, de woonprogramma's waarin mensen een huis kochten dat een bouwval bleek te zijn die ze met koppige wanhoop trachtten te restaureren, keek naar de *real life* programma's waarin mensen terminaal ziek waren, of homo, of suïcidaal, en daarover vertelden onder begeleiding van een gladde presentator. Om tien uur stond hij op, mompelde welterusten en ging naar boven. Zware stappen op de trap, de wc die werd doorgetrokken, een deur die werd gesloten. En de volgende dag het hele gekmakende ritueel opnieuw.

Hij kon er niet meer tegen, ging direct na het eten de straat weer op, zwierf rond in de hoop op een opdracht. Als die niet kwam, bleef hij tot sluitingstijd in een bar hangen, en daarna in een chauffeurscafé dat de hele nacht open bleef. Chauffeurscafés waren de prettigste; niemand stelde belang in je, de koffie ontnuchterde, en het ontbijt was goed.

Hij trok zijn bezwete shirt weer aan, en de spijkerbroek, die aan een wasbeurt toe was. Er stond een koffiebeker in de gootsteen, en er lagen kruimels op het aanrecht, maar het brood was op. In de kleine tuin zat een merel op het verdorde gras zielstevreden zijn veren te poetsen. In plotselinge woede liep de jongen naar het raam en sloeg met zijn vuist hard op het glas. De merel vloog schetterend op, zijn vleugels diepzwart glanzend in het helder wordende licht.

Klotevogel. De jongen pakte de halfvolle fles cola uit de koelkast en zette hem aan zijn mond, dronk tot de fles leeg was.

Hij ontbeet met een homp kaas en een handvol chips. Het voedsel gaf hem iets van zijn energie terug en verdreef de slaap. Hij drentelde naar de huiskamer en bleef staan voor de smalle boekenkast, waarin geen boeken stonden maar snuisterijen. Een witplastic

Venetiaanse gondel, de zwarte hoed van de gondelier verschoten tot vlekkerig grijs. Een houten Don Quichot, fier rechtop op zijn schonkige, slecht geproportioneerde paard, de punt van zijn lans afgebroken na een ongelukkige val. Het glazen beeldje, het gewijde water in het doorzichtige lichaam verkleurd tot bleke thee. Hij hoefde het niet op te tillen om te weten dat onder de voetzolen een etiket zat: *Notre Dame de Rocamadour*. Er was een vage herinnering aan een trap van meer dan tweehonderd treden die door pelgrims op hun knieën werd bestegen. Hij had het hen zien doen, wist nog van de oude man die halverwege onwel werd en door toeristen met ongeduldig medeleven werd ontweken terwijl hij languit op een van de stenen treden lag. Naast de devote Maria – in een merkwaardige tegenstelling – de bekers en medailles. Sommige met een dun laagje zilver, al bijna weggepoetst, want niet bedoeld voor de eeuwigheid. Clubkampioen kleiduivenschieten. Regionaal kampioen kleiduivenschieten. Jesusfuckingchrist, kleiduiven. Geen hert, geen everzwijn, geen haas of gans of desnoods een trage, hulpeloos fladderende fazant. Kleiduiven. Oranje schoteltjes, afgeworpen door een machine. Altijd in dezelfde richting, altijd met dezelfde snelheid. Niets wat minder leek op wild dan een kleiduif. Niettemin, het vergde een vaardigheid. Een vaardigheid die hij getracht had zich eigen te maken. Sterker nog, die hij zich eigen had gemaakt. Een paar jaar lang was hij elke zaterdagmiddag meegegaan, wapen in het foedraal achter in de auto. Hij had ervan genoten, al wilde hij zich dat niet langer herinneren. De scherpe geur van kruit die op je handen achterbleef, in je kleren bleef hangen. Het goedkeurende gemompel van de toeschouwers, wachtend op hun beurt. Bonkige mannen, arbeiders veelal, maar ook een enkele advocaat of manager, herkenbaar aan hun dure geweren, hun waxjassen en hun spraak. De sterke verhalen aan de bar, gesprekken waarin hij zich had mogen mengen, omdat hij ondanks zijn jeugd een van hen was geweest. Op de schietbaan werd er geen onderscheid gemaakt, en standsverschillen bestonden niet. Het enige dat telde, was of je een goed schutter was. Hij had zich laten instrueren, zich het commentaar laten welgevallen als hij te veel voorgift gaf, een makkelijke duif miste, had in de stromende regen gestaan, doorweekt petje op, oorbeschermers op, zijn vaders kin op zijn rechter-schouder. 'Over je bies kijken! Waarvoor heb je godverdomme een bies?' Hij had zich ontwikkeld tot een redelijk schutter, en een tijd-lang had hij gehoopt daarmee zijn vaders respect te verdienen.

Hij keek naar de twee foto's, elk in een zilveren lijst, en in tegen-stelling tot de andere voorwerpen niet bedekt met een waas van stof. Vanuit de ene lijst glimlachte een vrouwengezicht naar hem. Onder de licht gefronste wenkbrauwen, blond als het krullende haar, waren de zachte ogen iets opengesperd in afwerende verlegen-heid. Ze had er niet van gehouden te worden gefotografeerd, zeker niet als ze daarvoor moest poseren.

De andere foto toonde hem zijn eigen gezicht. De zware wenk-brauwen van zijn vader, de groef in de kin, het donkere haar, steil en dik, maar op de foto weggeschoren tot niet meer dan een donker waas. Zijn gezicht dat niet het zijne was. Stomme klootzak.

3

Thea Jaring had niet goed geslapen. Twee vechtende katten hadden haar wakker gekrijst, kort nadat ze eindelijk in slaap was gevallen, en daarna had ze liggen woelen. Ze was pas weer ingedommeld toen het al bijna tijd was om op te staan. Nu was ze moe en geeuwerig, en de zeurende pijn in haar linkerheup leek eerder toe- dan afgenomen. Er was iets mis met die heup, maar wie weet wat er ging gebeuren als ze ernaar liet kijken. Nog maar even niet. Ze had al genoeg ellende gehad de laatste tijd.

Terwijl ze wachtte tot het theewater kookte, liet ze haar eigen kat buiten, die de nacht binnen had doorgebracht, zoals het hoorde. Van haar kat zou niemand last hebben, daar zorgde ze wel voor. Ze hing een theezakje in de beker. Het waren natuurlijk weer die beesten van de hoek geweest. Onopgevoed, zoals hun baasjes. Altijd herrie. Te luide muziek en te harde stemmen, en als je er iets van zei, kreeg je een grote mond. Ze goot de beker vol en bewoog het zakje heen en weer om het water sneller te laten kleuren. Slingerthee. Ze hield er niet van, maar voor een pot goed getrokken thee had ze geen tijd meer. Ze zou zich zelfs moeten haasten naar haar eerste werkhuis. In de term interieurverzorgster geloofde ze niet. Werkster was ze, en daar was niks mis mee. Zolang je op een eerlijke manier je brood verdiende, hoefde je je nergens voor te schamen, en de werkhuizen betekenden, samen met het kleine pensioen, dat ze kon rondkomen, al was het geen vetpot. Geprezen zij de dag dat ze vijfenzestig werd. Nog twee jaar en drie maanden, zo lang moest ze het zien vol te houden. En zo lang moest die heup het ook maar uitzingen. De pijn was vanzelf gekomen, misschien zou hij ook vanzelf weer weggaan.

Ze prikte de bruine boterham aan een vork en hield die boven de gasvlam om het ontdooien te bespoedigen.

Staand voor het keukenraam dronk ze haar thee en kauwde op het brood. Als Bert haar zo had kunnen zien, zou hij zijn hoofd hebben geschud. Bert had gehouden van een fatsoenlijk gedekte tafel en een opgeruimd huis. Na zijn dood had ze de boel wat laten versloffen. Niet dat het vuil was, maar de gezelligheid was eraf. 'U moet een beetje van uzelf houden, hoor,' zei de huisarts. Ze had om een slaapmiddeltje gevraagd – niks zwaars, gewoon iets waardoor ze wat makkelijker zou inslapen, en hij had willen weten waarom ze wakker lag. Dat had hij zelf ook kunnen bedenken, hij wist dat Bert pas een halfjaar dood was, maar geduldig had ze het hem uitgelegd. Hoe moeilijk ze het vond om alleen voor zichzelf een kopje koffie te zetten, behoorlijk te koken, een bloemetje te kopen. 'U bent toch zelf ook de moeite waard om dat allemaal te doen?' Ze had de pilletjes gekregen, maar toen ze voor de derde keer om een herhalingsrecept vroeg, had hij het geweigerd. Bang dat ze eraan verslaafd zou raken. Wat een onzin, daar was ze toch zeker zelf bij?

Ze deed de keukendeur open en liet de kat weer binnen, strooide brokken in zijn voerbakje en zag hoe hij moeizaam hurkte. Het beest werd oud, het zou niet lang meer duren voor ze helemaal alleen was. De kinderen belden geregeld, en ze bedoelden het goed, maar ze woonden ver weg en ze hadden het druk met hun werk. Ze zou weer eens naar de kaartclub moeten gaan, maar dan zou ze onvermijdelijk aan het tafeltje bij de andere weduwen worden gezet, en daar was het geklaag niet van de lucht. Bert en zij hadden er weleens om gelachen, vroeger, niet vermoedend dat zij in dezelfde situatie terecht zou komen. Bert had gezond geleefd, was geen roker, geen drinker, en toch was hij opeens weg. Het leven kon vreemd lopen. Ze duwde tegen de koelkastdeur die niet goed meer sloot, en zuchtte. Alles werd minder.

In de brandgang achter de tuinen durfde ze niet meer te fietsen sinds ze een keer door dat joch van verderop met zijn scootertje omver was gereden, en daarom liep ze naast haar fiets naar het eind van het pad. Bij Wissink stond de tuinpoort half open, en ze hield haar pas in. Niks voor Leo, die was veel te precies om te vergeten de poort af te sluiten, of was hij zo vroeg al in de tuin bezig? Ondanks haar haast bleef ze staan. Leo had haar een tijdje geleden geholpen de televisie te verplaatsen, zodat de zon er niet meer in weerspiegelde. Bert had er niet van willen weten, maar nu ze alleen was, keek ze soms overdag, en die zon was hinderlijk. Ze had altijd een beetje ontzag voor Leo gehad; zo'n echte militair, met die kaalgeschoren schedel en een kortaffe manier van doen. Geen gemoedelijke man. Maar hij was erg vriendelijk geweest. 'Altijd tot hulp bereid,' had hij gezegd. Misschien kon ze hem even vragen of hij de blauweregen wilde snoeien. De ranken groeiden alle kanten uit, ze kon amper nog de ramen lappen.

'Goeiemorgen, Leo.'

Er kwam geen antwoord, en beschroomd duwde ze de poort iets verder open. Nooit zomaar bij de buren naar binnen stappen, daar hield ze zelf ook niet van.

'Leo?'

Het bleef stil, en ze wilde al doorlopen toen haar oog viel op het tuinpad, waarover traag een dun rood stroompje kroop. Ze deed een stap naar voren.

De fiets kletterde op de straatstenen terwijl ze keek. Keek en schreeuwde.

4

God nee, dacht Vegter toen hij zijn ogen opende en de opgestapelde dozen zag aan het voeteneind van het bed. Niet nu, niet vandaag.

Naast hem bewoog Renée terwijl zijn mobiel zich opnieuw meldde met het irritante deuntje dat hij al tijden had willen vervangen voor een ander dat waarschijnlijk net zo irritant zou blijken te zijn. Het scheen dat je zelfs klassieke muziek kon downloaden als ringtone, maar om tien keer per dag de eerste maten van Beethovens Vijfde te moeten aanhoren, leek hem ook geen genoegen.

Hij grabbelde de telefoon van de vloer en keek naar de display. Hoofdbureau. Natuurlijk.

'Vegter.'

'Gevalletje van moord, inspecteur,' zei Slagter, wiens gevoel voor humor even onverwoestbaar als hinderlijk was.

'Hoe kom je daar zo bij?' vroeg Vegter in een poging hem te pareren.

'Man gevonden met opengereten buik,' zei Slagter geenszins geïmponeerd. 'In zijn eigen achtertuin. Ziet er niet naar uit dat hij dat zelf voor elkaar heeft gekregen. Brands en Vening zijn er, en volgens hen biedt het geen frisse aanblik. Sorry, inspecteur. Vakanties en zo, weet u wel?'

Vegter wist het. 'Waar?'

'West. Hendrick Avercampstraat nummertje drieënveertig.'

'Bel iedereen. Ik kom eraan.'

'Ik ga met je mee,' zei Renée. Het rode haar lag verspreid over het kussen, haar ogen waren nog klein.

'Je hebt vrij,' protesteerde hij.

'Jij ook.' Ze sloeg het dekbed terug. 'Waar en wie?'

'Ik ben aan het verhuizen.' Hij zwaaide zijn benen uit bed. 'Ik heb hier geen zin in. Ik ben een oude man.'

'Helemaal niet,' zei ze. 'Je bent zesenvijftig en je bent vier kilo afgevallen. Vooruit, schiet op.'

Terwijl zij haar tanden poetste, gooide hij handenvol water in zijn gezicht om de laatste resten slaap te verdrijven.

'Hoe laat is het?'

'Kwart over zeven. Je mobiel ging om tien over.'

Hij pakte de handdoek en keek naar haar smalle rug, in een vloeiende lijn gebogen over de wastafel, de wervels een regelmatige rij tere uitsteeksels. Waarom ontroerde hem dat?

'Ik wil dit niet.'

'Ik ook niet,' zei ze. 'Maar we worden ervoor betaald. Waar en wie?'

'West. Man met opengereten buik, zoals Slagter het beliefde te noemen. En jij bent nog niet eens helemaal terug in actieve dienst.'

Ze liep naar de slaapkamer, trok een T-shirt over haar hoofd en transformeerde van nimf tot zakelijke jonge vrouw. 'Word ik verondersteld schietend rond te rennen?'

'Vooralsnog niet.'

'Nou dan.'

Talsma was er al. Talsma was er altijd eerder dan wie ook. Vegter vroeg zich weleens af of hij in zijn auto sliep. Maar dat zou Akke niet toestaan.

'Smeerboel, Vegter. Iemand heeft het leuk gevonden hem zo veel mogelijk te beschadigen.'

Vegter keek naar Renée en las de spanning in haar ogen, rond haar mond. 'Blijf jij hier.'

Talsma knikte instemmend, en voorzichtig manoeuvreerde Vegter langs de half openstaande tuinpoort. Het lichaam lag er vlak achter, de rechterarm uitgestrekt, de linker als in bescherming over de borst.

Na meer dan dertig jaar beschouwde Vegter zichzelf als gehard, maar niet dikwijls had hij een dergelijke verwoesting hoeven aanschouwen. Hij keek om naar Talsma. 'Waar is dit mee gedaan, denk je?'

Talsma haalde zijn schouders op. 'Bijl? Zwaard? Machete? Iemand was erg boos, zo te zien.'

Vegter hurkte. Hij wist hoe het menselijk lichaam er vanbinnen uitzag, maar dit was de eerste maal dat hij besefte waar een chirurg naar keek als de buikholte was geopend. Onwillekeurig dacht hij aan *De anatomische les*, al was dat hiermee vergeleken een zoetsappig tafereel. Bovendien was deze linkerarm in ongeschonden staat.

'Godallemachtig.'

'Dat dacht ik ook,' zei Talsma onaangedaan. 'De weduwe wordt binnen door Brands en Vening in bedwang gehouden.'

'Is er daarom nog niets afgezet?'

'Ja. Ze belden haar uit bed, en ze zag kans een blik uit het raam te werpen. Maar u kwam van dezelfde kant als wij, dus dat wordt de lijn.'

'Wie is hij?'

'Leo Wissink. Gepensioneerd militair.'

Vegter bestudeerde de sterke benen die uit het sportbroekje staken, de gebruinde armen, zwaar behaard, de brede borstkas waaronder zich had bevonden wat Brink een wasbordje zou noemen. Alleen het gezicht verried de leeftijd, door de diepe plooien naast de neus en onder de kin. Brede mond met dunne lippen, geschoren schedel. Dit was een fitte, gezonde man. Geen man die zich zonder slag of stoot gewonnen zou geven. Maar misschien waren de slagen of stoten te onverwacht gekomen. Hij bekeek de rechterhand. De kortgeknipte nagels waren schoon, in de palm en op de vingertoppen zaten vuile vegen van wat aarde leek.

'Wie heeft hem gevonden?'

'Weduwe vier huizen verderop. Oudere vrouw, op weg naar haar werk. Modern genoeg om een mobieltje bij zich te hebben, en snugger genoeg om 112 te bellen.'

Vegter knikte.

'De hele misjpooche is onderweg,' zei Talsma. 'Ze had ook een ambulance besteld, maar ik heb al doorgegeven dat ze die wel kunnen laten zitten.'

'Waar is ze nu?'

'In haar eigen huis. Nummer vijfendertig.'

Vegter liet zijn blik glijden langs de slaapkamerramen van de buurhuizen, en Talsma knikte. 'Je zou toch zeggen dat iemand iets gemerkt moet hebben. Maar aan de andere kant: mensen staan op en gaan douchen en ontbijten en de krant lezen.'

Er klonken stemmen op het pad, een mannenstem met een agressieve ondertoon, Renées sussende antwoord. Vegter stapte terug door de poort en bleef ervoor staan, op die manier inkijk verhinderend.

'Wat is dit voor flauwekul?' Een jonge vent in bermuda en mouwloos hemd, gouden kettinkje om de hals. Naast hem een gespierde boxer die bezig was zich in zijn riem te verstrikken. 'Die griet zegt dat ik er niet langs mag.' De man gaf een ruk aan de riem, en de boxer piepte en liet zijn kop hangen.

Een hond ook nog. Vegter zuchtte. 'Maak dat u wegkomt,' zei hij vlak.

'Wat?'

'U hebt me gehoord.'

'Zeg, wie denk jij eigenlijk dat je bent?'

Vegter trok zijn identiteitskaart uit zijn borstzak en hield hem omhoog. 'Recherche. We zijn met een onderzoek bezig. Waar woont u?'

'Hier in de straat.' De man wees achter zich. 'Op de hoek.' De agressie veranderde in nieuwsgierige gedienstigheid. 'Wat is er gebeurd?'

'Dat hoort u straks. Blijft u thuis tot een van onze mensen bij u langskomt.'

'Ik moet naar mijn werk.'

'Dan belt u even dat u later komt. En hou die hond bij u.'

Hij keek de man na, die in zijn ijver de hond zo kort hield aangelijnd dat hij er bijna over struikelde.

'Je hebt er echt geen zin in,' zei Renée.

Vegter gromde iets. Die hond zou al overal gesnuffeld hebben en zijn poot opgetild. Enfin, waarschijnlijk maakte het niets uit; elf huizen tot de hoek, nog vier ná dat van Wissink tot de andere hoek – de dader kon van beide kanten gekomen zijn. Als hij dat per auto had gedaan, had hij zelfs vlakbij kunnen parkeren. Een paar jaar geleden was de wijk heringericht, wat voornamelijk betekende dat het groen plaats had moeten maken voor parkeerhavens.

'Vegter,' zei Talsma vanachter de schutting.

Vegter liep terug.

'Ik ben maar een tactisch rechercheurtje,' zei Talsma. 'Maar als ik niet beter wist zou ik zeggen dat dat bloed is.' Hij knikte naar de muur van de schuur, die gedeeltelijk door een klimroos werd bedekt. Naast een van de hoofdtakken zaten een paar donkere spatten, een ervan iets uitgelopen.

'Op de deur ook, lijkt me.' Vegter boog zich naar voren en bekeek nauwgezet de dof geworden donkergroene verf. 'En eentje op het glas, hier links beneden.'

'Verdomd,' zei Talsma. 'Die waren me nog niet eens opgevallen.' Hij keek naar Wissink en opnieuw naar de muur. 'Flinke afstand, nou? Misschien is hij na de eerste houw achteruit gestruikeld. Die knakker is als een beest tekeergegaan. Moet zelf ook bloed op zijn kleren hebben, dat kan bijna niet anders.' Hij hief zijn hoofd. 'Daar komen ze.'

Vegter knikte. 'Regel jij de afzetting. En zodra alles loopt, gaan jij en ik naar mevrouw Wissink, Renée gaat naar die weduwe op nummer vijfendertig.'

'Best,' zei Talsma. 'Hoe groot wou u eigenlijk de buitenring hebben?'

Vegter pakte zijn telefoon om de officier te bellen. 'Wat zou je zeggen van heel West?'

'Goed dat u Renée er nog een beetje buiten houdt,' zei Talsma onderweg naar de voordeur van de Wissinks. 'Ik heb me al vaker afgevraagd of ze alles al weer aankan.'

'Ik wilde haar de aanblik besparen.' Vegter dacht aan de manier waarop ze reageerde als er op de televisie buitensporig geweld werd getoond. Ongeacht of het reële beelden waren of een film, ze stond op en liep de kamer uit. Nog altijd was ze zwijgzaam over hetgeen haar was overkomen, en in een zoveelste poging haar aan het praten te krijgen, had hij haar gevraagd wat de precieze reden was dat ze de aanblik niet kon verdragen. Waren het de verwondingen? Was het het bloed? Ze had het antwoord gegeven dat hij had gevreesd. 'Het is angst.'

Ook hij vroeg zich af of ze het aankon, maar als hij erover begon, trok ze zich onmiddellijk terug. Gaf geen antwoord of maakte zich er met een grapje van af. Ze was prikkelbaar en maakte fouten die ze vroeger niet gemaakt zou hebben. Over het geheel genomen wekte ze de indruk van een tot het uiterste uitgerekt stuk elastiek.

Ze liepen de hoek om en hij keek de straat langs. Her en der stonden groepjes mensen op het trottoir of in de minieme voortuintjes met elkaar te praten.

'De tamtam werkt nog.' Talsma liet hem voorgaan het tuinpad op.

'Hoe is het binnen?' vroeg Vegter zachtjes in de hal.

'Ze is nu rustig,' zei Brands. Hij wreef over zijn kale schedel. 'Al duurde het even voor we haar zover hadden. Ik heb de huisarts gebeld, die komt zo langs.'

'En Vening?'

'Die gaat vooruit,' zei Brands laconiek. 'Hij is niet over zijn nek gegaan.'

Een van de gordijnen was dichtgetrokken, opdat de weduwe geen zicht had op het lichaam van haar man, en Vening had koffie gezet, die hij huiselijk voor hen inschonk uit een grote thermoskan. Hij had zelfs kans gezien suiker en melk te vinden, en hij scharrelde rond als een ijverige leerling-kelner. Brands had hem onder zijn hoede genomen en was langzaam maar zeker bezig een uitstekende agent van hem te maken.

'Het zijn de verkeerde schoteltjes,' zei mevrouw Wissink geagiteerd.

Ze zat op de bank, stijf rechtop, een prop papieren zakdoekjes op haar schoot. Een kleine, magere vrouw met een zorgelijke frons en een schuwe oogopslag. Ze was nog in ochtendjas, de lichtblauwe panden ver over elkaar geslagen over haar platte boezem, en haar bleke voeten staken in pantoffels die te warm waren voor de tijd van het jaar.

Vegter wisselde een blik met Talsma. Niet langer verbaasde hij zich over de reactie van slachtoffers. De een schreeuwde, de ander huilde, de derde maakte zich zorgen om niet passende schoteltjes.

'Een rokje met een bloesje,' zei Talsma iets te opgewekt.

Vegter stak zijn hand uit, en mevrouw Wissink stond haastig op, zodat de zakdoekjes op de grond vielen. Ze bukte om ze op te rapen, bedacht zich en kwam verward weer overeind.

'Blijft u zitten,' zei Vegter.

Ze ging weer zitten, trok de ochtendjas over haar knieën. 'Ik moet me aankleden, ik kan zo toch niet…' Ze stond opnieuw op, aarzelend, wachtend op zijn toestemming.

'Ga uw gang.'

Ze liet de kamerdeur openstaan, en ze luisterden naar de zachte voetstappen tot er boven een deur dicht ging.

'Ze sliep nog,' zei Brands. 'Hij had uit het leger de gewoonte overgehouden om al om zes uur op te staan. Dan deed hij zijn gymnastiek, zoals zij het noemt. Nogal een fanatieke sporter. Zwom en jogde ook dagelijks.'

'Hoe laat waren jullie hier en wat troffen jullie aan?'

'De melding kwam binnen om zes uur veertig. Wij waren hier om acht voor zeven. Tuinpoort half open, hij erachter. Een kind kon zien dat hij dood was, al heb ik wel zijn pols gevoeld. Rechterpols. De maagkuil heb ik maar met rust gelaten, gezien de toestand waarin die zich bevindt. Geen mens te zien, geen wegrijdende auto's, brommers of wat ook. Zijn vrouw werd hysterisch nadat ze hem had zien liggen, en omdat we haar niet konden kalmeren, heb ik de huisarts gebeld. Ze wilde geen waarnemend arts, het moest per se haar eigen dokter zijn.'

Vegter dacht na. Wissink was om zes uur opgestaan en aan zijn gymnastische oefeningen begonnen. Veertig minuten. Het was krap. De weduwe van nummer vijfendertig had geluk gehad dat ze niet over de dader was gestruikeld, en de dader had een flink risico genomen, tenzij hij goed op de hoogte was van de gewoonten van de buurtbewoners.

Hij keek de kamer rond terwijl Talsma een extra schep suiker in zijn koffie deed. Een kom met goudvissen op een kast die vroeger een dressoir heette, grijs tapijt, een imitatiepers onder de eethoek, een blauw met bruine pluchen loper schuin over de tafel, vitrage voor de ramen. Het Hollandse binnenhuisje. Een tinnen vaas met bloedrode dahlia's, de bloemhoofden bestaand uit een volmaakt symmetrisch stelsel van smalle, puntige blaadjes, was de enige frivoliteit die mevrouw Wissink zich had veroorloofd. Een boeket als een stilleven.

Naast de goudvissen stond een ingelijste trouwfoto. Wissink in legeruniform, de baret uitdagend ver over het oor getrokken, het gezicht zachter door zijn jeugd, zijn bruid in een spierwitte, hooggesloten jurk met sleepje en korte sluier. Vanonder de sluier keek ze gespannen naar de fotograaf, de wenkbrauwen iets opgetrokken in een zwijgende vraag om goedkeuring. Ook toen al afhankelijk, dacht Vegter. Of al gedrild.

'Hij is nu zes maanden met pensioen,' zei mevrouw Wissink. 'Zijn hele leven heeft hij in het leger gezeten. Dat was wat hij wilde. Hij geloofde erin, hij vond dat elk land een leger nodig heeft.'

'Was u dat met hem eens?'

'Ik heb daar nooit zo over nagedacht.' Ze had de ochtendjas verwisseld voor een bloes en een rok, maar droeg nog steeds de pantoffels. Ook haar benen waren ongebruind, en op de linkerkuit kronkelde een spatader. De bloes was crèmekleurig en maakte haar vaal. 'Het was gewoon zijn beroep, begrijpt u? En hij heeft nooit in actie hoeven komen. In een oorlog, bedoel ik.'

'Wat u betreft is het een beroep als alle andere?'

Ze haalde licht haar schouders op. 'Ik zag hem niet vaak in uniform. Door de week sliep hij meestal in de kazerne, en als hij vrijdagsavonds thuiskwam, was hij al in burger.'

'In welke kazerne was hij gelegerd?'

'De Koningin Emma-kazerne.'

Het antwoord verraste Vegter. Waarom sliep Wissink in de kazerne terwijl die niet meer dan tien kilometer van zijn huis verwijderd lag? Geen interesse om thuis te zijn, of grotere interesses elders?

'Was hij, en u misschien ook, bevriend met collega's?'

Ze aarzelde. 'Hij ging weleens met een collega naar een voetbalwedstrijd. En soms was er een feest op de kazerne, dan ging ik mee.'

'Maar daarnaast hebt u uw eigen vriendenkring?'

Ze leek bijna te schrikken van de vraag. 'Ik ben niet zo... Eigenlijk ben ik het liefst thuis. Dat vond Leo ook het prettigst. Voor als hij tóch thuiskwam, begrijpt u? Soms deed hij dat. En dan wilde hij graag dat het schoon en gezellig was.'

'Hebt u een baan?'

'Nee.'

'Hebt u kinderen?'

Ze schudde zwijgend haar hoofd.

Een dood bestaan. Of op zijn minst een te klein bestaan. Vegter keek naar haar handen, die ze in elkaar geklemd hield in haar schoot. Korte nagels, droge huid, rode knokkels. Werkhanden. Handen die het huis schoon en gezellig hielden voor een man die alleen thuiskwam als hem dat beliefde.

'De manier waarop hij is aangevallen,' zei hij voorzichtig.

Ze bleef hem aankijken, terwijl ze haar ogen opensperde in een poging de opwellende tranen tegen te houden.

'Een eerste veronderstelling zou kunnen zijn dat hij de pech had een gek tegen het lijf te lopen, een tweede dat iemand een grief tegen hem had.'

'Daar weet ik niets van.'

'Hij heeft daar niet met u over gesproken?'

'Nee.' Ze bukte zich om de prop zakdoekjes op te rapen, bleef er even mee in haar handen zitten en legde hem toen op tafel. 'Hij sprak niet vaak over zijn werk.' Ze liet het klinken alsof hij met haar überhaupt over weinig had gesproken.

'Ik bedoelde niet per se dat hij vijanden had gemaakt op zijn werk,' zei Vegter vriendelijk. 'Het zou een conflict kunnen zijn in de privésfeer. Een burenruzie of iets dergelijks.'

'Nee.' Ze schudde opnieuw haar hoofd, heftiger deze keer. 'We bemoeien ons niet zo erg met de buren. Al heeft hij er weleens iets van gezegd als die jongen van hiernaast aan zijn scooter sleutelde. Dan liet hij de motor razen, en daar ergerde Leo zich aan.'

'Wat was zijn rang?'

'Hij was sergeant.'

'Hoe oud was hij toen hij bij het leger ging?'

'Hij werd opgeroepen voor zijn nummer. In die tijd was je nog dienstplichtig, begrijpt u? En daarna heeft hij bijgetekend en is hij beroeps geworden.'

'Hij was... hoe oud?'

'Hij zou over een halfjaar zesenvijftig zijn geworden.' Ze begon geluidloos te huilen, zonder een poging te doen de tranen weg te vegen.

Vijfenvijftig, dacht Vegter. En nog steeds sergeant. Dat duidde niet op carrièredrang. Of niet op veel intellect.

'Deed hij dagelijks oefeningen in de tuin?'

'Elke ochtend.' Ze zag kans te praten terwijl de tranen bleven stromen. 'En 's middags ging hij zwemmen en 's avonds joggen. Hij wilde fit blijven.' Ze zweeg een ogenblik. 'En hij moest toch iets te doen hebben. Hij miste de regelmaat.' Ze dacht even na en zei toen met verrassend inzicht: 'Ik had de huishouding, maar hij had eigenlijk niets meer.'

'Hij had geen hobby's?'

'Daar heeft hij nooit tijd voor gehad.'

'Wat deed hij naast het sporten? Hoe bracht hij de rest van de dag door?'

'Hij heeft de hele buitenboel geschilderd, de zolder opgeruimd, dat soort dingen. Deze herfst wilde hij aan de tuin beginnen en de schuur opknappen. Er moet een nieuw slot in de deur, en het dak lekt een beetje.'

Vegter zag dat Talsma hetzelfde dacht als hij. De dader zou toch niet doodgemoedereerd in het schuurtje hebben gebivakkeerd?

'Hij was dus veel thuis.'

Ze knikte en slaakte een bibberige zucht, en Vegter was er niet zeker van of dat was omdat ze Wissink opeens hele dagen over de vloer had gehad, of omdat ze aan het eind van haar Latijn was.

De bel ging. Talsma stond op en kwam terug met de huisarts, een oudere man met rustige ogen en een zachte stem. Bij het zien van een vertrouwd gezicht verloor mevrouw Wissink haar krampachtige zelfbeheersing. Ze sloeg de handen voor het gezicht en jammerde.

Vegter keek naar het deerniswekkende hoopje, te klein voor de protserige bank waarop ze zat, en er bekroop hem het gevoel dat hij de mensen achterliet in groter eenzaamheid dan vóór zijn komst.

5

'Wat had de weduwe te melden?'

Vegter stond met Renée op de hoek van de straat. Aan het eind van het pad schemerde een witte overall door de struiken. Het aantal mensen was al uitgedund. De officier was vertrokken, de fotograaf was klaar, Heutink had aangekondigd om één uur met de sectie te beginnen en Vegter had Talsma naar het bureau gestuurd om contact op te nemen met de Koningin Emma kazerne.

'De weduwe heet Jaring,' zei Renée. 'Thea Jaring. Sinds een half jaar weduwe, en een beetje vereenzaamd. Ze was op weg naar een van haar werkhuizen, en ze had Wissink iets willen vragen over het snoeien van een struik. Ze omschreef hem als een behulpzame man, al begreep ik dat die hulp pas van recente aard was. Ik kreeg de indruk dat ze heimelijk een beetje ontzag voor hem had, en dat ze toen haar man nog leefde nauwelijks contact met Wissink hadden, en evenmin met zijn vrouw. Die is nogal op zichzelf, volgens haar. Mevrouw Jaring had slecht geslapen, maar heeft in de vroege ochtend niets gehoord of gezien. Ook in de afgelopen weken is haar niets bijzonders opgevallen. Drie ochtenden per week staat ze om zes uur op en vertrekt om kwart voor zeven naar haar werk. De overige dagen slaapt ze tot acht uur, en op zondag tot halfnegen, als haar heup haar dat toestaat. Behalve met haar heb ik ook gesproken met de meneer van de hond, die evenmin iets afwijkends heeft opgemerkt, hoewel hij de hond altijd al uitlaat vóór hij naar zijn werk vertrekt. Hij woont hier pas een jaar, en hij kende Wissink eigenlijk alleen van gezicht, al was het hem opgevallen dat hij hem de laatste maanden vaker zag.'

'Dat kan kloppen,' zei Vegter. 'Wissink was sinds een halfjaar met pensioen.'

'Wat zei Heutink?'

'Niet zo veel.' De zon brandde in zijn nek, en Vegter deed een paar stappen opzij, zodat hij in de schaduw stond van een gemeentelijke esdoorn. 'Dood zeer recent ingetreden. Enfin, dat wisten we al. Hij wilde geen uitspraak doen over het wapen, behalve dat het vrij groot en grof moet zijn. Misschien kan hij vanmiddag na de sectie iets meer vertellen.'

'Met wie ga je daar naartoe?'

'Niet met jou.' Hij glimlachte een beetje.

'Dat vroeg ik niet.'

'Met Talsma.' Hij keek op zijn horloge. 'Ik had de naaste buren voor ons gereserveerd, en ze wachten op ons. We gaan eerst naar de mevrouw links, die staat te popelen om naar haar werk te gaan.'

'Hij deed zijn oefeningen,' zei de buurvrouw. 'Die doet hij elke ochtend. Tenminste, dat denk ik. Als ik vroege dienst heb, zie ik hem meestal.'

'Wat is uw beroep?'

'Ik ben verpleeghulp.'

'Hoe lang is hij bezig met die oefeningen?'

'Dat weet ik niet precies, daar heb ik nooit op gelet.'

Ze zaten aan de glazen eettafel achter in de huiskamer, Vegter en Renée aan de ene kant, de buurvrouw en haar zoon aan de andere kant. De buurvrouw had zich voorgesteld als Bianca Matsers. Ze was iets te oud voor het lange, geblondeerde haar, en haar huid was diep gebruind en stak scherp af bij de lichte ogen, die waren opgemaakt met te veel mascara. Ze had van alles iets te veel, dacht Vegter. Ringen, armbanden, nagellak, lipstick, decolleté. Hier zat een vrouw nadrukkelijk vrouw te wezen. Haar zoon heette Wesley. Zijn uitpuilende rugzak met schoolboeken lag op de vloer en Wesley zelf hing bestudeerd nonchalant onderuit op zijn stoel, handen in de zakken. De kamer was huiselijk, maar maakte de indruk ingericht te zijn met een mengelmoes van nieuwe en oude spullen.

Vegter wees naar de rugzak. 'Jij moet naar school?'

Wesley haalde zijn schouders op. 'Boeit niet.'

'Natuurlijk moet je naar school,' zei zijn moeder.

Wesley zuchtte overdreven. 'Zeur nou niet.'

'Heb jij vanochtend iets bijzonders gemerkt?' vroeg Vegter.

'Nee, ik sliep.'

'Slaap je aan de voorkant?'

'Ja.'

'Is je de afgelopen weken iets opgevallen dat anders was dan ge-woonlijk?'

'Nee.'

'Kende je meneer Wissink?'

'Mwoh.'

'Wat is mwoh?'

Wesley fronste. Hij had de lichte ogen van zijn moeder, maar daarmee hield de gelijkenis op. Zijn haar was donker en kort ge-knipt en hij had het broodmagere lijf van een jongen die midden in zijn groeispurt zit. Zijn huid was zo bleek dat Vegter zich afvroeg of hij geen vitamine D tekort zou hebben vanwege gebrek aan zon-licht.

'Hij heeft een keer gevraagd of ik niet ergens anders aan mijn scooter kon sleutelen.'

'En?'

'En dat kon niet.' Wesley haakte zijn duimen achter de lusjes van zijn spijkerbroek. Zijn blik maakte duidelijk dat hij het zelf een cool antwoord vond.

'Werd dat ruzie?'

'Nee. Hij ging naar binnen.' Wesley lachte. 'Omdat zijn vrouw hem riep.'

'Je lijkt niet erg onder de indruk van zijn dood.' Vegter voelde Renées afkeurende blik, en hij wist dat ze gelijk had, maar hij had geen zin zich te laten koeioneren door een joch van zestien.

Wesley had de betamelijkheid een kleur te krijgen. 'Nou ja. Na-tuurlijk is het rottig.'

'Maar?'

'Ik vond het een lul.'

'Wesley!'

'Hè mam,' zei hij geïrriteerd. 'Ik mag toch wel zeggen wat ik vind?'

'Zeker mag dat,' zei Vegter. 'Waarom vond je dat?'

'Omdat hij altijd wat te zeiken had,' zei Wesley. 'Over mijn muziek, over mijn scooter, over een container die verkeerd stond, dat soort flauwekul. Dat weet jij ook heus wel,' zei hij tegen zijn moeder.

Vegter hield zijn gezicht in de plooi. 'Jij vond zijn opmerkingen niet terecht.'

'Nee. Volgens mij deed hij het erom, gewoon omdat hij er lol in had.'

'Hoe zou je hem omschrijven?'

Er vloog iets van verrassing over het gezicht van de jongen. Voor de eerste keer dacht hij na, bereid mee te werken nu zijn mening serieus werd genomen. 'Als een foute voetbaltrainer,' zei hij toen.

Renée leunde achteruit in de krakende rotan stoel en keek naar buiten, naar de haag van laurierstruiken, dicht opeen geplant en daarmee een effectieve afscheiding tussen deze tuin en die van de Wissinks. Wesley was naar school vertrokken met een houding waaruit sprak dat hij het thuis interessanter vond.

'Van hieruit hebt u meneer Wissink niet kunnen zien.'

'Dat klopt. Ik zag hem vanuit mijn slaapkamerraam.'

'Zouden wij daar even mogen kijken?'

'Natuurlijk.'

Bianca Matsers ging hen voor de trap op. 'Let u niet op de rommel,' zei ze over haar schouder. 'Ik heb nog geen tijd gehad om op te ruimen.'

Op haar beurt keek Renée om naar Vegter en trok haar wenkbrauwen op. Hij knikte. De ochtend was inmiddels ver gevorderd, en volgens haar zeggen was de buurvrouw vanaf tien voor zes op omdat haar dienst om zeven uur begon.

Op de overloop lag een stapeltje wasgoed, waar ze soepel overheen stapte. Vegter wierp een blik in de kamer van de zoon. De lamellen waren nog dicht, en de kamer zag eruit alsof er een tornado had gewoed. Hij dacht aan Stef, die toen Ingrid een tiener was, haar een stapel gewassen en gestreken kleren placht te overhandigen met de woorden: 'Hier zijn je schone kleren, hang ze netjes op de vloer.'

Ook Bianca's kamer was rommelig; het bed onopgemaakt, kleren slingerden over een stoel, in een hoek leunde een enorme spiegel in krullerige houten lijst tegen de muur, half onder het bed lag een geopende toilettas met make-up spullen. Op het nachtkastje lag een boek, en Vegter las de titel ondersteboven. *Op weg naar het geluk.* Dat was weer eens iets anders dan naar het einde. Er was een flink deel van de tuin van Wissink te overzien, mits je voor het raam stond.

'Wat deed hij voor oefeningen?' vroeg Renée.

'Alleen maar opdrukken, ik weet niet hoe vaak. Daarna ging hij weer naar binnen.'

'Deed hij dat op het tegelpad of op het gras?'

'Met zijn voeten op het pad, zijn handen in het gras.'

'U zag hem dat elke ochtend doen?' vroeg Vegter.

'Alleen als ik vroege dienst heb.' Bianca Matsers had grote voortanden, en als ze lachte, kwam er veel tandvlees bloot. 'Ik sta niet vrijwillig zo vroeg op, en soms verslaap ik me. Dan zag ik hem dus niet, want dan had ik te veel haast.'

'U stond vanochtend om tien voor zes op,' zei Vegter. 'Wat deed u daarna het eerst?'

'Douchen en aankleden.' Ze maakte een vaag gebaar naar de kledingkast, waarvan de deur op een kier stond. De lach verdween toen ze zich realiseerde wat ze zei.

Renée was Vegter voor. 'U kleedt zich hier aan?'

'Ja.'

'Voor het raam,' zei Vegter effen.

Bianca beet op haar lip. 'Is daar iets mis mee?'

'Niet als u er geen bezwaar tegen had dat Leo Wissink u daarbij kon zien.'

Ze knipperde, maar bleef hem aankijken. 'Het was een spel,' zei ze langzaam. 'Meer niet. Hij wist dat, ik wist dat.'

'Hoe goed kende u Leo Wissink?'

'Ik woon hier pas anderhalf jaar. Ik heb dit huis gekocht na mijn scheiding.'

'Dat vroeg ik u niet. Hoe goed kende u hem?'

'Niet goed.' Ze sloeg haar armen over elkaar in een poging zich een houding te geven, en Vegter zag dat bij de aanzet van haar borsten de huid al fijne lijntjes vertoonde als gevolg van een teveel aan zon. 'We hebben weleens een praatje gemaakt, meer niet. Vroeger zag ik hem zelden, behalve soms in het weekend, en meestal bleef het bij groeten. Anders had ik ook nooit…' Ze haalde diep adem. 'Ik deed het juist omdát ik hem niet goed kende. Dat maakte het… spannend.'

'Deed hij toenaderingspogingen?'

'Nee. Volgens mij had hij daar het lef niet voor, en ik zou het niet eens gewild hebben. Hij was mijn type niet. Veel te macho.'

'Maar wel het type man van wie u dacht dat hij dit soort spelletjes kon waarderen.'

Ze haalde haar schouders op. 'Eigenlijk vond ik hem niet eens aardig. Hij bekte zijn vrouw af, omdat zij zo'n vrouw is die dat neemt.'

'Kent u zijn vrouw?'

'Zijn vrouw is een muis,' zei Bianca Matsers minachtend.

6

De jongen werd gewekt door zijn mobiel. Slaapdronken keek hij naar de display en vloekte binnensmonds. Toch nam hij op. Wanneer André je belde nam je op.

'Met Ferry.'

'Klus,' zei André.

'Wanneer?'

'Morgenavond. Vanavond bespreken. Een meeting, zogezegd.' André had ooit in het bedrijfsleven gewerkt en liet dat graag blijken.

'Hoe laat?'

'Negen uur bij Bink's.'

Hij liet zich weer achterover zakken, de mobiel op zijn borst. In zijn slaap had hij het dekbed ver over zich heen getrokken, en het was even klam van zweet als hijzelf. Het was benauwd in de kamer, al werd het zonlicht gefilterd door de dunne gordijnen. Volgens zijn horloge was het bijna halfvier.

Hij had koppijn. Koppijn en honger. En hij wilde geen klus, hij wilde even helemaal niets. Het zou fijn zijn als hij dat aan André zou durven vertellen.

Hij zette zijn voeten op de vloer en keek naar zijn bleke tenen terwijl hij wachtte tot de duizeling was weggetrokken.

Beneden was er niets veranderd, behalve dat er post op de mat lag. Hij stapte eroverheen en trok de voordeur achter zich dicht.

Op weg naar het centrum vroeg hij zich af of Ron door André zou zijn opgeroepen. Als je van twee kwaden het minst kwade moest kiezen, dan liever Ron dan Mo. Hij had niks met Ron, maar nog minder met Mo. Soms, als hij Mo weer eens hoorde brallen over de chick die hij de vorige avond had geneukt, had hij zin om hem op zijn bek te slaan. Wie van de twee het werd, zou van de klus afhangen. Dat hijzelf door André was gebeld, was logisch. Tenslotte was hij zijn rechterhand sinds Marko was opgepakt. Dat was pas echt een loser, Marko. Ervandoor gaan tijdens een routinecontrole was het stomste wat je kon doen. Gewoon meewerken; ja agent, nee agent. Maar Marko moest zo nodig in paniek raken en een van die fuckers omver rijden. Terwijl hij niet eens iets bij zich had, wat als je erover nadacht een goeie grap was.

Bij de pizzacorner schoof hij op een kruk en at twee lauwe punten pizza, de kaas in lange draden klevend aan zijn vingers. Met een blikje cola om de laffe smaak weg te spoelen ging hij de straat weer op. Wat kon het zijn, de klus? André had minder cool geklonken dan gewoonlijk. Hij verbruikte geld alsof hij het zelf drukte, en de klussen volgden elkaar steeds sneller op.

Op een hoek bleef hij besluiteloos staan. Het was druk – de kantoren stroomden leeg, auto's wachtten in lange rijen voor de verkeerslichten, terrassen zaten vol. Geen wind, de lucht dik en roerloos en verzadigd van uitlaatgassen. Mensen botsten tegen hem op zonder hem zelfs maar op te merken. Hij liet zich meevoeren, rook zijn T-shirt toen hij stil stond om het lege blikje in een afvalbak te gooien. In een opwelling liep hij een winkel binnen en kocht een zwart shirt, ging terug het pashokje in om het weer aan te trekken. De hoofdpijn ging er niet van over, maar het schone shirt gaf hem het zelfvertrouwen dat hij nodig had om te besluiten niet in de stad te blijven rondhangen als een hond die op de baas wacht. Hij had nog steeds honger, en in een plotselinge behoefte aan echt eten kocht hij in een supermarkt aan de rand van het centrum een brood, boter, kaas en een pak melk.

Thuis sloot hij zich op in zijn kamer, zette de plafondventilator aan, draaide twee joints en ging op zijn bed liggen, starend naar het trage wieken tot de vertrouwde loomheid bezit van hem nam. Zijn moeder had die ventilator gekocht, drie zomers voor ze stierf. Ze had gedacht hem er een plezier mee te doen, omdat zijn kamer op het zuidwesten lag en het er na een zonnige dag niet te harden was, maar hij had pas ingestemd met het installeren van het ding nadat hij de rotorbladen had beschilderd in wat zij afkeurend psychedelische kleuren noemde. Tegenwoordig hielpen de in elkaar overvloeiende kleuren hem zijn gedachten te fragmenteren en om te zetten in uitsluitend de beelden die hem bevielen. Twee joints waren precies goed. Ze haalden de schommel terug, rood en blauw geverfd, de kettingen knarsend onder het gewicht van twee ruziënde jongetjes. Twee joints brachten hem de geur van Nieks warme lijf naast hem onder de dekens, terwijl ze ingehouden gierend het gejatte seksblaadje bekeken, hun oren gespitst op voetstappen op de trap. Twee joints schonken hem zelfs het geknetter van het vierdehands scootertje dat ze al na een paar weken total loss hadden gereden.

Drie joints daarentegen waren te veel. Dan begonnen de beelden te rafelen, vielen uiteen en werden vervangen door angstaanjagende flitsen – een magere, koortsig droge hand zonder de troostende zachtheid van voorheen, een wit laken waaronder zich een roerloos lichaam aftekende, dikke, roomwitte kaarsen, de warmte van hun schijnsel bedrieglijk, omdat het tafereel dat ze verlichtten van een verschrikkelijke kilheid was.

Hij was zo ver weggedreven dat hij het geluid van de voordeur miste en pas bij zijn positieven kwam toen hij zijn vaders stem hoorde. 'Ferry?'

Traag kwam hij overeind, schoof de asbak onder het bed. De deur ging open.

'Er is eten.'

Hij was er niet nieuwsgierig naar. 'Ik heb geen honger.'

'Het stinkt hier.' Zijn vader sprak niet met hem, hij deed alleen mededelingen.

Was de man gestoord? Een beetje gehaaide kleuter zou de zoetige geur herkennen. 'Ik moet eerst douchen.'

In de badkamer draaide de wasmachine, en even was hij verheugd, maar toen hij beter keek, bleken alleen zijn vaders kleren erin te zitten. Hij gooide het deurtje van het kastje onder de wasbak zo hard open dat het terugketste van de muur. Op het vettige plankje vond hij tussen de scheerspullen een doosje paracetamol met nog twee tabletten. Hij drukte ze uit de strip en zette het lege doosje terug naast een ander dat hem niet eerder was opgevallen. De heer F.J. Elsman. Nee maar, sinds wanneer was pa aan de pillen? Enfin, misschien knapte hij ervan op.

Hij douchte en ging naar beneden. Er stonden borden op tafel, met een mes en vork ernaast, en er stond een pan waaruit een geur kwam die hij herkende. Chili con carne. Wat was er in die ouwe gevaren dat hij had gekookt? En waarom maakte hij chili terwijl de mussen van het dak vielen?

Zijn vader at al, keek niet op toen hij een stoel achteruit trok en ging zitten. Hij pakte de lepel en schepte een kleine hoeveelheid op, merkte tot zijn verrassing dat hij alweer honger had, en begon te eten.

7

Met een sterk gevoel van déjà vu keek Vegter naar de gezichten, allemaal naar hem toe gewend. Hoe vaak zou hij hier hebben gestaan? Hoe dikwijls gekeken naar foto's van een mishandeld lichaam? Hij probeerde de beelden van de sectie uit zijn geheugen te verdrijven. Die ochtend was Wissink nog een compleet, zij het beschadigd mens geweest, en zoals altijd had Vegter zich verwonderd over de stilte die een dode omgaf. Eenmaal op Heutinks tafel werd een lichaam gereduceerd tot een voorwerp, opgebouwd uit vele onderdelen.

Talsma keek nooit. Hij staarde over Heutinks hoofd heen naar een onbestemd punt op de betegelde muur en hield dat vol tot alles weer netjes was.

Zoals gewoonlijk werkte Heutink nauwgezet maar snel, zodat het goddank niet al te lang had geduurd, maar Vegters concentratie was verstoord door het feit dat hij 's ochtends inderhaast de verkeerde sokken had aangetrokken. In een ervan zat een gat, en zijn schoen schuurde onaangenaam langs zijn hiel bij elke stap die hij deed.

Hij was moe. Hij zou thuis willen zijn om zijn vloer te inspecteren, die hij de vorige dag voor de tweede keer had gebeitst, en hij zou zich met een biertje in de hand willen afvragen of er een derde laag moest worden aangebracht, of dat twee voldoende waren. Het was een schitterende vloer, precies zoals hij had gehoopt – het hout tot leven gewekt door een grondige schuurbeurt, de nerf weer zichtbaar met de karakteristieke vlam van eiken. Op aanraden van Renée had hij een beits gekozen met de aanduiding 'whitewash'. Hem zei het niets, maar ze had hem bezworen dat het resultaat hem zou bevallen, en het zag ernaar uit dat ze daar gelijk in had. Het doodskisteffect dat eiken kon hebben werd erdoor afgezwakt, en de beits gaf de planken een zilverige glans. Behalve de vloer was er de kachel, die klaarstond om te worden geplaatst. Een robuuste houtkachel, niet streng zwart maar grijs gespoten. Een vriendelijke kachel, die de belofte inhield van vele genoeglijke uren. Voor het eerst in zijn leven verlangde hij naar de winter. Een boek, een glas wijn, een houtvuur en Bach. Het waren geen grote wensen.

Iemand kuchte, en hij riep zichzelf tot de orde. Achteraan zat Renée. Ze had de foto's vluchtig bekeken en was daarna voor het raam gaan staan. Nu hield ze haar blik strak op hem gevestigd. Er lag iets van bezorgdheid in.

'Beginnen we met het sectierapport,' zei hij bruusk. 'Het heeft weinig zin jullie te vermoeien met de details. Dood ingetreden tussen zes en zeven uur. Doodsoorzaak overduidelijk: zeer zware verwondingen, toegebracht met een groot steekwapen. Denk aan bijvoorbeeld een slagersmes. Vlijmscherp, want het heeft zelfs wat ribben deels gekliefd. Leo Wissink was in uitstekende conditie, al was hij een zware drinker. Volgens het rapport was de lever vergroot en zou die hem over een paar jaar parten hebben gespeeld. Het aantal steken is meer dan tien, maar is niet precies vast te stellen, gezien het feit dat ze zijn toegebracht met de kennelijke bedoeling zoveel mogelijk schade te veroorzaken. Het wapen is telkens met grote kracht in het lichaam gedreven. Bloedspatpatronen zijn aangetroffen op de muur van de schuur en op de schuurdeur. Heutink heeft geen sporen van verzet geconstateerd, zodat het erop lijkt dat Wissink totaal werd verrast. Gelet op de schade aan het lichaam is het mogelijk dat de dader zelfs nog stak nadat de dood al was ingetreden.'

Brink stak zijn hand op. 'Denken we daarom aan een wraakoefening?'

'Dat sluit ik niet uit,' zei Vegter. 'Maar evenmin kunnen we uitsluiten dat we met een of andere idioot van doen hebben.' Hij pakte de stapel rapporten, die nu nog bescheiden in omvang was. 'Naast de bloedspatten in de tuin is er een druppel gevonden op het pad achter de tuinen, net buiten de tuinpoort. Wissinks bloedgroep. Andere sporen zijn niet aangetroffen. Samengevat heeft niemand in de straat de afgelopen dagen of weken iets ongewoons opgemerkt. Geen onbekende personen die rondscharrelden op ongewone tijdstippen. Niet elke bewoner is al gehoord, sommige mensen waren niet thuis, misschien omdat ze op vakantie zijn. Het is pas begin september. Bij hen is een brief in de bus gedaan met verzoek tot, enzovoort. Als we toeval even buiten beschouwing laten, zouden we kunnen concluderen dat we kennelijk te maken hebben met iemand die de situatie ter plaatse goed kent. Dat kan betekenen dat we het in Wissinks naaste omgeving moeten zoeken. De schuurdeur zat op slot en de sleutel zit aan Wissinks sleutelring, die in een keukenla lag. Volgens zijn vrouw sloot Wissink elke avond de tuinpoort af met twee grendels, waarvan in elk geval de onderste niet te bereiken is van buitenaf, en er zijn geen sporen van braak. Dat duidt erop dat hij zelf, misschien op verzoek, de poort heeft geopend, eventueel omdat hij een stem herkende.'

Brink hief opnieuw zijn hand, en Vegter vroeg zich vluchtig af of hij tijdens zijn vakantie een spoedcursus betrokkenheid kon hebben gevolgd.

'Bedoelt u van een familielid?'

Vegter besloot zijn geduld te bewaren. 'Ik weet niet of ik een familielid bedoel, ik heb de stem niet gehoord.' Door het gegrinnik heen sprak hij verder. 'Hij heeft weinig familie. Ouders overleden, schoonouders idem, geen kinderen, weinig contact met zijn enige broer die in Australië woont. Diens kinderen heeft hij zelfs nog nooit gezien. Overigens bevindt het hele gezin zich op dit moment in Australië, er is contact met hen opgenomen. Verder zijn er twee verre nichten en een neef, ouders overleden, en een oom en tante, beiden ver in de tachtig. Ook hen heeft hij in geen jaren gezien.'

'En zijn vrouw?' vroeg Brink koppig.

'Zijn vrouw sliep ten tijde van de aanslag.' Vegter hield zijn stem volkomen neutraal. 'Dat kunnen we niet met honderd procent zekerheid bewijzen, want daarvoor hebben we alleen haar woord. Daar staat tegenover dat ze ongeveer een meter zestig lang is, naar schatting vijfenvijftig kilo weegt en drieënvijftig jaar oud is. En je vergeet de bloeddruppel op het pad. Het lijkt me niet aannemelijk dat ze na haar man te hebben neergestoken een rondje om het blok heeft gemaakt en door de voordeur weer naar binnen is gegaan.'

Brink had de betamelijkheid om een kleur te krijgen.

'Hij was militair,' zei een van de oudere rechercheurs. 'Weten we daar al iets meer van?'

Vegter keek naar Talsma. Talsma had een shagje gedraaid, maar besloot – nu alle aandacht op hem was gericht – eieren voor zijn geld te kiezen. Hij stak het shagje in zijn borstzak.

'Ik heb contact gehad met zijn vroegere superieur, ene kapitein Vervoort. De sergeant Wissink was een consciëntieus militair en een zeer bruikbare kracht. Van het soort dat het leger maakt tot wat het is. Zijn woorden.' Talsma's gezicht verried niets.

'Is hij ooit uitgezonden geweest?' vroeg de rechercheur.

'Nee. De laatste acht of tien jaar, daar moest ik de kapitein niet op vastpinnen, heeft hij zich voornamelijk beziggehouden met de opleiding van rekruten.'

'Er zit nog iemand tussen.' Een jonge rechercheur ging rechtop zitten. 'Ik heb die rangen niet allemaal in mijn hoofd, maar mijn broer heeft een tijdje in het leger gezeten. Hij was ook sergeant, en de directe meerdere is dan, meen ik, een luitenant.'

Talsma knikte. 'Je hebt gelijk. Ik ga erachteraan.'

'Ik weet niet zo zeker of toeval moet worden uitgesloten,' zei de officier. Hij was een gezette man met grote wangen die de strijd tegen de zwaartekracht al lang geleden hadden opgegeven, zodat hij permanent de gelaatsuitdrukking had van iemand die recent een slechte tijding heeft ontvangen. 'Ik heb een beetje moeite met de theorie… Of nee, dat zeg ik verkeerd. Gaan we er niet iets te gemakkelijk van uit als zou de dader goed bekend zijn met de situatie ter plaatse? Ik heb begrepen dat Wissink bezig was met zich op te drukken. Dat zal niet geluidloos zijn gegaan. Per slot van rekening was hij geen jongeman meer.'

'Hij deed het dagelijks,' bracht Vegter hem in herinnering. 'En daarnaast zwom en jogde hij elke dag. Ook volgens het sectierapport was hij een gezonde man.'

'Maar wel vijfenvijftig,' zei de officier zachtzinnig. 'Een bekende is plausibeler, dat ben ik met je eens, maar laten we geen wegen afsluiten die beter nog open kunnen blijven.'

Vegter neeg zijn hoofd. Je moest altijd een ontvankelijke geest hebben, zelfs als iemand beweerde dat een pijp geen pijp was.

'Als je daarop voortborduurt,' zei Brink met iets van terugkerend enthousiasme. 'Kunnen we niet een daderprofiel laten maken? Zodat hij getypeerd wordt?'

Een typerend profiel, dacht Vegter. God verhoede. 'Misschien is het daar nog iets te vroeg voor.' Hij draaide zich om naar de foto's. 'Als iemand iets wil zeggen of vragen, hoor ik dat graag.'

Het bleef stil.

'Kijken we naar de achterzijde van de naastgelegen huizen,' zei Vegter. 'Links, op de foto rechts, woont een mevrouw Matsers met haar zoon van zestien, rechts een oude man, ver in de zeventig en stokdoof. Niets gezien, niets gehoord. Mevrouw Matsers is een ander verhaal. Zij had de gewoonte zich na het douchen aan te kleden voor het slaapkamerraam, terwijl Wissink bezig was met zijn gymnastiek.'

Iemand floot, en de vermoeide gezichten vertrokken in een grijns, wat precies het effect was dat hij wilde bereiken. 'Helaas was zij vanochtend al klaar met aankleden voordat hij klaar was met zijn oefeningen. Volgens haar hadden ze geen relatie, en zou zij die ook niet hebben gewild.'

'Waarom deed ze het dan?' vroeg iemand oprecht verbaasd.

Vegter haalde zijn schouders op. 'Daarover psychologiseren laat ik graag aan een deskundige over. Mevrouw Matsers heeft niets ongewoons opgemerkt, ook niet de afgelopen weken. Kijken we verder naar de huizen links en rechts, dan zien we dat het zicht van daaruit op de tuin van Wissink al minimaal is. Geen van die bewoners heeft dan ook iets opgemerkt. Daarbij moet ik aantekenen dat van het tweede huis links de bewoners op vakantie zijn. Er zijn op dit moment in de directe omgeving van Wissinks huis geen werkzaamheden gaande. Geen schilders of klusbedrijven, en de gemeente heeft de wijk voor onderhoud van openbaar groen pas voor over twee weken op de planning staan.'

Het bleef opnieuw stil.

'Heeft iemand nog vragen of opmerkingen?'

'Ik heb gedacht aan de krantenjongen,' zei de oudere rechercheur. 'Dat heb ik dus meegenomen in mijn vraagstelling.'

Vegter knikte goedkeurend. 'En?'

'Bij in elk geval zes van het rijtje van zestien huizen wordt een ochtendkrant bezorgd. Twee verschillende kranten, één bezorger. Jammer genoeg zit de straat aan het eind van zijn wijk, hij is er meestal pas tegen zevenen.'

'Vanochtend ook?'

'Vanochtend ook. En hij maakt geen gebruik van het achterpad.'

'Heb je ook aan de postbode gedacht?'

'Jawel. Die komt pas na twaalven, en folderbezorgers komen pas aan het eind van de middag.'

Vegter keek de kring rond. 'Buurtonderzoek is uitgebreid tot…' Hij liep naar de plattegrond die was opgehangen en wees de gemarkeerde straten aan.

Ze knikten en stonden op.

8

'Ik heb zijn luitenant gesproken,' zei Talsma.

Ze stonden in Vegters kamer, waar de muren het rood van de hemel weerkaatsten. Renée zat op de bezoekersstoel en masseerde haar linkerhand.

'En?'

'Luitenant Fabricius bevestigde dat Leo Wissink zich inderdaad al jaren voornamelijk heeft beziggehouden met de opleiding van rekruten, en hij deed dat naar genoegen. Wat je noemt een toegewijde onderofficier. Geen hoogvlieger. Dat begreep Wissink zelf blijkbaar ook, want hij heeft nooit ambitie getoond om officier te worden. Er is geen sprake geweest van conflicten met superieuren, of in elk geval niet van ernstige aard. Zijn ex-collega's betitelen hem als hard maar rechtvaardig. Kortom: een en al lof. Hij wordt nog net niet heilig verklaard.'

Vegter begon zijn bureau op te ruimen. 'Zie dat je morgen wat ex-collega's te spreken krijgt. Neem Brink mee.'

Talsma knikte. 'Ik vroeg me eigenlijk af of de marechaussee zich hier nog in gaat mengen.'

'Nee, vooralsnog zien ze daar geen noodzaak toe. Wissink was gepensioneerd, en zolang er geen aanknopingspunten zijn met betrekking tot de landmacht, wordt dit beschouwd als een incident met een gewone burger.'

'Jammer.' Talsma geeuwde. 'Ik zat hier niet op te wachten, er ligt nog genoeg op ons bord. Al hebben we wel sinds gisteren de knulletjes van die pompstationovervallen, maar dat was mazzel. Keken niet uit bij het wegrijden en parkeerden hun scootertje tegen een boom. Ik hoopte nog dat het dezelfde waren als die van die vrachtwagenberovingen, maar daar lijkt het niet op.'

'Daar ben je nog niet mee opgeschoten? Ik heb vlak voor mijn vakantie je laatste rapport gelezen.'

'Niet echt. Behalve dan dat ik denk dat daar steeds dezelfde mensen achter zitten. Ze zijn alleen uit op elektronica. We hebben inmiddels zes van die akkefietjes op een rij, en de werkwijze is identiek. Telkens twee man, met steeds dezelfde smoes. "We staan met pech, hebt u misschien een zaklantaarn." Ze nemen hooguit een kwart van de lading mee, maar wel de beste spullen. We boffen een beetje met de laatste chauffeur. Hij werd na een tik op zijn hoofd op tijd wakker om een bestelbus te zien wegrijden.' Talsma ging op een hoek van het bureau zitten. 'Nou ja, boffen is een groot woord. Hij weet geen merk en geen kenteken. Donkere bestelbus, punt.'

'Even terug naar Wissink,' zei Renée. 'Die buurvrouw. Als hij in was voor spelletjes zoals zij die met hem speelde, was hij misschien ook te porren voor andere dingen.'

Vegter sloot het raam en deed het meteen weer open toen Talsma waarschuwend zijn sigaret omhoog hield. 'Jij denkt aan een jaloerse echtgenoot?'

Ze staakte de massage, boog en strekte haar vingers. 'Waarom niet? Hij was ijdel, tenminste, dat mag je aannemen als je weet hoe hij zijn lichaam onderhield. Ik wil niet in clichés vervallen, maar hij klinkt als een typische mannenman. En we hebben zijn vrouw gezien. Onaantrekkelijk, oud voor haar tijd, gedwee op het onderdanige af.'

Talsma gooide zijn peukje naar buiten. 'Je bedoelt dat hij buiten de pot piste.'

'Het zou me niet verbazen.'

'Maar een crime passionnel op die leeftijd?' twijfelde Vegter, en zag hoe Talsma knikte terwijl Renée haar wenkbrauwen optrok.

'Hoe bedoel je?'

Om zijn antwoord uit te stellen sloot hij het raam opnieuw. 'Misschien concludeer ik te snel,' zei hij, zijn woorden zorgvuldig kiezend. 'Ik ging er even van uit dat hij dan een vriendin had van zijn eigen leeftijd, die dus een man zou hebben van ongeveer diezelfde leeftijd.'

'Die dan te oud zou zijn voor de hartstocht die nodig is om tot een dergelijke daad te komen?' Haar stem had iets scherps.

Hij weigerde in het aas te happen. 'Zoals gezegd: misschien ben ik te haastig.'

Talsma schoot hem te hulp. 'Ik zie mezelf nog niet met een mes zwaaien als ik erachter zou komen dat Akke een vriendje had.'

Vegter nam zijn tijd om een bureaulade dicht te duwen. Overeind komend ving hij nog net de geamuseerde glinstering in Renées ogen op. Niettemin zei ze: 'Maar Sjoerd, dat heeft niets met leeftijd, maar alles met karakter te maken.'

'Zo'n suikerbrood ben ik nou ook weer niet,' zei Talsma fier.

'Wat zou je doen?'

'Scheiden,' zei Talsma. 'En er daarna spijt van krijgen.'

Renée lachte.

Vegter vroeg zich af wat hij gedaan zou hebben, als Stef hem ontrouw was geweest, en hij kwam tot de ontdekking dat hij het niet wist. Of niet langer wist. Het was moeilijk zich in die positie te verplaatsen, nu er van ontrouw überhaupt geen sprake meer kon zijn. Daarna vroeg hij zich af of hij Renée niet als voorbeeld had moeten nemen.

'Vijfendertig jaar poets je niet zomaar weg,' zei Talsma, zich niet bewust van het feit dat hij Vegter de oplossing bood die hij zocht.

'Dat bedoel ik juist,' zei Renée. 'Hoe langer je elkaar kent, des te meer reden voor jaloezie.'

Talsma schudde zijn hoofd. 'Dat zie je verkeerd. Na zoveel jaar zijn de scherpe kantjes er wel af. Je weet precies wat je aan elkaar hebt, nou?' Geïnteresseerd in het onderwerp begon hij een nieuw shagje te draaien. 'Dus als je vrouw buiten de deur eet, moet je je misschien realiseren dat je slecht hebt gekookt. Voor alles is een reden.'

Vegter schoof het raam weer open, zich voelend als een toneelknecht belast met de zorg voor het doek.

'Zoveel begrip vind ik moeilijk op te brengen,' zei Renée.

'Daar ben je ook te jong voor,' besloot Talsma. 'Bij welwezen hebben we het er over dertig jaar nog weleens over.' Hij keek van

Vegter naar het raam, stak het shagje in zijn borstzak en stond op. 'Laat maar, Vegter. Ik ga een paar uur slapen.'

Op de parkeerplaats ritselden kastanjebladeren onder hun voeten, en toen Vegter het portier voor Renée open hield, weerspiegelde de bloedrode zon in het glas. In de wind die was opgestoken zat de eerste beet van de naderende herfst, en ze huiverde toen ze instapte.

'Waar wil je naartoe?'

Ze aarzelde maar heel even. 'Naar huis.'

Hij gaf geen commentaar.

Ze zwegen onderweg. Renée masseerde opnieuw haar hand, en hij reageerde evenmin daarop, al wist hij dat de hand haar nog steeds parten speelde. Pas toen hij parkeerde voor de ingang van het flatgebouw waar ze woonde, zei ze: 'Ik ben moe.'

'Het geeft niet.' Hij liep mee naar de trap, mee de galerij op en wachtte tot ze haar voordeur had geopend.

Ze draaide zich naar hem toe en legde haar handen tegen zijn borst. 'Misschien moeten we hiermee ophouden.'

Een ogenblik begreep hij haar verkeerd. Ze zag het en lachte. 'Ik bedoel je escorte. Ooit moet ik weer zonder bijgedachten mijn huis kunnen binnengaan.'

'Ooit,' zei hij. 'Maar nu nog niet.'

Pas thuis verjoeg hij de wrevel vermengd met teleurstelling. Of misschien bewerkstelligde het huis dat effect. Het verwelkomde hem, ondanks de chaos van verspreid staande dozen, stapels planken die weer een boekenkast moesten worden, en kronkelende elektriciteitssnoeren. Vanaf de vensterbank mimede Wolf dat hij naar binnen wilde, en Vegter schudde brokken in zijn voerbakje en keek toe hoe de kat tevreden hurkte. Hij pakte een biertje uit de koelkast, besloot oudergewoonte dat hij ook later nog kon eten en liep weer naar buiten.

Warman rommelde bij zijn schuurtje en stak groetend zijn hand op. Zijn vrouw haalde een paar stukken wasgoed van de lijn, haar mond vol knijpers. Een blauwe overall bolde in de wind.

Vegter liep naar het hek, waarachter het paard op zijn nadering een hoef begon te schrapen. Sinds kort wist Vegter dat het paard Klaas heette, en dus zei hij: 'Zo, Klaas.'

Klaas snoof, knipperde flirtend met zijn stugge rechte wimpers en legde zijn hoofd op het hek. Gehoorzaam streelde Vegter de fluwelen neus. Achter hem klepperden klompen.

'Hij moet nodig bekapt worden,' zei Warman.

'Aha,' zei Vegter neutraal.

'Sinds ik niet meer met hem draaf, heb ik hem van de ijzers gehaald.' Warman kwam naast hem leunen. 'Het was altijd ellende. Hoefzweren, scheuren, noem maar op. En hij werd er balsturig van, hè?'

Bekappen. Natuurlijk. Vegter keek naar Klaas' hoeven, die klaarblijkelijk te lang waren. 'En nu?'

'Geen centje pijn. Ja, in het begin liep hij gevoelig, maar dat was gauw over. Het is dat hij te oud is, maar anders zou ik verdomd weer met draven zijn begonnen. Ik schat dat ik het binnen een jaar voor elkaar zou hebben. En hij loopt een stuk beter. Struikelt niet meer, schopt zich niet meer open, niks.'

'Dus hij moet naar de hoefsmid?' Vegter vroeg zich af waardoor het kwam dat hij zich altijd beter voelde na een gesprekje met Warman. Was het omdat diens zorgen niet verder reikten dan de grens van zijn erf?

'Ben je gek, dat kan ik zelf. Geld weggooien doe je altijd te vroeg.' De oude man keek schuins naar hem op vanonder zijn pet. 'Ik hoor op de radio dat ze een dooie hebben gevonden. Moet jij je daarmee bemoeien?'

Vegter lachte. 'Ik ben bang van wel.'

'Ik zag je sjouwen en doen, ik dacht dat je vakantie had.'

'Dat had ik ook.'

'Het is wat.' Warman gaf Klaas een klap op zijn achterhand. 'Vort.'

Samen keken ze het paard na, dat in de vallende schemering opgewekt door de wei draafde.

'Zie je?' zei Warman vergenoegd. 'Hij loopt ook ruimer.' Hij bracht de hand naar de pet. 'Welterusten.'

Binnen overviel hem opnieuw moedeloosheid. Hij wist dat die te wijten was aan vermoeidheid, en dat hij – afgebroken vakantie of niet – zou moeten nadenken over deze nieuwe zaak, maar wat had het allemaal voor zin? Of hij zich nu wel of niet inspande, ze zouden hun gang blijven gaan. Ze staken, schoten, wurgden en misbruikten zoals ze dat altijd hadden gedaan en zouden blijven doen. Ze. Hij besefte dat dit het denken was waarvan hij altijd een afkeer had gehad. Zij en wij. Maar *was* het niet zo? Over minder dan vier jaar ging hij met pensioen, en het zou geen enkel verschil maken. Niet voor wat het werk betrof, niet voor wat betrof de criminaliteit. Had vijfendertig jaar dan geen enkele betekenis? Met Renée wilde hij er niet over praten. Ondanks wat er tussen hen bestond, en voor wat dat precies was wist hij geen omschrijving – ze bleef een jongere collega. Het zou niet fair zijn haar met zijn cynisme te confronteren, noch een stimulans voor haar toch al wankele gemoedstoestand.

Stef zou hem met goed geformuleerde argumenten hebben weersproken. Ze zou hem hebben gewezen op het feit dat zijn taak was gebaseerd op de waan van de dag. Ze zou hem hebben verteld dat hij daarmee tevreden diende te zijn, en als dat niet het geval was, dat hij dan beter kunstenaar had kunnen worden, teneinde kans te maken op eeuwigdurende erkenning. Ze zou zelfs voorzichtig hebben laten doorschemeren dat zijn pessimisme misschien voortkwam uit het besef dat zijn toekomst korter was dan zijn verleden, en dat het worstelen daarmee de kern van het probleem zou kunnen zijn. En hij zou zich hebben laten overtuigen voor de duur van het gesprek, zich hebben laten troosten, zelfs al vond hij dat ze ongelijk had.

Maar ze was er niet. Ze was er al twee jaar niet, en steeds meer moest hij zijn best doen zich haar redeneertrant te herinneren en toe te passen, nu die niet langer werd geschraagd door haar aanwezigheid en kameraadschap. Het was alsof hij schaakte tegen zichzelf. Hij kende de stukken en de gedachtegang van de tegenstander, maar niettemin zou aan het eind blijken dat ze beiden schaak stonden.

Hij pakte een nieuw biertje uit de koelkast, die te veel voedsel bevatte nu Renée weer in haar eigen huis bivakkeerde, en besloot dat het laatste wat hij deze dag zou doen, het aansluiten van de stereo-installatie zou zijn. Muziek was een onfeilbare remedie tegen de verkeerde soort melancholie. En als alles dan toch zinloos was, hield dat misschien ook een zekere bevrijding in.

Vanaf de bank zag Wolf slaperig toe op zijn handelingen, en Vegter troostte zich met de gedachte dat het maanden van geduld had gekost voor de kat had besloten definitief bij hem te gaan wonen. Misschien moest hij eenzelfde geduld opnieuw betrachten.

Een kwartier later lag hij met een kussen onder zijn hoofd op de vloer, die hard was maar nog steeds schitterend, en wonderwel paste bij de robuuste klanken van Brahms' Tweede Symfonie.

9

'Wat levert het op?' vroeg Mo.

'Dat hangt ervan af,' zei André. 'Hoeveel jullie er meenemen.'

Mo's zwarte ogen flitsten. 'Vergeet het, man. Een job is een job.'

Ze zaten bij Bink's, niet aan de bar maar aan een tafeltje, omdat André rustig wilde praten. Het terras zat stampvol, binnen was het leeg. De barman spoelde glazen, het volume van de muziek oversteeg ruimschoots het kritisch aantal decibellen. Om zijn onafhankelijkheid te demonstreren was Ferry opzettelijk te laat gekomen. Daar had hij nu spijt van, want het leek of er iets broeide. André liet te vaak zijn dure kronen zien, Mo hing te nonchalant onderuit op de nepleren bank.

André haalde zijn schouders op. 'Ook goed. Vijftienhonderd de man.'

Ferry maakte een snelle berekening terwijl Mo naar het vergeelde plafond keek en daarna naar hem. Ferry liet zijn ogen van links naar rechts schieten.

'Te weinig,' zei Mo beslist.

'Waar baseer je dat op?' André nam een slok bier en liet een sigaret tussen zijn vingers dansen als een goochelaar die een kaarttruc oefent.

'Op het risico.' Het was Mo's standaard antwoord.

'Dat is er niet, behalve voor mij. Heb ik jullie ooit genaaid? Ik sla de handel op, ik moet het zien te verkopen.'

André's reactie was ook standaard. Het was een spel dat elke keer opnieuw werd gespeeld; hij bood te weinig, zij eisten er wat bij, hij gaf toe en iedereen was tevreden.

'In mijn tijd waren er meestal zo'n vijftig op voorraad,' zei Ferry traag. 'Per stuk vang je gemiddeld minstens driehonderd. Dus je biedt ons maar tien procent of minder.'

Mo knikte dankbaar.

André zuchtte. 'Lang niet alles wat er staat is nieuw, heb ik me laten vertellen. Twee mille.'

Mo hapte onmiddellijk. 'Deal.'

'Nieuw of niet nieuw is niet zo belangrijk,' zei Ferry. 'Ik weet niet wat jou verteld is, maar die dingen gaan makkelijk veertig jaar mee. Het gaat om de kwaliteit. Er staan er van vijfenzeventighonderd per stuk.'

Mo's wenkbrauwen gingen verbaasd omhoog. 'Zoveel?'

Spijt dat hij al akkoord is gegaan, dacht Ferry. 'En nog wat: ik ga er niet eerst naartoe om de boel te bekijken.'

'Waarom niet?'

'Te link.'

'Je zei dat je er minstens anderhalf jaar niet bent geweest.'

'Daarom juist. Wandel ik opeens naar binnen. Yo, ik kom een potje knallen. Gaan zij de volgende dag twee en twee bij elkaar optellen.' Hij dronk zijn glas leeg. Het bier was niet koud genoeg, maar het viel uitstekend, op de chili. 'No way.'

De sigaret brak, en André legde hem geërgerd op tafel. 'Jesus, moet ik opnieuw bellen om te vragen of er sinds jouw tijd iets is veranderd.'

'Nou en? Trouwens, daar is al in geen veertig jaar iets veranderd.' Ferry leunde achterover. Hij voelde zich goed. Deze keer zou het eens van hem afhangen. Het was een prettige ervaring. Hij zou het natuurlijk doen, want zoals André het voorspiegelde, klonk het als een eitje, mits het alarm inderdaad niet werkte. Was dat de instinker? Maar daar zou Mo nooit mee akkoord gaan. Mo was ongeduldig en onvoorzichtig, maar hij was niet gek. Dit zou tijd kosten, alleen al om de handel te transporteren naar de bestelbus, meer tijd dan ze zouden krijgen als het alarm afging. Al zou hij dan toch in het voordeel zijn, want hij kende het terrein op zijn duimpje. Voor Mo boe of bah zou kunnen zeggen, was hij pleite. Ieder voor zich. En hij wilde drie mille, maar dat zou hij pas vertellen als Mo was vertrokken.

André pulkte tabak uit het vloeitje, verkruimelde die en rook aan zijn vingers. Ferry wist dat hij snakte naar een sigaret en dat het gesprek hem al verveelde. Hij had de zaak voorgekookt, plaats en tijd uitgelegd, het busje zou er zijn – wat hem betreft waren ze rond.

'Bel je contactpersoon nu even,' stelde hij voor.

'Gebruik je hersens,' zei André. 'Die is aan het werk. Maatje naast hem in de auto. Kan hij toch geen bek opendoen?' Hij schoof zijn stoel naar achteren en gooide wat geld op tafel. 'Je hoort het morgen.'

Mo bleef zitten, zodat Ferry wel moest opstaan. 'Even pissen.'

Hij haalde André in bij de deur. 'Drie mille.'

'Te veel. Kan ik tegenover Mo niet maken.'

Ferry lachte. 'Sinds wanneer ben jij zo loyaal?'

De ogen tegenover hem werden smal, maar voor het eerst liet hij zich niet imponeren. 'Anders doe ik het niet.'

André wreef nadenkend in zijn nek, die via een plooi overging in zijn haarloze schedel. Het gestreepte overhemd spande rond zijn middel, in de halsopening schitterde een fijn gouden kettinkje en de teruggeslagen manchetten lieten een zware gouden schakelarmband en een te groot horloge vrij. 'Ik vraag Ron wel.'

Ferry wist zijn schrik te verbergen. 'Moet je doen.' Soepel draaide hij zich om, ongehaast en vanuit de heupen. André's ogen brandden door zijn spijkerbroek.

'Oké. Eerste en laatste keer. En misschien wil ik eens een wederdienst.'

'Forget it.' Hij keek niet meer om.

'Wat had je nog met hem?' In Mo's blik lag argwaan.

'Niks bijzonders. Wil jij nog een biertje?'

'Nee.' Mo stond al. 'Ik heb een date. Ga mee, regel ik er voor jou ook een.'

Hij schudde zijn hoofd. 'Ik heb andere dingen te doen.' Hij wilde nadenken, en bovendien had Mo een feilloos instinct voor de verkeerde tenten en de verkeerde meiden.

Mo liet zijn perfecte tanden blinken. 'Of ben je net zoals hij?'

Kutmarokkaan. Maar hij lachte gehoorzaam. 'Mag niet van mijn geloof.' Hij stak zijn vuist uit, en hun knokkels raakten elkaar.

Het huis was donker toen hij zichzelf binnenliet. Hij zette de televisie aan, maar zonder geluid, en ging op de bank liggen. De indeling van het gebouw was het probleem niet, die kon hij dromen, en eenmaal binnen was het een kwestie van een deel van het tussenwandje eruit tikken. Beter dan proberen de stalen deur te forceren. Maar waarom was André opeens geïnteresseerd in wapens? En wat had die homo geregeld met Mo? Of beeldde hij zich dingen in, was hij te wantrouwig? André had een enorm netwerk. Ze waren van kleding overgestapt op sigaretten, van sigaretten op elektronica, en nu waren het wapens. Wat kon het hem schelen? Al moest er een kerkorgel worden gejat, het waren zijn sores niet. André was karig wat geld betrof, maar hij had hem nog nooit belazerd, had altijd zijn zaakjes keurig op orde.

Hij ging rechtop zitten en draaide een joint om te ontspannen. Wat André eventueel van plan was, deed er niet zoveel toe. Wat knaagde was dat hijzelf op het punt stond mensen die hij goed had gekend iets te flikken. Zijn vader was met hen bevriend geweest voordat hij een kluizenaar werd, en hijzelf had daarvan geprofiteerd. Gratis cola's, af en toe een doosje patronen dat met een knipoog werd overhandigd. 'Geef maar aan je pa.' Het betekende een extraatje, want sinds het inkomen was gehalveerd na zijn moeders dood, bleef het bij vijfentwintig schoten de man. Het was een dure hobby.

Terwijl hij nadacht, groeide aan de joint de askegel tot hij vonkend op zijn borst viel. Vloekend sprong hij op om het nieuwe shirt schoon te vegen. Waar maakte hij zich druk om? Het was niet meer dan een verzekeringskwestie. Laat ze allemaal de tering krijgen.

10

Talsma gooide zijn sigaret weg en startte. Naast hem stapte Brink in, gsm nog aan zijn oor. 'Ik bel je later, oké?' Hij stak het mobieltje weg, trok met de andere hand zijn broekspijpen op.

'Nieuwe creatie?' vroeg Talsma.

Brink gaf geen antwoord, maar bekeek met welgevallen de broek, waarvan de verkoper had gemeld dat het een 'linnen-zijde menging' was. Dezelfde verkoper had hem er een crèmekleurig overhemd bij verkocht met twee borstzakken met klep. 'Een tikje military look, meneer, maar u kunt het hebben.' Een halfuur geleden had hij nog eens voor de spiegel geconstateerd dat de knul daar gelijk in had. 'Waar gaan we eerst naartoe?'

'Naar de dichtstbijzijnde.' Talsma gaf richting aan en wrong zich tussen het ochtendverkeer.

'De kazerne, bedoel je.'

'Nee, dit is een oud-collega die ook met pensioen is. Paar jaar ouder dan Wissink, maar vroeger goeie maatjes met hem.'

Brink knikte, en ze zwegen tot ze de juiste straat in reden en Talsma vaart minderde op zoek naar het goede huisnummer. Ze konden voor de deur parkeren, en Talsma trok zijn wenkbrauwen op toen hij het rijtje van zes huizen in ogenschouw nam, twee aan twee geschakeld door middel van de garages. Flinke voortuinen, een pad langs de zijkant dat naar de achtertuin leidde, elk huis fris in de verf en goed onderhouden. 'Dit is andere koek dan het stulpje van Wissink.'

'Was het zijn meerdere?'

'Nee, zover ik weet ook een sergeant.'

Naast elkaar liepen ze de oprit op. Bij het buurhuis bewoog een gordijn, en Talsma grijnsde. 'Die denken dat we Jehova's zijn.'

De deur ging al open voordat ze konden aanbellen. 'Ik zag u aankomen, heren.'

Een kleine man met een haakneus en felle blik stak zijn hand uit. 'Wagenmakers. Komt u binnen.'

Hij ging hen voor naar een lichte kamer, waar twee enorme honden waakzaam overeind kwamen, hun nagels krassend over de houten vloer. Talsma bekeek ze met enige waardering. Deense doggen, je zag ze niet vaak. Hem te groot, maar mooie beesten.

'Naar je plaats,' zei Wagenmakers zonder stemverheffing.

De honden sjokten naar een soort tweepersoons matras en lieten zich neer, kop op de poten. Een derde hond, klein, donker, het krulhaar geknipt als was hij een buxus, sprong van de bank, kefte en begon aan hun broekspijpen te snuffelen. Brink deed een stapje achteruit. Wagenmakers greep de hond in zijn nekvel en bonjourde hem de hal in.

'De hond van mijn vrouw,' zei hij ter verklaring. 'Ze heeft een trimsalon, en hij is de wandelende reclame.' Hij gebaarde naar de bank. 'Gaat u zitten. Koffie?'

Ze knikten. Brink koos een plaats naast waar de hond had gelegen. Talsma nam de rustige luxe van de kamer in zich op. Misschien had Akke het ook in de honden moeten zoeken.

De koffie kwam, en Wagenmakers ging zitten, roerde de zijne langdurig en keek ten slotte op. 'Dat is wat, met Leo. Hoe heeft dat kunnen gebeuren?'

'Dat is waar we achter willen komen,' zei Talsma. 'We hebben begrepen dat u met hem bevriend was.'

'Bevriend is een groot woord.' Wagenmakers dacht na. 'We lagen elkaar wel, hadden min of meer dezelfde opvattingen.'

'Opvattingen met betrekking tot wat?'

'Ach.' Wagenmakers lachte. 'Nu ik al een paar jaar ben gepensioneerd, en dus niet meer in het kringetje zit, kijk ik er iets anders tegen aan. Maar goed, destijds waren wij van mening dat er aan de jeugd het een en ander schortte. Een gebrek aan respect als gevolg van een gebrek aan discipline, of tucht, hoe je het noemen wilt. Al ging Leo daarin ook toen al verder dan ik.'

'In welke zin?'

'Hij was van de oude stempel. Regels waren er om nageleefd te worden, en van gemakzucht moest hij niks hebben. Een aantal jaren hebben we rekruten opgeleid, en deels had hij gelijk. Wat je aangemeld krijgt, is soms bedroevend. Maar de jongens wisten dat ik nog weleens een oogje dichtkneep. Bij Wissink was daarvan geen sprake. Misschien waren we daarom een goed team, samen met de collega's natuurlijk. Nadat ik met FLO ging, hebben we elkaar uit het oog verloren, zoals dat dan gaat. Maar dit is een schok, zoiets verdient niemand.'

Talsma dronk zijn koffie terwijl Wagenmakers zijn neus snoot. Ze waren tegelijk klaar.

'Zou je kunnen beweren dat hij door die strenge opstelling vijanden heeft gemaakt?'

Wagenmakers schudde zijn hoofd. 'Zover ik weet niet, in elk geval niet in mijn tijd. En de leiding was over hem te spreken.'

'Had hij meer vrienden onder zijn collega's?'

Wagenmakers tuitte zijn lippen. 'Een paar, op ongeveer dezelfde basis. Je dronk eens wat samen, en hij hield net als ik van voetbal, dus we gingen weleens naar een wedstrijd.'

'Of juist het tegendeel?' vroeg Brink. Hij zette zijn kopje terug op tafel en veegde een paar hondenharen van zijn broek.

'Hoe bedoelt u?'

'Waren er collega's die hem niet mochten? Misschien juist vanwege zijn opvattingen, of om een andere reden?'

Wagenmakers gaf niet meteen antwoord. De felle ogen, die voortdurend op hen gericht waren geweest, dwaalden nu af. 'Nauwelijks.'

Talsma ging iets gemakkelijker zitten, daarmee Brink het sein gevend om door te vragen.

'Dus in elk geval toch één,' zei Brink.

'Niet lang voor mijn afscheid was er een kwestie met een collega,' zei Wagenmakers onbehaaglijk. 'Of liever, met zijn vrouw. Wissink was een liefhebber, om het zo maar eens te zeggen.'

'Had hij een relatie met haar?'

'Relatie,' zei Wagenmakers aarzelend. 'Van Leo's kant denk ik niet dat het ernst was. Van haar weet ik het niet. Ze was nogal wat jonger, ook een stuk jonger dan haar man.' Hij zuchtte. 'Ik vind dit wijvenpraat.'

'Ik niet,' zei Talsma laconiek.

'Nee.' Wagenmakers lachte. 'Nou ja, ik ben er nu over begonnen. Inmiddels is het zo'n drie jaar geleden. Het liep uit de hand. Collega kwam erachter, betrapte hen geloof ik zelfs. Hoe dan ook, hij gooide zijn vrouw het huis uit en hij ging met Wissink op de vuist. Dat had hij beter niet kunnen doen, want Leo was een sterke vent. Daarna begon hij te drinken, en uiteindelijk heeft hij ontslag genomen. Net op tijd, want anders had hij zijn congé gekregen.'

'Wat is zijn naam?'

'Dorhout. Peter Dorhout.'

'Rang?'

'Sergeant.'

Talsma knikte, Brink schreef.

'Hij bedreigde hem,' zei Wagenmakers, die blijkbaar had besloten dan ook maar alles te vertellen.

'Op de kazerne?'

'Nee, daar ontliep hij hem. Fysiek was hij niet tegen Wissink opgewassen. Ik bedoel thuis. Eerst telefonisch. Leo lachte erom, maar zijn vrouw nam het hoog op. Die wist aanvankelijk van niets, dus hij had iets uit te leggen. Dat zinde hem niet, en daarom heeft hij Dorhout erop aangesproken. Daarna bleef het een hele tijd stil, en toen kwamen er brieven. Anoniem, natuurlijk.'

'Hebt u die gezien?' vroeg Brink.

'Hij heeft me er ooit een laten lezen. Ik had daar niet echt behoefte aan, want eigenlijk vond ik dat hij Dorhout een rotstreek had geleverd. Inmiddels was ik lang en breed met FLO, maar ik kwam hem tegen en we zijn een biertje wezen drinken. Hij had die brief bij zich, in zijn portefeuille. Ik kreeg bijna het idee dat hij het wel interessant vond. Enfin, dat doet er nu niet meer toe.'

'Wat stond erin?'

Wagenmakers spreidde zijn handen. 'Dat zou ik niet precies meer weten. Iets over dat hij uit het leger geschopt zou moeten worden als er nog rechtvaardigheid bestond.'

'Hoeveel van die brieven heeft hij ontvangen?'

'Geen flauw idee,' zei Wagenmakers. 'Dat zou u aan zijn vrouw moeten vragen.'

■

'Ik ga bij haar langs zodra ik hier klaar ben,' zei Vegter. 'Zoek jij intussen uit waar Dorhout woont en geef me dat even door.'

'Veertje voor Brink,' zei Talsma.

'Steek het op de juiste plaats.' Vegter lachte en hing op.

'Maar dat is al een paar jaar geleden!' Mevrouw Wissink keek van Vegter naar Renée. 'Ik heb dat... Ik wilde er niet meer aan denken. Leo zei dat het niets voorstelde. En bovendien had zij het uitgelokt.'

'Dat zei uw man?'

Ze knikte. Ook vandaag droeg ze de crèmekleurige bloes, en dezelfde rok. Op de voorkant van de bloes zat een koffievlek die ze blijkbaar niet had opgemerkt. 'Leo was een aantrekkelijke man.' Haar blik had iets fiers. 'Het was niet...' Ze zweeg.

'Niet de eerste keer?' Renée hield haar stem neutraal.

Vegter keek naar de blos die zich langzaam van mevrouw Wissinks gezicht uitbreidde tot in haar hals. 'Heeft het gedrag van uw man eerder tot problemen geleid?'

Ze aarzelde. 'Het was nooit meer dan gewoon een beetje flirten.'

'Vond alleen uw man dat normaal, of dacht u er ook zo over?'

Haar ogen zwierven door de kamer, haakten een moment aan de trouwfoto. 'Hij zei dat het niets betekende,' zei ze zachtjes. 'U moet begrijpen dat hij een levenslustige man was. En hij zat in de kazerne natuurlijk tussen mannen van allerlei slag. Sommigen namen het niet zo nauw. En Leo...' Ze dacht even na. 'Hij wilde alles meemaken. Begrijpt u wat ik bedoel? Ik vond dat we het goed hadden. Een eigen huis, geen zorgen, hij zou een behoorlijk pensioen krijgen. Voor mij was dat genoeg. Maar Leo... Hij vond dat je uit het leven moest halen wat erin zat. Hij wilde altijd méér.'

Een sergeant, dacht Vegter. Nooit uitgezonden geweest, dus zonder heldenstatus. En zonder de intellectuele capaciteiten die nodig waren om carrière te maken. Maar wel met een hang naar wat meer glamour, meer respect. Misschien had hij dat gevonden in zijn avontuurtjes.

Of trok hij te snel zijn conclusies? Hij zag het bijna overdreven gespierde lichaam voor zich zoals het op het tuinpad had gelegen, het heerszuchtige gezicht. Een man die niet ouder wilde worden. Misschien was het allemaal niet zo gecompliceerd. Mensen zaten soms verbazend eenvoudig in elkaar.

'U had dus toch wel een beetje begrip voor zijn standpunt.'

Ze gaf geen antwoord, vouwde haar handen die voortdurend iets wilden aanraken, oppakken, gladstrijken, en kneep ze samen.

'Het was beter geweest als u het ons meteen had verteld.' Renée glimlachte. 'Hoe dan ook: die telefoontjes kwamen niet meer nadat uw man zijn collega daarop had aangesproken.'

Mevrouw Wissink knikte. 'Dat was een opluchting. Het was afschuwelijk. Hij zei de meest verschrikkelijke dingen. Ook over mij.'

'Zoals?'

'Dat weet ik niet meer.'

'Ik denk dat u het nog wél weet,' zei Renée rustig. 'Ik denk dat u het liever niet vertelt.'

'Hij zei…' De tranen stroomden alweer, en de handen ontsnapten, plukten aan de rok. 'Hij zei dat Leo thuis zeker niet aan zijn trekken kwam, en dat dat geen wonder was, als je met zo'n lelijk wijf was getrouwd.' Ze veegde de tranen weg. 'Als hij belde, was hij meestal dronken, en u weet hoe mensen zijn als ze gedronken hebben.'

Renées ogen kruisten die van Vegter, en hij kon vermoeden wat ze dacht. Mevrouw Wissink klonk alsof ze zelfs voor dit soort uitlatingen enig begrip kon opbrengen, indachtig het gezegde dat kinderen en dronken mensen de waarheid vertellen. Het moest haar tot in het diepst van haar ziel hebben gekwetst; een bevestiging van haar visie op zichzelf, die alleen maar was versterkt door het gedrag van haar man. 'Daarna kwamen de brieven. Schrok uw man daarvan?'

'Brieven?'

'De dreigbrieven. Uw man zal daarover toch met u hebben gesproken.'

De handen staakten hun gepluk. 'Ik weet van geen brieven.'

Vegter nam haar scherp op. Ze klonk oprecht, en ze knipperde niet toen ze hem aankeek. Ging hij er ten onrechte van uit dat de brieven naar Wissinks huisadres waren verstuurd? 'Wat deed u met de post voor uw man?'

'Die legde ik op zijn kamer.'

'U opende die niet?'

'Nee, natuurlijk niet.'

'Wij zouden graag zijn kamer zien.'

Ze stond onmiddellijk op, als was ze blij een onaangenaam onderwerp af te kunnen sluiten. 'Ik zal het u wijzen. Maar ik kan niet... Ik ga niet mee naar binnen.'

'Dat is ook niet nodig.'

Ze volgden haar de trap op. Ook de bovenverdieping was smetteloos. Alle deuren geopend, het tweepersoons bed in de slaapkamer zonder een plooitje opgemaakt, de badkamer blinkend schoon. Een eenzame handdoek hing over de rand van het zitbad.

Ze wees hen Wissinks kamer en ging zelf weer naar beneden, haar pantoffeltjes onhoorbaar op de dik beklede trap.

Ze keken rond. Een bureau met daarop een computer. Ernaast een printer op een laag tafeltje. Een smalle kast met vier planken, gevuld met ingelijste foto's van een geüniformeerde Wissink, genomen tijdens diverse gelegenheden, een roestige granaathuls, een paar granaatscherven die eruitzagen alsof ze stamden uit de Eerste Wereldoorlog, een rijtje beduimelde detectives en een oude versie van wat destijds het Handboek Soldaat had geheten. Naast de kast een aktetas die leeg bleek.

In de laden van het bureau vonden ze Wissinks paspoort, bankafschriften, rekeningen, een paar oude ansichtkaarten, verzekeringspapieren en de koopovereenkomst van zijn huis.

Renée zette de computer aan, die niet bleek te zijn beveiligd met een wachtwoord en ze lazen de weinige e-mails, allemaal van persoonlijke aard en zonder enige dubbele betekenis. Onder Favorieten stond een aantal pornosites, waarvan een paar met bestialiteit.

Renée zuchtte. 'Zou zijn vrouw met een pc kunnen omgaan?'

'Ik hoop voor haar van niet,' zei Vegter.

De computer bevatte geen bestanden op wat correspondentie na. Geen muziek, geen afbeeldingen, geen video's, niets.

'Wat deed die man met een pc?' zei Renée.

'Ik zal er iemand naar laten kijken.'

Ze haalde haar schouders op. 'Volgens mij is het niet meer dan een digitale brievenbus. Is er op de kazerne iets gevonden?'

'Nee.'

'Ach nee, natuurlijk niet, hij was met pensioen. Laten we zijn kleren gaan bekijken.'

De slaapkamer was spartaans ingericht. Een kast met dubbele schuifdeuren, aan weerszijden van het bed een nachtkastje, een stoel met daaronder een paar leren herenslippers, over de rugleuning een donkerblauw T-shirt dat vaag naar zweet rook. Vegter vroeg zich af of het er nog hing juist vanwege die geur. Op een van de nachtkastjes stond een wekkerradio. Ernaast lag een herenhorloge. Op het andere kastje een doosje met opschrift Ohropax, dat wasbolletjes bevatte. Hij keek vragend naar Renée.

Ze lachte een beetje. 'Blijkbaar snurkte hij.'

De kastjes zelf waren leeg. Wissinks uniform hing onder een plastic hoes in de kledingkast. In de binnenzak van een donkergrijs burgercolbert zat zijn portefeuille met daarin zijn rijbewijs, bankpas, een creditcard, voordeelpasjes van diverse winkelketens, en wat contant geld.

'Hij moet die brieven hebben weggegooid,' zei Renée. Ze opende de andere helft van de kledingkast en rommelde tussen de kleren van mevrouw Wissink, opende de handtassen die op de bodem stonden.

'Ik stuur Sjoerd hiernaartoe. Als er iets is, vindt hij het.' Vegter keek op zijn horloge. 'Ik zou naar die Dorhout willen.'

'Waar zou zijn mobiel zijn?'

Ze gingen weer naar beneden. Mevrouw Wissink zat op de bank, handen in de schoot, voeten naast elkaar.

'De gsm van uw man,' zei Vegter. 'Waar is die?'

'Ik weet het niet. Misschien in zijn jaszak.' Ze liep naar de hal en kwam terug met het mobieltje, dat ze aan Vegter gaf.

Hij had recent een nieuwe gsm gekocht nadat de vorige het had begeven, en het had hem uren van frustratie gekost het ding min of meer te doorgronden, terwijl hij wist dat hij van alle beschikbare functies er maar een paar zou gebruiken. Hij gaf het mobieltje door aan Renée. Ze checkte het met snelle vingers. 'Niets bijzonders.'

Vegter keek naar mevrouw Wissink. 'Hebt u een mobiele telefoon, mevrouw?'

'Nee,' zei ze. 'En als ik er een had, zou ik hem u niet geven. U graaft maar, en u haalt alles ondersteboven, ons hele leven. Terwijl we niets te verbergen hebben. Alsof Leo degene is die iets misdaan heeft. Hij was nota bene militair, in dienst van de regering.'

'Het is ons werk,' zei Vegter. Hij wist dat het armzalig klonk, maar feitelijk had hij haar niet meer te bieden. 'Alles wat we doen, de vragen, de onderzoeken, de inbreuk op uw privacy, is het gevolg van wat er is gebeurd. Het is wat de wet van ons verlangt.'

Hij voelde Renées blik. Ze had dezelfde onwil getoond haar privéleven bloot te leggen na de aanslag die op haar was gepleegd, en hij had daar geen woorden aan vuilgemaakt, omdat hij van mening was dat haar professionaliteit voorop zou moeten staan.

'We leven in een rechtsstaat,' zei hij. 'Dat betekent dat een misdrijf moet worden opgehelderd als dat maar enigszins mogelijk is.'

Mevrouw Wissink zei niets, en hij verschoof in zijn stoel. Deze kleine onverzorgde vrouw dwong hem tot een verklaring die hij niet wilde geven. 'U zult toch ook wensen dat degene die u dit heeft aangedaan wordt gestraft.'

Waarom liet hij zich in godsnaam verleiden tot deze discussie? Was het een uitvloeisel van zijn moedeloosheid van de vorige avond, zat hij zijn eigen functioneren te verdedigen?

'Ik weet niet eens of ik dat wel wil,' zei mevrouw Wissink. 'Waar brengt het me? Krijg ik er Leo mee terug? Krijg ik mijn leven terug?'

Hij schaamde zich lichtelijk voor zijn verbazing. Haar leven was er weliswaar een geweest van afwachting en dienstbaarheid, maar ook van zekerheid en rust. Een rimpelloos burgermansbestaan waarin ze een bescheiden aanzien had genoten. Daaraan was voorgoed een eind gekomen.

'Nee,' zei hij. 'In die zin krijgt u er niets voor terug.'

II

'Van de doden niets dan goeds,' zei Renée. 'Maar ik heb sterk het gevoel dat ik Wissink bij leven niet gemogen zou hebben.'

Vegter gaf geen antwoord.

Ze tilde een hand op en liet hem terugvallen op het stuur. 'Dit is een onderwerp waarover we het toch nooit eens zullen worden.'

'We zíjn het eens,' zei hij.

'Geen discussie?'

'Discussies bestaan uitsluitend bij de gratie van het meningsverschil.'

Ze zweeg tot ze stopte voor het flatgebouw waar Peter Dorhout geacht werd te wonen. 'Waarom kunnen wij hier niet over praten?'

'Omdat het niet nodig is.' Opeens had Vegter er genoeg van. 'Je grijpt elke gelegenheid aan, passend of niet, om mij duidelijk te maken dat de wereld maar twee partijen kent. De winnende man en de verliezende vrouw. In een geval als dit heb je natuurlijk gelijk, maar jij gebruikt het als uitgangspunt. Je denkt in sjablonen.'

'Niet voor wat betreft haar generatie.'

'Misschien niet, maar wel voor de jouwe.'

'Dat valt te bezien.'

Het was er het moment niet voor, maar hij zei het toch. 'Renée, waar komt die gefrustreerde kijk van jou vandaan?'

'Blijkbaar heb je niet geluisterd.'

'Wanneer?'

'Toen ik je onze situatie schetste. Die bij mij thuis, bedoel ik.'

'Ik heb wel degelijk geluisterd,' zei hij. 'En ik kreeg sterk de indruk dat jij vast van plan was het anders te doen. Ik vind ook dat je daar aardig in slaagt.'

'Nu betrek je het meteen op ons.'

Hij zuchtte. 'Jij bent degene die niet neutraal kan blijven. Had je dat weleens bedacht?'

'Hoe kan ik dat?' Ze haalde de sleutel uit het contact. 'Jij bent bezig je leven opnieuw in te richten, tegelijk met je huis. Waar pas ik in dat geheel? Je betrekt me nergens bij.'

Hoe deden vrouwen dat, vroeg hij zich af terwijl hij het portier opende. Een onderwerp aansnijden, hun gelijk krijgen en je vervolgens het gevoel geven dat je niettemin tekortschoot. Hij keek omhoog naar de kleine balkons, waar schotelantennes als grauwe zonnebloemen uitstaken boven de spijlen van de balustrades.

Ze liepen door een verveloze hal met bekraste deuren en graffiti op de muren. Het gebouw stond op de nominatie om te worden gesloopt, en alles ademde verwaarlozing en desinteresse.

Dorhout woonde op de vijfde verdieping achter een deur zonder naambordje, en de bel was defect of uitgeschakeld. Vegter bonsde op het matglazen raam van de voordeur. Een paar minuten gebeurde er niets. Door het keukenraam zag hij hoe in de gootsteen een scheve toren van pannen was gebouwd, borden en bekers stonden in wankel evenwicht opgestapeld op het aanrecht. Hij hief zijn hand om opnieuw te kloppen toen er een silhouet schemerde achter het glas. De deur ging half open.

'Ja?'

Peter Dorhout was gekleed in een verwassen T-shirt en laaghangende spijkerbroek, waaroverheen zijn buik puilde. Bovenop was hij kalend, maar in de nek droeg hij het haar in een grijzend, dun staartje, zodat hij iets weg had van een oude rocker.

'Recherche.' Vegter liet zijn kaart zien. 'We zouden graag even met u praten.'

'Waarover?' De ogen waren waterig, met diepe wallen eronder.

'Dat leg ik u liever binnen uit.'

Dorhout deed zonder verder commentaar een stap opzij. Vegter rook een dranklucht toen hij langs hem heen liep.

In de huiskamer knikte Dorhout naar een bank die zijn beste tijd had gehad. Zelf liet hij zich vallen in een fauteuil. 'Zeg het maar.'

Alvorens te antwoorden keek Vegter om zich heen. Zelfs in zijn slechtste tijd, kort na Stefs dood, was er een normbesef geweest waaraan hij zich had vastgeklampt, omdat hij begreep dat de beslommeringen van het dagelijks leven houvast boden. Hij had af en toe gestofzuigd, gelucht nadat hem was opgevallen dat het huis onfris rook, hij had zichzelf wegwijs gemaakt in de bijkeuken, de gebruiksaanwijzing van de vele plastic flacons gelezen en schoonmaakmiddelen gebruikt waar hij dacht dat ze van toepassing waren. Hij had het bedieningspaneel van de wasmachine en de droger doorgrond, en zelfs na enige tijd begrepen dat een overhemd zich alleen goed liet strijken als het glad lag.

In deze kamer was niets wat erop wees dat Peter Dorhout over eenzelfde inzicht in zijn situatie beschikte. Stapels kranten en reclamefolders lagen her en der verspreid, drie overvolle asbakken stonden op de vuile salontafel, tezamen met een aantal bierflesjes. Naast de bank een krat bier dat gedeeltelijk een enorme vlek in het tapijt bedekte die alleen van braaksel afkomstig kon zijn. De vensterbank was leeg en zag grijs van het stof, de zon die door de ramen scheen toonde onbarmhartig het olieachtige oppervlak ervan. Hier was een man bezig te verdrinken.

'U was beroepsmilitair,' zei hij.

Dorhout knikte. 'En?'

'U zult ongetwijfeld in de krant hebben gelezen dat een van uw ex-collega's, Leo Wissink, om het leven is gekomen.'

Dorhout knipperde niet. 'Nee.'

Vegter keek naar de stapels. 'U leest geen kranten?'

'Nee.'

'Maar u volgt het nieuws, neem ik aan.' Vegter knikte naar de televisie, het enige voorwerp in de kamer dat er relatief nieuw uitzag.

'Soms.'

'U wist niet van Wissinks dood?'

Dorhout hield twee bierflesjes tegen het licht voordat hij het juiste had gevonden. 'Nee.'

'U lijkt niet nieuwsgierig naar de manier waarop hij om het leven is gekomen.'

'Waarom zou ik? Dood is dood.'

'U had een conflict met hem, een paar jaar geleden.'

'Correctie: hij met mij.' Dorhouts medeklinkers waren niet haarscherp. 'Hij neukte mijn vrouw.'

'Daar sprak u hem op aan.'

Dorhout bracht het flesje naar zijn mond en goot het bier naar binnen zonder te slikken. Vegter had weinig mensen gezien die het kunstje konden toepassen. Dorhout beheerste het tot in de perfectie. Hij zette het flesje pas neer toen het helemaal leeg was. 'En nou denken jullie dat ik hem heb omgelegd.'

'Waarom denkt u dat hij door geweld is omgekomen? Ik heb u dat niet verteld.'

Dorhout sloot half zijn ogen, zodat het leek alsof hij lachte. 'Dan moet ik het ergens hebben gehoord, hè?' Hij pakte een nieuw flesje en wipte het geroutineerd open. 'En jullie komen hier niet om over het weer te praten.'

'U sprak hem aan op zijn gedrag,' herhaalde Vegter.

'Dacht het wel.'

'Hoe reageerde hij?'

'Hij zei dat het niks betekende. Niks betekende! Ik was godverdomme net twee jaar getrouwd.'

'Uw vrouw was een aantal jaren jonger dan u?'

'Vijftien jaar jonger dan ik, tweeëntwintig jaar jonger dan Wissink. Ze is een slet, maar dat wist ik toen nog niet.'

'U bent daarna gescheiden.'

'Zeker weten.'

'Hebt u nog contact met uw ex-vrouw?'

'Nee. Over en uit.'

Drie platitudes in tien volzinnen. Vegter zuchtte inwendig. 'U hebt naar aanleiding van die affaire een handgemeen gehad met Wissink. Daarna hebt u hem telefonisch bedreigd.'

Dorhouts blik werd helderder. 'Wie zegt dat?'

'U hebt hem herhaalde malen telefonisch lastiggevallen en daarbij dreigende taal geuit. Ja of nee?'

'Ik heb hem verteld dat hij een lul was, en dat hij met zijn poten van andermans vrouw af moest blijven. Dat is iets heel anders.'

'Intussen had u ook problemen op uw werk. Volgens uw meerderen dronk u te veel en schoot u daarom tekort in het uitoefenen van uw plichten.' Vegter citeerde letterlijk de woorden van kapitein Vervoort, die hij onderweg had gebeld. De kapitein was niet erg lovend geweest over Dorhout, die volgens hem al langere tijd 'disciplinaire problemen' had.

'Mijn meerderen? Je bedoelt Vervoort. Dat is er zo eentje die naar boven likt en naar onderen trapt.' Dorhouts knokkels werden wit rond het flesje. 'Ik zou jullie het een en ander over hem kunnen vertellen, als ik daar zin in had.'

'Ik heb liever dat u me vertelt waarom u na die telefoontjes bent begonnen met het sturen van dreigbrieven aan Wissink.'

'Waar heb je het over?' Dorhout zette het flesje hard neer. 'Heb ik niet gedaan. Ik had genoeg ellende gehad. Ik wilde verder met mijn leven.'

'Woonde u destijds ook al hier, of bent u na uw scheiding verhuisd?'

'Ik ben verhuisd,' zei Dorhout onwillig.

'Waarom?'

'Ik moest mijn huis verkopen. Ik had ontslag genomen, zodat ik niet langer tegen dat smoel van Wissink hoefde aan te kijken, maar ik kon geen ander werk vinden. Als je boven de veertig bent, lusten ze je niet meer.' Dorhout pakte het flesje weer. 'En het ging toen niet zo goed met me. Ik had psychische problemen.' Hij moest een aanloopje nemen naar het woord psychisch. 'De dokter zei dat ik rust nodig had om de dingen op een rijtje te zetten. Dat zei hij.'

'En daar bent u nu nog mee bezig?'

'Waarmee?'

'Met de dingen op een rijtje zetten.'

Dorhout keek broeierig voor zich uit. 'Hij heeft me kapotgemaakt,' zei hij toen. Hij maakte een weids gebaar dat de trooosteloze kamer omvatte en liet zijn flesje vallen. Bier gulpte over het tapijt. Het flesje rolde door tot voor Renées voeten. Ze raapte het op en zette het op de tafel.

'Kapot,' herhaalde Dorhout. Zijn blik dwaalde naar Renée, als hoopte hij bij een vrouw meer begrip te vinden. 'Gewoon voor de lol, begrijp je wel? Het soort dat zijn lul niet in zijn broek kan houden. Altijd geile praatjes. Kon geen rok zien of hij moest erachteraan.' Toen ze niet reageerde, boog hij zich voorover en keek haar doordringend aan. 'Hoe zou jij dat vinden? Hè? Als je vent je belazert? Een lekkere meid als jij. Dat zou je niet leuk vinden, toch? Zeg eens wat?'

Vegter herkende het nieuwe stadium. Van zelfmedelijden naar agressie. 'Waar leeft u nu van?'

Dorhout had een paar seconden nodig om te schakelen. 'Uitkering.'

'Waar was u gisterochtend tussen vijf en zeven uur?'

'Waar zou ik zijn? In mijn bed.'

'Is er iemand die dat kan bevestigen?'

'Nee.'

'Alles bij elkaar ziet het er niet zo erg naar uit dat u verder bent gegaan met uw leven,' zei Vegter. 'Uw financiële situatie is niet rooskleurig, u hebt geen vooruitzichten, geen relatie, en u hebt een alcoholprobleem.'

'Flikker op. Ik drink een biertje. Mag ik?'

'Genoeg redenen om Wissink dood te wensen,' zei Vegter kalm. 'Wat is trouwens zijn adres?'

Dorhout opende zijn mond en sloot hem weer. Door de dronkenschap heen schemerde alertheid. 'Ik zou het niet weten.'

'Hebt u een auto?'

'Nee.'

Vegter stond op. 'Mogen we even rondkijken?'

'Je doet maar.' Dorhout duwde zich op uit zijn stoel en had nog een keer de leuning nodig om overeind te blijven. Hij liep naar de kamerdeur en hield die uitnodigend open.

Ze maakten een rondgang door de kleine flat. Wierpen een blik in de vervuilde badkamer, in de meterkast en de wc. De brildeksel stond omhoog, zodat de bruine kalk- en urineaanslag in de pot zichtbaar was. Ze openden kastdeuren in de slaapkamer en in de keuken, waar de lege koelkast Vegter herinnerde aan de zijne in het tijdperk vóór Renée. Ten slotte telden ze stilzwijgend het aantal bierkratten op het balkon. Vier stapels van vijf kratten elk. De deur kon nog net open.

'Hij loog,' zei Renée. Ze draaide de parkeerplaats af.

Vegter tastte naar zijn mobiel. 'Rij een rondje en zet hem aan de andere kant.'

Ze cirkelde om het gebouw en reed vanaf de andere kant de parkeerplaats weer op terwijl Vegter Brink instrueerde. Toen ze met de neus naar de ingang stonden zei hij: 'Je bedoelt dat hij wist dat Wissink dood is.'

'Ja. En dat hij weet waar hij woonde.'

Vegter knikte. 'Al was het maar omdat hij in het telefoonboek Wissinks nummer zal hebben opgezocht.'

'We zijn natuurlijk te laat,' zei ze.

'Ongetwijfeld. Maar ik wil weten wat hij doet. Blijf jij hier met Brink. Ik zal ervoor zorgen dat er om zeven uur aflossing komt.' Vegters telefoon ging, en hij nam op.

'Ik heb bij Wissink de hele tent binnenstebuiten gekeerd,' zei Talsma. 'Geen brieven. In zijn auto een lege envelop in het dashboardkastje. Handgeschreven adressering, geen afzender, poststempel van vier maanden geleden. Geen idee of het wat is, maar ik heb hem meegenomen.'

'Waar vandaan verzonden?'

'Dit postdistrict.'

'Wat voor soort envelop?'

'Normaal formaat. Wit, bijna vierkant. Zelfklevende sluiting. Ziet eruit alsof Wissink hem met zijn pink heeft open geritst.'

Vegter hing op. Zwijgend wachtten ze tot Brink arriveerde.

'Wat is het voor vent?' vroeg Brink.

'Rancuneus.' Renée schoof haar stoel verder naar achteren, zodat ze haar benen kon strekken. 'Vastgelopen. In zijn ogen deugt de wereld niet, en hij is daar het slachtoffer van. Alcoholist, verzorgt zichzelf niet, laat staan zijn huis. Lijkt in niets meer op een gedisciplineerde militair.'

Brink trommelde op het stuur. 'Klinkt meer alsof hij 's morgens om zes uur bewusteloos in bed ligt, in plaats van rond te rennen met een of ander steekwapen.'

Renée lachte. 'Hij is natuurlijk wel jarenlang gewend geweest aan een strak regime. En hij heeft gevechtstechnieken geleerd.'

'Hoe ziet hij eruit? Die oud-collega zei dat hij het in een vuistgevecht tegen Wissink niet redde.'

'Vandaar misschien dat steekwapen. Hij is niet zo groot, eigenlijk vrij licht gebouwd, maar nu met een bierbuik.'

'Was hij dronken toen jullie er waren?'

'Behoorlijk.'

'Dus die valt straks om en gaat nergens meer naartoe.' Brink trommelde harder. 'Een van de beroemde ingevingen van de baas.'

Renée liet zich niet provoceren. 'Zijn antwoorden waren niet consistent. En hij heeft een motief. Zou je willen ophouden met dat neurotische drummen?'

'Hoofdpijn?' Brink grijnsde. 'Slecht geslapen?'

Ze gaf geen antwoord.

Inmiddels was het na vieren, en de ene auto na de andere reed de parkeerplaats op, de meeste van een verouderd type. Een vrouw kwam aanfietsen, drie tassen aan het stuur, een kind achterop. Een vrouw in lang gewaad en met hoofddoek hield de deur naar de kelderboxen voor haar open. De fietsster bedankte met een knikje.

'Klotebuurt,' zei Brink. 'Goed dat het tegen de vlakte gaat. Al vraag je je af waar ze dan met al die allochtonen naartoe moeten. Enkeltje Verweggistan, zou ik zeggen.' Hij geeuwde. 'Maar ja, het zijn net mieren. Trap je er één dood, komen er tien voor terug.'

'Je klinkt als een bejaarde met heimwee naar molens en tulpen.'

'O ja, jij bent van de Nieuwe Nederlanders.' Brink rolde zijn mouwen gedeeltelijk terug, streek de plooien zorgvuldig glad. 'Waar ik een hekel aan heb, is dat mijn belastingcenten worden uitgegeven aan de verkeerde dingen.'

'Zoals?'

'Inburgeringscursussen.' Hij sprak het woord lettergreep voor lettergreep uit. 'Vakantiereisjes voor jochies die het spoor bijster zijn. Dat soort dingen.'

Ze bekeek zijn broek en overhemd. 'Je ziet er niet uit alsof je geld te kort komt.'

'Daar gaat het niet om. Het gaat om het principe.'

'Kunnen we het ergens anders over hebben?' vroeg ze. 'Of nog beter: nergens over?'

'Best.' Hij keek waarderend een meisje na dat met wapperende, glanzend zwarte haren wegfietste. Haar spijkerbroek zat strak om de smalle heupen, haar armen staken goudbruin af tegen het witte bloesje. 'Misschien moeten we sommigen een kansje geven.'

Renée lachte ondanks zichzelf. Ze nam hem zijdelings op. Hij was mooi. Goed gebouwd, goed gekleed, goed gekapt. Alles klopte, behalve zijn denkbeelden.

Zijn telefoon ging, en hij nam op. 'Ik kon je nog niet terugbellen, want ik ben nog aan het werk.' Hij luisterde. 'Voor achten red ik het niet… Goed, dan zie ik je daar.'

'Een date?' vroeg Renée onschuldig.

Brink mompelde iets, greep in zijn borstzak en stopte een kauwgom in zijn mond zonder haar er een aan te bieden.

'Een frisse Hollandse meid op klompjes,' veronderstelde ze.

'Half Nederlands, half Antilliaans.' Hij zag eruit alsof de bekentenis hem pijn deed.

'Ah, een rijksgenote.'

'Volledig geïntegreerd,' zei hij stijfjes. 'Ik ken haar al jaren.'

'Je bedoelt: net als wij.'

'Ach, fuck off. Bemoei je met je eigen zaken. Ik hoor dat je tegenwoordig in de bejaardenzorg zit.'

Eikel. Ze balde haar handen tot vuisten in de zakken van haar spijkerjack. Was dit hoe er binnen het korps over werd gedacht? Ze opende haar mond om hem van repliek te dienen, toen de toegangsdeur van de flat open ging en Dorhout naar buiten kwam.

'Dat is hem!'

Dorhout had een plastic tas in zijn rechterhand en stapte met enige omzichtigheid over de drempel. De deur viel achter hem dicht, en hij keek om zich heen voor hij rechts afsloeg.

'Hallo, wat een loser.' Brink had zijn hand al aan de portierkruk.

'Wacht even. Geef hem vijftig meter.'

Dorhout liep voor het flatgebouw langs, zijn gang onzeker. Hij verdween om de hoek. Brink stapte uit en haastte zich achter hem aan.

Renée wachtte.

Het duurde niet lang voor Dorhout weer verscheen. Hij liep regelrecht naar de ingang en verdween naar binnen, de plastic tas, die nu leeg leek, nog steeds in zijn hand. Renée pakte een appel uit haar tas en nam een hap.

Brink stapte teleurgesteld in. 'Hij ging naar de glasbak.'

Ze knikte, kloof de appel af tot het klokhuis en gooide het in de goot. 'Shit!' Ze draaide zich naar Brink. 'Er was geen glas.'

'Hè?'

'In zijn flat. We hebben die bekeken. Wat moet hij bij een glasbak? Er stonden nergens lege flessen. Hij drinkt alleen maar bier.' Ze graaide naar haar mobiel.

Het kostte een uur voordat er een wagen van de gemeente was geregeld die de glasbak kon vervoeren naar het recyclingbedrijf. Vegter reed erachteraan en keek samen met twee man van de technische recherche toe hoe de bak werd geleegd op enige afstand van een enorme berg scherven.

'Ik dacht dat alles meteen op de lopende band ging,' zei hij tegen de man van het bedrijf, die met over elkaar geslagen armen naast hem stond.

'Dat gaat het ook. Dit ligt te composteren.'

'Composteren?'

'Zo noemen we dat. Alle troep is er al uitgehaald, metaal, plastic, enzovoort, maar aan het glas kleven nog resten van de inhoud. Mayonaise, ketchup, noem maar op. Het duurt een aantal weken voor dat is vergaan.'

Vegter realiseerde zich dat hij bar weinig wist van recycling. 'Is er geen snellere manier?'

De man lachte. 'Sneller misschien wel, maar niet beter, en ook niet goedkoper.' Hij haalde een pakje shag uit de borstzak van zijn overall en begon een sigaret te draaien. 'Dit is de meest milieuvriendelijke methode.'

De wagen reed achteruit en de chauffeur klom uit zijn cabine. 'Gaat dit lang duren?'

'Geen idee,' zei Vegter. 'We weten niet waarnaar we zoeken.'

'Is dat een geintje?'

'Zie ik eruit alsof ik geintjes maak?' Vegters humeur was aanmerkelijk verbeterd sinds Renées telefoontje.

De chauffeur keek geïnteresseerd naar de mannen in hun overalls. 'Dan blijf ik nog even.'

Ze hadden geen geluk; de bak was bijna helemaal vol geweest. De mannen hurkten en groeven. De chauffeur drentelde naderbij en schopte een bergje flessen uit elkaar.

'Niet doen,' zei een van de rechercheurs zonder op te kijken.

'Daar ligt wat.' De chauffeur wees.

De rechercheur reikte naar iets glimmends, gedeeltelijk zichtbaar. 'Bingo.'

Zwijgend keek Vegter naar het angstaanjagende voorwerp, waarvan het lemmet aan de ene zijde een snijvlak had, en aan de andere zaagtanden, zij het niet over de hele lengte. Een bajonet.

12

'Ik heb ze een tijdje verzameld,' zei Peter Dorhout.

'Waarom?'

'Waarom? Weet ik veel. Waarom verzamel je postzegels?'

'Een verzameling bewaar je gewoonlijk niet in je kelderbox,' zei Vegter.

'Het interesseerde me niet meer. Ik heb ze niet eens uitgepakt nadat ik was verhuisd.'

Toen hij werd opgehaald, was Dorhout nauwelijks aanspreekbaar geweest. Op weg naar de auto moest hij door twee man op koers worden gehouden. Vegter had hem een uur gegeven om bij zijn positieven te komen, en na een paar bekers slechte maar sterke bureaukoffie keek hij iets helderder uit zijn ogen. Vegter had het uur onder andere benut door de patholoog te bellen, die bevestigde wat hijzelf al dacht; een bajonet zou inderdaad het gebruikte steekwapen kunnen zijn geweest. 'Het zou meteen de diepte van de wonden verklaren,' zei Heutink. 'En als het er een met een zaagrug was, ook de vernieling van zoveel weefsel.' Zelfs had hij zich min of meer verontschuldigd. 'Ik had hieraan moeten denken. Een militair tenslotte. Heel toepasselijk.'

Vegter had de in de glasberg gevonden bajonetten bekeken, zeven in totaal. Grimmige, genadeloze wapens, die een merkwaardig soort moed moesten vergen om ze te gebruiken.

Intussen had Renée wat huiswerk gedaan. Er was een levendige handel in bajonetten, niet alleen op verzamelaarbeurzen voor militaria, maar ook, of misschien juist, op internet. Ze bleken verrassend goedkoop, in prijs variërend van vier tientjes tot een paar honderd euro. Een beetje postzegel kostte waarschijnlijk meer.

'Kunt u me vertellen waarom u het nu opeens nodig vond ze weg te gooien? In een glasbak, in plaats van in de container?'

'Een container vond ik te link,' zei Dorhout. 'Kinderen graaien erin.'

'U was bang dat ze zich zouden verwonden.'

Dorhout was inmiddels zodanig ontnuchterd dat de ironie tot hem doordrong. 'Ik had op het nieuws gezien wat er met Wissink was gebeurd. En in de krant stond dat hij zo'n beetje is geslacht.'

'Dat hoeft voor u geen reden te zijn om plotseling uw collectie weg te doen.'

'Nee, maar toen stonden jullie opeens voor de deur. Hoe zou jij je gevoeld hebben?'

'Laten we afspreken dat ik geen jij maar u ben,' zei Vegter. 'Als u met Wissinks dood niets te maken hebt, had u niets te vrezen. Het lijkt erop dat dat wel het geval is.'

'Ik kreeg de zenuwen. Ik heb de laatste jaren genoeg voor mijn kiezen gekregen, ik kon dit er niet ook nog bij hebben.'

'We zullen uw persoonlijke omstandigheden buiten beschouwing laten,' zei Vegter. 'Waarom in de glasbak?'

Dorhout zweeg.

'Zal ik het u vertellen? Omdat u wist dat de bajonetten op die manier niet getraceerd konden worden als van u afkomstig.'

Dorhout haalde zijn schouders op. 'Oké. Stom.'

'Dat zeker, maar u had ook een reden. Hoeveel dreigbrieven hebt u aan Wissink verstuurd?'

'Ik heb geen dreigbrieven verstuurd.'

Vegter haalde een vel papier uit een lade van het bureau en schoof het naar Dorhout. Hij legde er een pen naast. 'Schrijft u uw naam en adres, geboorteplaats en -datum.'

Dorhout weifelde. 'Waarvoor?'

'Schrijft u op wat ik u vraag. Geen blokletters.'

Dorhout pakte de pen en schreef. Vegter keek toe. Dorhout had wat Ingrids basisschooljuf een slechte schrijfhouding had genoemd; de pen weliswaar geklemd tussen duim en wijsvinger, maar in de holte bij de muis van de hand, en alle vier de vingers gebogen tot in de palm. Hij legde de pen neer en keek op als een leerling die een compliment verwacht.

Vegter was moe, en licht in zijn hoofd omdat hij lunch en avondmaaltijd had overgeslagen, en de bierlucht die Dorhout verspreidde maakte dat hij zich lichtelijk onpasselijk voelde. Puur uit balorigheid zei hij: 'Spreekt u Engels?'

'Jawel.'

Vegter had zijn twijfels, en bovendien al spijt van zijn opwelling, maar hij kon niet meer terug. 'Schrijft u: the quick brown fox jumps over the lazy dog.'

Renée had beweginloos op haar stoel gezeten, nu hief ze haar hoofd in een gebaar van verrassing. Dorhout keek alsof hij water zag branden.

'The quick brown fox jumps over the lazy dog,' herhaalde Vegter. Hij wist niet waar de herinnering opeens vandaan kwam – het zinnetje dat werd gebruikt om toetsenborden te testen, omdat alle letters van het alfabet erin voorkwamen. Het deed er ook niet toe. Waarschijnlijk was het een beginnende vorm van krankzinnigheid. Waarmee, zoals Reve zei, niets mis was, zolang er maar systeem in zat.

Dorhout schreef weer, langzamer deze keer.

'Goed,' zei Vegter. 'Nu schrijft u dat allemaal nog eens op, maar dan in blokletters.'

Hij zag hoe de letters schots en scheef op het papier verschenen. Het eerste dat sneuvelde bij dronkenschap was de fijne motoriek. 'Ga hier even mee naar Talsma,' zei hij tegen Renée. 'Hij weet ervan.'

Dorhout zakte onderuit op zijn stoel, duimen in de lusjes van zijn spijkerbroek gehaakt in een mislukte poging onverschilligheid uit te stralen. Vegter liet de stilte voortduren tot Renée terugkwam. Ze sloot de deur achter zich en schudde nee. Het zou ook te mooi zijn geweest, dacht hij. Matchend handschrift, Dorhout die instortte en vlotjes bekende, iedereen opgelucht naar bed. Hij reikte naar het opnameapparaat. 'Verhoor hervat om eenentwintig uur veertig.'

■

Toen ze de smalle klinkerweg in draaiden, keek Ferry op de dash-boardklok. Kwart voor twaalf. Ze hadden op zijn hoogst twee uur voordat de jongens van de security zouden langskomen. Het was krap, maar eerder beginnen kon niet. Op vrijdagavond bleven mensen na sluitingstijd van de banen dikwijls lang hangen aan de bar.

'Lichten uit,' zei hij tegen Mo.

Mo deed de lichten uit en stampte op de rem toen de duisternis als een muur op hen af kwam. 'Shit!'

Eens te meer wenste Ferry dat hij deze klus met Ron had kunnen doen, die in elk geval sporadisch zijn hersens gebruikte. Stapvoets reden ze verder, het opblinkende water in de sloot direct naast de weg als hun enige leidraad. Nog altijd lag de schietbaan buiten de stad, al rukte de bebouwing steeds verder op. De klinkerweg was zo'n twee kilometer lang, en er zaten een paar verraderlijke bochten in. Ondanks Ferry's waarschuwing zag Mo de eerste te laat, en de linkerwielen hobbelden over de walkant. Onbeheerst rukte Mo aan het stuur.

Nog langzamer kropen ze door de tweede bocht, en Ferry haalde opgelucht adem. 'Nu gewoon rechtdoor.'

Rechts de zwarte silhouetten van bomen, struikgewas hurkte aan de linkerkant.

'Pas op het hek.'

Het hek besloeg de volle breedte van de weg. Links de sloot, rechts schrikdraad – het was geen slechte beveiliging als je er ten-minste rekening mee hield dat er buiten openingstijden geen auto's het terrein op mochten.

Mo stopte en zette de motor af. 'Ik pak de spullen wel. Ga jij al-vast naar de andere kant.'

Ferry stapte uit en drukte het portier dicht. Hij zwaaide zich om het hek heen en gleed bijna uit op het vochtige gras. Mo rommelde in het inwendige van de bestelbus en stak de sloophamer, de gas-brander en het breekijzer door de spijlen. Hij liet de achterportie-ren openstaan, slingerde zich soepel ook langs het hek.

'Je had moeten keren,' zei Ferry. 'Nu moeten we steeds om die bus heen lopen. Kost alleen maar tijd.'

'Neuroot.' Mo lachte.

Arrogante eikel. Ferry begon te lopen, struikelend over de hobbels en kuilen in het stuk grond dat diende als parkeerterrein. Ze staken schuin over naar het gebouw.

'Rechtsom.'

Op het half overdekte terras glansden de formica tafelbladen zwakjes in het licht van de maan, die even ontsnapte aan de bewolking die aan het begin van de avond was komen opzetten. Ferry had er wekelijks gezeten achter zijn cola, zelfs in de winter, omdat zijn vader wilde kunnen roken. Geroezemoes om hen heen. 'Probeer het dan eerst geschouderd.' 'Skeet is niks voor mij.' 'Ik heb er andere chokes in gezet. Bevalt me veel beter.'

Zijn vader had ooit de Christmas Shoot gewonnen; een beker en een diepgevroren kalkoen. Schieten bij het licht van bouwlampen, de duiven in een enkele flits zichtbaar in de felle lichtbundel. Vuurkorven om je handen te warmen, blauwig glanzende geweerlopen, goedmoedig gemopper van schutters na een misser. Eenzelfde gevoel van kameraadschap had hij nadien nooit meer ervaren.

'Hier.' Hij bleef staan naast een van de grote ramen van de kantine.

Mo zette de gasbrander aan en hield hem vlak bij het dubbele glas. Het duurde niet lang voor er een scheur in sprong. Ferry sloeg op de scheur, sloeg door tot het grootste gedeelte van het glas was verwijderd en tikte ook de scherven vlak boven de vensterbank weg.

Mo zette de brander neer. 'Niet vergeten, straks.' Hij stapte over de vensterbank en stak een hand uit om de hamer aan te pakken.

'Waarom heb je geen handschoenen aan?'

'Vergeten. Ze liggen nog in de bus.'

Jesus, wat een amateur.

Op de tast schuifelden ze door de kantine, waar het naar soep en kroketten rook. Rechtsaf het gangetje in. De wapenwinkel had een stalen deur, maar werd van de garderobe ernaast gescheiden door een halfsteens muur.

Ze sloegen om de beurt, laag boven de grond, beukten net zo lang tot ze een gat hadden dat groot genoeg was om doorheen te kruipen. Ferry ging op zijn rug liggen en schoof achterwaarts naar binnen als een monteur die onder een auto vandaan komt. De winkel had geen ramen, en het was er aardedonker. Hij tastte langs de deurstijl tot hij de schakelaar vond en moest zijn ogen dichtknijpen tegen het helle licht van de tl-buizen, dat werd gereflecteerd door het glas van de vitrinekasten. Hij telde binnensmonds terwijl Mo naar binnen kroop. Zevenenveertig. Er stonden twee prachtige Brownings tussen, B525, die hij per stuk op zeker negenduizend euro schatte. Zijn vader zou er iets voor overhebben om een dergelijk geweer te bezitten. Een aantal Beretta's, waarvan een paar rond de zes mille, goedkopere uitvoeringen van de B525, Miroku's, wat Ultra Lights. 'Dat zijn wijvengeweertjes, jongen. Jij leert gewoon schieten met een volwassen geweer. Je went er vanzelf aan.' In het begin had hij niet alleen spierpijn gehad, maar ook een beurse schouder.

De vier vitrinekasten hadden schuifdeurtjes van veiligheidsglas, maar de zijwanden bestonden uit multiplex en boden weinig weerstand toen ze het breekijzer tussen glas en wand zetten. Een van de ruiten barstte en vormde in een flits een patroon als van een ingenieus spinnenweb. Mo begon op het glas te slaan.

'Hou op, idioot.' Ferry pakte hem het breekijzer af en boog het wandje naar buiten. Ze wrikten de bovenkanten los en hij pakte als eerste de twee dure Brownings. Hij liet ze Mo zien. 'Negen mille per stuk, minstens.'

Mo was geïmponeerd, bekeek de wapens nauwlettend. 'Zijn ze beter dan die andere?'

'Niet beter,' zei Ferry. 'Mooier.'

'Hebben ze hier eigenlijk geen, hoe heet dat?'

'Patronen, bedoel je. Jawel, maar die liggen in een kluis die je niet open krijgt. En ze leveren niks op.'

Hij legde de geweren op de vloer, en toen hij zich oprichtte keek hij in de dubbele loop van een Miroku. In een reflex sloeg hij het wapen weg. 'Lul!'

Mo lachte. 'Ze zijn toch niet geladen, jongen. Zei je zelf.'

Ferry probeerde zich te beheersen. Wat mankeerde hem? Hij had dit vaker gedaan. Maar niet hier, in dit clubgebouw waar hij zich op een merkwaardige manier geborgen had gevoeld, waar alles zo vertrouwd leek dat het was alsof hij er gisteren nog was geweest.

Waar hem was ingeprent dat je geweer altijd gebroken was, behalve wanneer je ermee schoot.

Ze keerden een terrastafel om, laadden er een aantal geweren op en droegen als ambulancebroeders de tafel tot aan het hek. Mo glipte eromheen en pakte tussen de spijlen door de wapens aan, smeet ze onverschillig in de laadruimte van de bus.

Ferry zei niets. Het was André's probleem als hij straks een partij geweren probeerde te verhandelen met krassen op de kolf.

Na de vierde tafel vol plakte zijn shirt aan zijn rug. 'Hoeveel tijd hebben we nog?'

Mo keek op zijn horloge. 'Twintig minuten.'

Ferry's onrust groeide. Ze moesten nog keren, de onverlichte weg terug rijden, en je kon niet sneller dan tien kilometer per uur, want voor je het wist lag je in de sloot. Wat als die fuckers eerder kwamen? 'We gaan.'

Mo's tanden blonken op. 'Je bent toch niet bang?'

'Er staan er nog maar drie. Ik heb geteld, we hebben er vierenveertig. Kom op nou.'

'Jij gaat,' zei Mo. 'Ik keer de bus.'

'Shit, Mo!'

Maar hij ging. Voor de vijfde keer liep hij het stikdonkere terrein op, brak bijna zijn nek over de tafel en trapte die opzij. Het formica blad gleed door op het vochtige gras en de tafel plonsde in de sloot. Aan de overkant schrokken een paar duttende eenden op, luid kwakend. Direct na de plons hoorde hij de klik waarmee Mo een portier sloot. Daarna bleef het stil. Wat voerde hij uit, waarom startte hij niet?

Hij schuifelde verder. Het gebouw doemde op, stak inktzwart af tegen de iets lichtere hemel. Opnieuw door het kapotte raam, op de tast door de kantine, rechtsaf het gangetje in, op zijn buik door het gat.

Een voor een schoof hij de geweren naar buiten, kroop terug, schramde zijn arm aan een brok puin en stond op, legde de wapens tegen zijn borst, lopen omhoog. Gangetje door, kantine door. In zijn haast stootte hij tegen een stoel, die krassend verschoof. Hij hijgde van schrik. Het voelde niet goed, waarom voelde het niet goed?

Bij het raam wist hij het antwoord. Het was stil. Het was stil terwijl hij een stationair draaiende motor zou moeten horen. Waar hing die fokking Marokkaan uit? Drie doffe ploffen op het pad, hijzelf erachteraan. Toen hij zich bukte meende hij een flikkering te zien links van hem. De flikkering verdween terwijl hij ernaar keek, kwam terug, feller, sprong op, werd een dansende vlam, en de kille wind die hem eerder kippenvel had bezorgd, voerde nu de geur van benzine met zich mee.

'Nee! Godverdomme, Mo!'

Hij sprintte de hoek om, zag nog net een schim om de andere hoek verdwijnen, begon op de vlammen te trappen die al gretig vraten aan het kurkdroge hout van de betimmering, wist dat hij te laat was maar kon niet ophouden met trappen, schopte in razende woede tegen een doordrenkte lap die brandde als een fakkel. De lap vloog door de lucht in een waaier van vuur, bleef hangen aan een tak en verlichtte de struiken als gold het een tuinfeest.

Hij draaide zich om, rende terug, ontweek de geweren, zag op een ervan de gravure blinken. Hoe kon hij dat zien terwijl het vuur achter hem was? Hij begreep waarom toen hij de korte zijde van het gebouw bereikte. Naast de ingang schoten vlammen omhoog die al bijna het laag overhangende dak hadden bereikt.

Hij vloog het pad af, stapte in een kuil, struikelde maar bleef overeind, slingerde zich om het hek.

De bestelbus was weg.

Even geloofde hij het niet, toen hoorde hij het ronken van de motor, en hij zag de remlichten opgloeien. Mo stopte bij de bocht die leidde naar de verharde weg, bleef daar staan, liet de motor lopen, begon achteruit te rijden. Stopte weer. Wat was die idioot aan het doen?

Het werd pas duidelijk nadat hij het linkerportier had opengerukt en in het schijnsel van de binnenverlichting Mo's ogen zag, het wit rond de irissen, zijn wijzende hand. Aan het begin van de weg kwamen koplampen hun kant op. Hij sleurde Mo achter het stuur vandaan, schopte hem overeind. 'De struiken in, moven!'

Hij klom naar binnen, ramde de versnelling in zijn achteruit, keerde zonder zich erom te bekommeren of Mo nog ergens liep, reed de bestelbus in een scherpe draai tot achter de loods waar de kleiduiven werden opgeslagen en waar sinds jaar en dag de werktuigen stonden – tractor, motormaaier, graafmachine –, wist dat hij nu vanaf de weg onzichtbaar was en waagde het de stadsverlichting een seconde te ontsteken om te kunnen zien waar het pad liep dat in een wijde, kronkelende boog uitkwam op een smalle provinciale weg.

Het pad was afgezet met twee solide betonnen paaltjes.

Er was dus toch iets veranderd, sinds hij hier niet meer kwam. Hij wist ook waarom: regelmatig was het voorgekomen dat leden die zich na het schieten een stuk in de kraag dronken in de kantine, het pad namen teneinde eventuele controle op de snelweg te vermijden, om vervolgens in de greppel te belanden, waarna de beheerder in actie moest komen om hen er met behulp van de tractor weer uit te trekken. Dat probleem was dus voorgoed opgelost.

Hij liet een raampje zakken, luisterde naar het geluid van de naderende auto, boog zich opzij om door het rechterraam te kunnen kijken en zag de felle lichtbundel van de koplampen een zwiepende draai maken langs de struiken, schampen langs de spookachtig witte stammen van een groepje hoog opgeschoten berken.

Ze zouden doorrijden tot het hek, het vuur zien, alarm slaan en wachten tot de brandweer kwam. Hun aandacht zou volledig zijn gericht op de brand. Alles wat hij hoefde te doen was nu de weg op rijden, niet overhaast, gewoon in de tweede versnelling, zodat hij zo weinig mogelijk geluid maakte.

Zijn tanden klapperden toen hij de bestelbus vooruit liet kruipen, de hoek om, zo dicht mogelijk langs de begroeiing om het silhouet van de bus niet te laten afsteken tegen de hemel, die boven het verenigingsgebouw al een zwakke rode gloed vertoonde. Over twintig minuten zou de hele tent branden als een lier.

Hij was bijna bij de weg toen het rechterportier openging en Mo naar binnen viel.

■

Vegter reed achter Renée aan naar haar flat. Hij liep mee naar boven en wachtte tot ze de deur had opengemaakt. Ze draaide zich naar hem toe. 'Is het hem, denk je?'

'Ik weet het niet,' zei hij. 'En op dit moment kan het me weinig schelen.'

'Je bent moe.'

'Ook dat.'

Ze streek haar haar naar achteren. 'En je bent ver weg.'

'Misschien ben jij niet dichtbij,' zei hij. 'Maar ga naar binnen en naar bed. Het is te laat voor semantische spelletjes.'

Ze deed het licht aan in de hal en draalde in de deuropening. 'Welterusten dan.'

'Ja,' zei hij. 'Tot morgen.'

Onderweg werd hij ingehaald door een brandweerauto die met gillende sirene langs jakkerde, en hij vroeg zich af wat erger was: om twee uur 's nachts ophouden met werken of ermee beginnen. Waarschijnlijk het laatste. In kalm tempo reed hij verder, sloeg af naar de kanaalweg, reed door het slapende dorp en ten slotte over de straatweg, tot hij zijn huis bereikte. Het licht van de koplampen ving een ogenblik het paard, het hoofd in alarm geheven, een wegdraaiend oog, groot en melkachtig wit.

Binnen bleef hij op zijn beurt even in de deuropening staan, overzag de kamer, luisterde naar de suizende stilte. Er hingen nog geen gordijnen, de ramen waren dode, zwarte rechthoeken waarachter de wereld ophield. Was dit dan wat hij wilde, die wereld buitensluiten zodra hij daar gelegenheid toe had? Conflicten vermijden, geen verantwoordelijkheid dragen voor iemands welzijn, met niemand rekening hoeven houden. Of was het wat Renée dacht dat hij wilde?

Wolf draaide rondjes om zijn benen, en hij liep met hem mee naar de keuken, gaf hem vers water en brokken, en de kat hield onmiddellijk op met flemen en begon te eten. Voordeel van een dier was zijn volstrekt eerlijke en daarom niet teleurstellende egoïsme, dacht Vegter. Het nadeel was dat je niet met hem naar muziek kon luisteren, een boek bespreken of de liefde bedrijven. Praten kon ook niet, maar daarin verschilde Wolf op dit moment niet van Renée. Hij schonk een jenever in, pakte drie eieren uit de koelkast en liet boter smelten in een koekenpan. Terwijl hij wachtte op de eieren beluisterde hij de boodschap die Ingrid op zijn mobiel had ingesproken. 'Hoi pap, je hebt het natuurlijk druk, maar ik wilde je even laten weten dat je kleinkind nu achtentwintig centimeter lang is en dat hij ongeveer vijfhonderd gram weegt. Alles gaat goed. Met jou ook?'

Iets opgewekter maakte hij met een mes de eieren los van de bodem van de pan. Over vier maanden zou hij een nieuwe verantwoordelijkheid hebben, en hoewel hij daar in het begin aan had getwijfeld, was die hem nu meer dan welkom.

■

In de loods liet Ferry het aan Mo over om de wapens uit te laden en te stouwen, terwijl hijzelf bij de deur bleef staan om een joint te draaien. Zijn vingers trilden nog steeds, en hij wist niet of dat van woede was of nog van angst. Dus daarom had die hufter geen handschoenen gedragen. Als je toch van plan was de zaak in de hens te zetten, had je die niet nodig. Jerrycan benzine en een paar lappen achterin en klaar was Kees. Waarom had hij niet beter opgelet? Dit had hij niet gewild. Een inbraak was één ding, brandstichting was iets anders.

Hij trok hard aan de joint. Morgen was het zaterdag. Stipt om twaalf uur zou zijn vader zijn geweer uit de kluis in de slaapkamer halen en het in het foedraal stoppen, zijn schietvest aantrekken waaraan altijd de scherpe geur van kruit hing, pet opzetten, gehoorbeschermers om zijn hals hangen – de vaste volgorde van handelingen sinds jaren. Hij zou de route rijden die hij elke zaterdag reed. En daar zou het stokken. Geen kop koffie aan de bar voor hij de baan op ging, geen praatje met de beheerder en zijn vrouw, geen biertje na afloop. Eenmaal thuis niet langer het zorgvuldige schoonmaken; een oude handdoek op de eettafel, de weeë geur van wapenolie. Wat moest de man voortaan doen met zijn zaterdagen?

Achter hem kletterde een geweer op de betonnen vloer, en hij gooide de joint weg, doofde hem onder de hak van zijn schoen. Dit was de laatste keer dat hij met die klootzak had samengewerkt, en dat ging hij André vanavond nog vertellen.

Mo zette hem af in het centrum. Hij groette niet toen hij uitstapte, sloeg het portier hard achter zich dicht. Inmiddels was het laat, na halfdrie. Hij passeerde een paar kroegen, halfleeg, pizzeria's waar de rolluiken waren neergelaten, terrassen waar de stoelen waren opgestapeld. De wind was schraler geworden, een krant ritselde voor hem uit, zijn arm schrijnde onder de dunne mouw van zijn shirt.

Twee dronken studenten kwamen hem tegemoet, een fiets tussen hen in, die ze bij het zadel omhoog hielden, zodat het achterwiel de grond niet raakte. Ze posteerden zich breeduit tegenover hem. 'Hé joh, heb jij toevallig een schroevendraaier bij je?'

'Lazer op.' Hij stapte om hen heen, keek nog een keer om en zag hen de fiets tussen de geparkeerde auto's door naar de walkant manoeuvreren, hoorde een enorme plons en daarna geschater. Even deed het pijn – de zorgeloze dronkenschap met vrienden, het gevoel dat de stad van jou was en dat wat je ook uithaalde, het geen gevolgen zou hebben. Het leven een feest, en jij het middelpunt ervan.

Hij wist waar André woonde, een grachtenpand, of in elk geval een etage daarvan, en als het nodig was belde hij hem uit zijn bed. Hij sloeg de laatste hoek om. Een huis met een blauwstenen trap, een groen met goud geverfd smeedijzeren hek… Daar. Hij beklom de trap, hijgde toen hij boven was, doodmoe opeens, zijn benen loodzwaar. Hij wilde slapen, dekbed over zijn hoofd, nergens aan denken. Maar eerst dit afhandelen. Hij scande de naambordjes en drukte op de juiste bel, bekeek terwijl hij wachtte zijn witte sneakers, besmeurd met fijn rood stof van het kapotgeslagen muurtje. Bovendien liep over de rechter een bruine schroeiveeg. Het was voldoende om door de vermoeidheid heen de woede weer op te roepen. Die schoenen had hij nog geen week geleden gekocht.

Hij had de intercom over het hoofd gezien en schrok toen die tot leven kwam. André's vervormde stem. 'Wie is daar?'

'Ferry.'

Na een paar seconden sprong de deur open, en hij beklom twee trappen, zag harige benen op een verlichte overloop.

'Wat kom jij doen?' vroeg André.

'Ik moet je spreken.'

André droeg een soort kamerjas. Zwartglimmend met wijde mouwen, een goudkleurig gevlochten koord rond het middel. Hij zag eruit als een sumoworstelaar in de lichtgewichtklasse. 'Weet je hoe laat het is?'

'Je bent toch nog op?'

Misschien was het de klank van zijn stem, misschien de manier waarop hij stond. Zonder verder commentaar deed André een stap achteruit, liet hem voorgaan, duwde hem een schemerige hal door, een witte kamer binnen. Alles wit. Wit en goud. Witte muren, witte halfronde leren bank, wit tapijt, glazen tafel met brede koperen rand en koperen olifantspoten, twee glazen erop met iets wat op whisky leek, ijle witte gordijnen, wit meubel tegen een zwart gespoten muur, een uitbundige koperen kroonluchter met elektrische kaarsjes. Uit onzichtbare luidsprekers klonk gedempt een of ander antiek kwijlnummer. Fok, in wat voor bordeel was hij beland?

Zelfs de man die half opstond om hem te begroeten, was in het wit. Een oudere nicht, maar schitterend geconserveerd; geblondeerd haar, mouwloos shirt dat gebruinde armen vrijliet, perfecte spijkerbroek, leren riem met matglanzende gesp, blote voeten. Kleurloze ogen met de starre blik van ná de cosmetische correctie. Ze keken dwars door zijn kleren. Hij kreeg een tikje tegen zijn bovenarm. 'Hai.'

'Een vriend,' zei André.

Het interesseerde hem niet. 'Wat is dat voor klotestreek om die tent in de fik te steken?'

André trok zijn wenkbrauwen op. 'Moet ik jou daarvoor verantwoording afleggen?'

'Ja, want als ik dat geweten had, was ik er niet aan begonnen.'

André spreidde zijn handen. 'Dus waarom zou ik het je vertellen?'

'Hoeveel heb je Mo betaald?'

André lachte hardop en schudde zijn hoofd als verwonderde hij zich over de brutaliteit van een kind. De vriend lachte ook, met tanden die even wit waren als zijn shirt.

'Ik werk niet meer met hem,' zei Ferry met strakke lippen. 'En trouwens ook niet meer voor jou. Ik wil mijn geld en voor de rest kun je de pot op.'

'Wat een boosheid,' zei de vriend. 'Je gaat toch niet onze avond bederven?' Hij lispelde enigszins en zette zijn glas te hard neer.

Ferry draaide hem de rug toe. Die twee hadden hier de hele avond comfortabel zitten zuipen terwijl hij als een mislukte commando door dat clubhuis had getijgerd.

'Welnee, integendeel.' André strikte het koord rond zijn middel iets strakker. Ook hij was op blote voeten. Er groeide haar op zijn tenen. 'Ik schenk een biertje voor je in en we praten erover.'

Ferry zag de knipoog naar de vriend. 'Fuck off met je biertje. Ik meen het. Ik laat me niet door jullie besodemieteren.'

André legde een zware arm rond zijn schouders. De warmte ervan drong door zijn shirt, de huichelachtigheid maakte dat hij zich kwetsbaar voelde. 'Kom op nou, Ferry. We doen al meer dan een jaar zaken, jij en ik, en we worden er allebei beter van. Dit is een misverstand. Ga zitten en ik leg het je uit.'

Hij schudde de arm af. André's ogen werden klein, maar hij zei niets. Ferry ging zitten op het puntje van de bank en zag tot zijn voldoening dat zijn spijkerbroek onmiddellijk vuile vegen maakte op het zachte leer. De vriend schoof bereidwillig een stukje op, al was dat niet nodig.

André liep de kamer uit. De vriend liep hem achterna. Ferry hoorde hen zachtjes praten. De vriend kwam terug met een schaaltje druiven en begon die met smakkende geluidjes op te eten.

Ferry keek naar zijn roodbestofte knieën. Wat deed André met zo'n weekdier? Enfin, dat was geen vraag. Hij hoorde het zuigende geluid van een koelkastdeur, het dichtschuiven van een la, gekletter van bestek. De huiselijkheid van de geluiden maakte hem wat meer ontspannen, al vroeg hij zich af of André mes en vork nodig had om een pilsflesje open te wippen.

De vriend bewoog een voet op de maat van het kwijlnummer. 'Woon je in de stad?'

'Ja.'

André kwam weer binnen. 'Sorry, het bier is op.' Op een presenteerblaadje droeg hij een glas met een helderrood drankje, een schijfje limoen op de rand gestoken. In de vloeistof dreef een enorme ingesneden olijf, openvouwend als een bloem. Ferry bekeek het geheel met ongeloof. Er werd een tafeltje naast hem neergezet, glas erop, schaaltje nootjes erbij. Het betere inpakwerk. Dacht die lul nou echt dat hij zo onnozel was?

André ging zitten, hief zijn whisky. 'Op de goede afloop.'

'Niks goede afloop.' Hij greep zijn glas, negeerde de limoen, goot het drankje in één teug naar binnen. Het alcoholpercentage was in orde, maar het was smerig spul, met een zoutige nasmaak. 'Leg het maar uit.'

'Een-tweetje,' zei André.

'Tussen wie?'

'Wat kan het je schelen?' André opende een goudglanzende doos op de tafel, koos met zorg een sigaartje, hield er een lucifer bij, rekte de show van aansteken, ronddraaien, het eerste rookwolkje uitblazen. 'Ik begreep van Mo, en daarna ook uit jouw verhaal, dat je er oude connecties hebt, dus het leek me beter je erbuiten te houden.'

'Een-tweetje tussen wie?'

André zuchtte. 'Luister Ferry, ik ken jou als een loyale knul.' Hij zweeg even om duidelijk te maken dat dit als compliment was bedoeld. 'Daarom vroeg ik me af of jij wel de aangewezen persoon was om deze klus te doen. Maar aan de andere kant: ik had je nodig, en dit was de deal.'

'Je geeft nog steeds geen antwoord.'

André leunde achterover in de witleren fauteuil, knieën onbeschaamd ver uiteen. 'Laten we zeggen: onder andere iemand die er goed bekend is. En ik vertel je dit alleen omdat ik je mag.'

'Daar schiet ik niks mee op.'

'Dat is dan jammer voor je. Wie denk je dat je voor je hebt? Zoals ik zei: ik hoef aan jou geen verantwoording af te leggen. Ik krijg een opdracht, ik zoek er de juiste mensen voor, ik word betaald. Moeilijker maak ik het nooit. Hoe minder ik weet, hoe beter.'

Ferry dacht na. 'Ik heb je gezegd dat die wapens niet veel zullen opleveren. Dus waarom?'

'Dat zeg ik je net, dat weet ik niet. Een of ander handeltje dat niet bekend mag worden. Mij werd gevraagd of ik het kon regelen, en ik heb het geregeld. Die wapens waren eigenlijk bijzaak, meer om een brand aannemelijk te maken. Maar goed, iedereen verdient, iedereen is blij. Tussen haakjes, hoeveel zijn het er?'

'Vierenveertig.' Hij zag André rekenen, kreeg een tevreden glimlachje.

'Nog iets drinken?'

'Nee.' Ferry zweeg een poos. Hij begreep het niet. Wat kon het voordeel zijn om de boel in de fik te laten steken? Hij probeerde erover na te denken, maar het was mistig in zijn hoofd. Hij was bekaf, wilde een sigaret, maar was er opeens niet zeker van of hij die zou kunnen draaien. Het drankje borrelde in zijn lege maag, en hij voelde zich onpasselijk worden. Beter om naar huis te gaan. Van André zou hij niets meer te horen krijgen. Maar eerst zijn geld. 'Ik krijg drie mille van je. Nu. En daarna is het finito.'

Hij wilde er nog iets aan toevoegen, zodat het eens en voor al duidelijk was dat hij ermee kapte, maar zijn tong werkte niet mee. De woorden kleefden als stroop in zijn mond, en hij kon nauwelijks articuleren.

'Wat jij wilt.' André maakte geen aanstalten om op te staan.

Hij keek van de een naar de ander, probeerde de stemming te peilen. André rookte, bekeek zijn nagels, de vriend strekte zijn benen, wreef lui de ene voet tegen de andere, sloeg zijn armen over elkaar alsof hij op iets wachtte. De muziek stopte abrupt met een metalige tik. Niemand zei iets, niemand bewoog. Jezus, iets zat helemaal fout. Wat gebeurde er, wat waren ze van plan? Hij moest hier weg.

Hij stond op, verloor zijn evenwicht en zakte terug. De kamer tolde in een warreling van wit en goud, de muren kwamen op hem toe en weken weer. 'Ik…' Opnieuw stond hij op, viel bijna languit over de glazen tafel.

De vriend schoot toe, greep hem met ijzeren vingers bij zijn arm. 'Kalm aan, jochie. Ga zitten.'

Hij liet zich terugvallen, klam zweet op borst en rug. 'Fuckers… Jullie hebben… Wat hebben jullie…'

De bank draaide, hij draaide tegengesteld. Maar hij kon niet dronken zijn, niet van één glas. Een zwarte massa hing boven hem. André's gezicht kwam langs drijven, de ogen koel registrerend als een arts die naar zijn patiënt kijkt, maar zijn stem zacht en warm. 'Het gaat niet zo goed met je, geloof ik. Je kunt beter even gaan liggen.'

Hij schudde zijn hoofd, probeerde zich te verzetten, maar zijn spieren gehoorzaamden niet, en een golf van misselijkheid kwam op. Alles wat hij proefde was gal vermengd met het bitterzoute drankje. De vloeistof liep langs zijn kin en drupte op het tapijt.

'Rustig maar. Niet gaan kotsen.'

Hij was niet groot, woog niet veel, en hij werd opgetild alsof hij een kind was. De kruidige geur van aftershave in zijn neus, warme whiskyadem langs zijn gezicht. De kroonluchter wentelde, vervaagde tot een lichtgevende spiraal. Hij werd weggedragen. Gefluister boven zijn hoofd. 'Godverdomme, hij gaat al out.'

'Nee, valt mee.'

Ander licht, rozig en gedempt. Een slaapkamer. Plotseling lag hij op zijn buik. Onder hem iets zachts dat lichtjes deinde. Een waterbed. Hij kreeg geen lucht, probeerde zijn hoofd te draaien.

André's stem in zijn oor. 'Ontspannen, ontspannen. Niets aan de hand.'

Zijn shirt werd omhoog getrokken. Gefrunnik aan zijn spijkerbroek. De stof schuurde langs zijn dijen. Handen gleden als slangen over zijn lijf, zoekend, tastend.

O god nee. Nee, nee, *nee.*

Warme huid tegen zijn rug. Iets kouds. De gesp.

Pijn.

Pijn.

En daarna niets meer.

13

Vegter werd gewekt door Wolf, die van mening was dat de dag was begonnen en dat kenbaar maakte door luid spinnend op zijn borst de melkslag toe te passen. Hij duwde de kat van zich af en keek op de wekker. Tien over zes. Het was nauwelijks wat je een nachtrust zou kunnen noemen. Het lege kussen naast het zijne confronteerde hem met de avond tevoren. Renée zou nog slapen, en waarschijnlijk moest hij blij zijn dat ze dat weer durfde, alleen in haar flat, maar de afgelopen week waren ze samen wakker geworden, had hij in het dorp de krant gekocht – zich elke keer opnieuw voornemend het abonnement te laten overzetten naar zijn nieuwe adres – terwijl zij koffie zette en het ontbijt maakte. Ze hadden ontbeten aan het wankele campingtafeltje dat hij bij de verhuizing had teruggevonden in de kelderbox van zijn flat, de krant gedeeld, hun plannen voor die dag besproken. Eensgezind hadden ze deuren en kozijnen afgekrabd, geplamuurd en in de grondverf gezet. Hout gestapeld in de schuur nadat hij een boer had gevonden die gezaagd en gekloofd haardhout verkocht. Zonder logische volgorde werkten ze de klussen af waar ze zin in hadden. Ze hadden samen gekookt en buiten bij kaarslicht wijn gedronken tot de vochtige avondlucht hen naar binnen joeg.

Al met al had het geleken op iets wat je geluk zou kunnen noemen. Was hij daar te gemakkelijk van uitgegaan? Misschien had hij geluk verward met tevredenheid of zelfs gezapigheid, misschien waren zijn eisen te laag of juist te hoog.

Zijn maag was de drie eieren alweer vergeten, en hij besloot op te staan. Hij liet Wolf buiten, zette koffie en dacht met tegenzin aan Peter Dorhout. Een ideaal motief, de ideale middelen, de ideale verdachte. Het kon hem niet zijn.

■

Ferry had last van de zon die in zijn gezicht scheen, prikkelend en warm. Geïrriteerd draaide hij zijn hoofd, opende zijn ogen toen dat niet hielp en kneep ze meteen weer dicht.

Hij lag. Maar niet in zijn bed. Hout kerfde in zijn wang. Hij lag op zijn zij, een arm afhangend naar de grond. De mist in zijn hoofd was er nog steeds. Een schril geluid drong erdoorheen, en krankzinnig genoeg klonk het als het fluitje van een conducteur. Een vrachtwagen denderde langs, en hij rook de dieselwalm. Nu zijn oren weer werkten, hoorde hij meer. Het gesuis van banden op asfalt, een claxon, het jengelen van een tram, voetstappen die zich langs hem haastten, een flard van een gesprek. 'Dan bel je toch gewoon opnieuw?' 'Ja, maar hij zegt dat ik…'

Voorzichtig deed hij opnieuw zijn tranende ogen open en keek om zich heen. De herkenning kwam langzaam.

Het Centraal Station. Hij lag op een bankje aan de achterkant van het Centraal Station. Een van de plekken waar zwervers en junks 's nachts hun toevlucht zochten. Hoe was hij hier in godsnaam beland? Moeizaam probeerde hij zich te herinneren wat er kon zijn gebeurd. Met één hand steunend op het bankje ging hij rechtop zitten. Vlijmende pijn schoot door zijn billen. Niet zijn billen, maar… O jezus, o god. André. André en Vriend. Ze hadden… Hij was…

Gal kwam omhoog, en hij slikte het weg, bleef slikken.

Hij ging staan, handen op zijn knieën, hopend dat de pijn zou verdwijnen. Voeten kwamen binnen zijn gezichtsveld, voeten in keurige bruine schoenen, glimmend gepoetst, broekspijpen erboven, donkerblauwe krijtstreep, scherpe vouw. 'Gaat het, joh?'

Hij maakte een afwerend gebaar, en de voeten verwijderden zich, aarzelend eerst, maar daarna met de ferme stap waarmee ze waren genaderd. Behoedzaam stak hij een hand van achteren in zijn spijkerbroek. Vuur. Alles rauw en kapot.

Schokkerig kwam hij overeind en tastte in zijn zak naar zijn sigaretten. Zijn vingers raakten bankbiljetten, en hij trok ze tevoorschijn en telde.

Tweeëndertighonderd euro. André had netjes betaald.
Drieduizend voor de klus.
Tweehonderd voor hem.

Hij besloot een taxi naar huis te nemen. Geld genoeg, tenslotte.
Langzaam liep hij door het station. Boven zijn hoofd kondigde de
geluidsinstallatie galmend een vertraging aan, mensen haastten
zich langs hem heen, iemand stootte met een grote rolkoffer gevoelig tegen zijn schenen. Een man at een hamburger, ketchup droop
langs zijn kin. De geur deed Ferry kokhalzen. Hij keek op een klok.
Een hamburger om halfelf. Moest kunnen.

Op het stationsplein sjokte hij langs de bloemenstalletjes. De
uitbundige kleuren deden pijn aan zijn ogen. Met enige verbazing
keek hij om zich heen. Alles was net als anders. Maar wat had hij
dan verwacht?

Ergens jammerde een draaiorgel, een straattekenaar schold hem
uit toen hij zonder op te letten over zijn tekening heen liep.

'Rot op.' Hij zag dat hij een uitzinnig lachende trol had beschadigd die een blonde zeemeermin aan haar haren uit het water trok.

De tekenaar stak zijn middelvinger op. Ferry schudde zijn
hoofd. Even niet. De voorste taxi had een Marokkaanse chauffeur,
en ook dat werkte opeens op zijn gevoel voor humor. Moeizaam
stapte hij in, probeerde op één bil te gaan zitten.

De chauffeur bekeek hem achterdochtig. 'We blijven toch wel
normaal doen, hè?'

Hij beet op zijn lippen. Shit, hij had zichzelf niet onder controle.
'Heb je geld?'

Hij giechelde opnieuw, trok een briefje van honderd uit zijn zak
en stak het tussen de voorstoelen door. 'We rekenen straks wel af.'

De chauffeur pakte het aan, draaide het om en om, knikte en
startte.

Hij liet de taxi stoppen op de hoek van de straat, liep de laatste meters en stak de sleutel in het slot. Uit de huiskamer kwam het ge-
murmel van de televisie, maar toen hij naar binnen ging, was er niemand.

In de koelkast lag het restant van het stuk kaas dat hij de vorige dag had gekocht. Het leek lang geleden. Hij sneed een paar plakken af en spoelde ze weg met melk. Ook de melk was aangebroken, het pak al halfleeg.

Op de overloop kwam hij zijn vader tegen, die de smalle zoldertrap afdaalde. Ze keken elkaar aan.

'Je had melk gekocht.'

'Ja.'

'En kaas en brood.'

'Ja.'

'Waarom?'

Hij haalde zijn schouders op, vond de woorden niet om uit te leggen dat hij daar behoefte aan had gehad, omdat brood en kaas en melk symbool waren van een wereld waarin de dingen klopten. Hij liep al naar zijn kamer toen zijn vader zei: 'Wat is er gebeurd?'

Voor het eerst sinds lange tijd klonk er iets van bezorgdheid in zijn stem, zag Ferry een zweem van warmte in zijn ogen. Het verwarde hem. En wat zou hij kunnen antwoorden? Het drong tot hem door dat hij er met zijn bestofte en bezwete kleren moest uitzien als een bouwvakker. 'Niks.'

Zijn vader bleef nog een ogenblik staan, afwachtend, en draaide zich toen om. Het moment was voorbij.

Ferry opende de deur. 'Ik ga slapen.'

Met opgetrokken benen lag hij op zijn zij te wachten tot het huis van hem zou zijn. Er was geen houding die niet pijnlijk was, behalve op zijn buik. Maar op zijn buik zou hij niet meer slapen. Om vijf voor twaalf hoorde hij het kraken van de trap, een deur, het deurtje van de kluis, de lange rits van het foedraal. Stappen naar beneden. De voordeur die werd dichtgetrokken.

Hij kwam overeind, strompelde naar de badkamer, kleedde zich uit, draaide de douchekraan open, herinnerde zich opeens de oude scheerspiegel in zijn vaders slaapkamer. Die spiegel werd vroeger alleen door zijn moeder gebruikt. Ze was sterk bijziend geweest en had de vergrotende kant nodig gehad om zich op te maken. Ze hadden haar ermee geplaagd, Niek en hij, als ze in de weer was met mascara en oogschaduw. 'Het zit op je wang, mam, je lijkt wel een clown.' Waarom dacht hij daar nu aan? Het leidde nergens toe.

Met behulp van de spiegel probeerde hij zijn billen te bekijken, trachtte ze met één hand van elkaar te trekken. Het leverde zoveel pijn op dat hij zijn pogingen staakte. Moest hij hiermee naar de dokter? Maar wat zou hij hem moeten vertellen?

Het warme water hielp om zijn spieren te ontspannen, al nam de zeep het gevoel van smerig zijn niet weg en was de handdoek een kwelling. Nooit eerder had hij zich zo gebruikt gevoeld.

De slaap kwam niet, omdat zijn geest het niet toestond. Geluiden, nauwelijks beelden, behalve dat van een schemerlampje met glimmende kap. Het licht ervan had recht in zijn ogen geschenen. Het was hinderlijk geweest, dat lampje, maar ook een houvast. Wat er gebeurde was niet echt, maar dat lampje bestond. De voet van gedraaid koper, het snoer dat kronkelig afhing, het zachte schijnsel. Het had geholpen de geluiden te verdragen; het hijgen, het zachte gelach, het schuiven van een lade, André's stem die zei: 'Neem die.'

Tot daar reikte zijn herinnering, daarna was er een zwart niets, wat maar beter was ook. Hoe had hij zo stom kunnen zijn om die troep op te drinken? Omdat hij er geen ervaring mee had. Hij had van alles geprobeerd, maar nooit iets dat hem de controle totaal zou doen verliezen. Zelfs in dronkenschap had hij geweten wat hij deed. Nu zat er een gat in zijn geheugen. Zeven uren die hem waren afgenomen. Hij bleef liggen kijken naar het raam en de strakblauwe hemel daarachter. De pijn zwakte af tot een kloppend schrijnen. Uit de verte klonk het lachen en roepen van spelende kinderen, en daarna, dichterbij, het geluid van een vlakschuurmachine die hoorde bij de eeuwig klussende buurman aan wie zijn moeder zich nog had geërgerd.

Hij liet de tijd verstrijken terwijl hij probeerde zijn malende gedachten stop te zetten, aan niets speciaals te denken. Maar vooral wachtte hij op zijn vaders thuiskomst.

■

De ex-vrouw van Peter Dorhout heette Natasja, en ze had nieuw geluk gevonden bij een nieuwe vriend. Ze woonde samen met hem in Noord, in de wijk die in de jaren dertig van de vorige eeuw was gebouwd om de arbeiders te verheffen tot een vorm van beschaving en welstand. Destijds waren de huizen revolutionair geweest; welliswaar nog steeds klein en zonder overdreven comfort als een badkamer, maar met meer ramen, dus meer daglicht, een tuintje voor, een tuintje achter, drie slaapkamers en een zoldertje. Inmiddels was de wijk een vergaarbak van nationaliteiten. Plastic kabouters en betonnen tuincentrumdieren hadden bezit genomen van de voortuinen, naast sommige voordeuren hing een bordje met de tekst 'onze hond bijt echt', langs het trottoir stonden bumper aan bumper auto's geparkeerd.

'Ik word hier altijd een beetje depressief,' zei Talsma.

Vegter kende de flat waar Talsma woonde en die bijna identiek was aan de zijne, die nu te koop stond. 'Waarom? Jij hebt niet eens een tuin.'

'Nee, maar in Friesland heb ik zeshonderd vierkante meter,' zei Talsma. 'En een meer voor de deur.' Hij zag een gaatje en wrong de auto erin. 'Wat is Renée aan het doen?'

'Praten met de weduwe.' Vegter dacht aan het tweede verhoor van Dorhout, dat hem geen steek verder had gebracht. Halsstarrig hield de man vast aan zijn verhaal dat geen verhaal was. Hij had zitten drinken, een pizza besteld, televisie gekeken, nog meer gedronken en was naar bed gegaan. Ze konden hem niet blijven vasthouden. In zijn nadeel sprak dat hij geen getuigen had die konden bevestigen dat hij op het tijdstip van de moord in zijn bed had gelegen. In zijn nadeel sprak ook dat hij in het bezit was geweest van ten minste zeven bajonetten, waarvan er drie het moordwapen zouden kunnen zijn, al was het maar omdat ze zaagtanden hadden, en een ervan zelfs een zaagrug. Van dat exemplaar had Dorhout met enige trots gemeld dat die vrij zeldzaam waren, en dat hij er een forse prijs voor had betaald.

In zijn voordeel sprak dat op geen van de bajonetten bloedsporen waren aangetroffen. Maar wie zei dat hij niet een achtste bajonet elders had achtergelaten?

Ze liepen terug naar het goede adres.

De deur werd geopend door een massieve man van midden dertig die hen vragend aankeek. Vegter had hun komst niet aangekondigd, en hij haalde zijn identiteitskaart tevoorschijn. 'Recherche. We willen graag even praten met Natasja van Woerkom.'

'Ze ligt nog in bed.' De man sloeg zijn armen over elkaar. Beide waren zwaar getatoeëerd. 'Waar gaat het over?'

'U bent?' vroeg Vegter mild.

'Joop.'

Op de deur zat geen naambordje. 'Joop wie?'

'Joop Hartog.' De armen bleven over elkaar. Over de ene kronkelde iets wat leek op een druivenrank, op de andere waren tribals aangebracht. Vlak boven de rechterpols was in littekens de naam Claudia leesbaar.

Een trouwring had zijn voordelen, dacht Vegter. Ook in geval van scheiding. 'Meneer Hartog, ik denk dat mevrouw Van Woerkom het prettiger vindt als we binnen met haar praten. En wij zouden het prettig vinden om dat nu te doen.'

Hartog deed een stap naar achteren, en Vegter vatte dat op als een uitnodiging. Ze liepen door een nauwe gang een huiskamer binnen die was gevuld met pluchen dieren. Beren, poezen, honden, zeeleeuwen, pinguïns en zelfs, in een hoek, een giraf van zo'n anderhalve meter hoog. Het was een frivole variant op de werkplaats van een taxidermist die Vegter ooit had moeten bezoeken. Ook daar hadden van alle kanten dieren hem aangestaard met glazen ogen, al was er geen sprake geweest van roze beren. Maar hier rook het niet naar formaldehyde.

'Ik zal haar even roepen.' Hartog laveerde zijn grote lichaam geroutineerd tussen het pluchen geweld door en verdween.

Vegter koos de enige lege stoel, Talsma zette voor hij ging zitten zorgzaam een uit de kluiten gewassen tijger op de grond. Boven hun hoofd klonken stemmen, en Hartog kwam weer binnen. 'Ze komt eraan.' Hij nam plaats op de bank, tussen een beer en een dalmatiër, en sloeg opnieuw de machtige armen over elkaar.

Ze wachtten in stilte. Tegenover Vegter stond een blauw geschilderde kast, de planken propvol miniatuurdieren. Hij begon te tellen en was bij achtenzestig toen de deur openging.

Natasja van Woerkom droeg een tot boven de knie afgeknipte spijkerbroek en een kort wit shirtje, en ze was verbijsterend mooi. Dat verbaasde Vegter niet, maar hij was verrast door het type schoonheid. Ze was delicaat als een porseleinen beeldje – kleine handen, kleine voeten, en met wat hij eens had horen omschrijven als nerveuze enkels. Het smalle hoofd torste dik, olieachtig glanzend zwart haar dat tot halverwege haar rug reikte, de huid was diepbruin en smetteloos gaaf. Vegter dacht aan Balinese danseressen.

Bij haar binnenkomst veranderde Hartog op slag in een lam. Hij schoof op en sloeg beschermend een arm om haar heen toen ze ging zitten.

De indruk van broosheid en verfijning werd tenietgedaan zodra ze haar mond opendeed. 'Waar gaat het over?' Haar stem was hees en had een rauw randje.

'U bent getrouwd geweest met Peter Dorhout.'

'Ach jezus.' Ze schudde Hartogs arm van zich af en nam de dalmatiër op schoot. 'Wat heeft hij nou weer uitgevreten?'

'In diezelfde periode had u een relatie met Leo Wissink.'

Over Hartogs gezicht vloog verrassing en iets van argwaan. Hij ging rechtop zitten. 'Dat wist ik niet.'

Ze legde geruststellend een hand op zijn knie. 'Het stelde niks voor.'

'Daar dacht uw man anders over,' zei Vegter. 'Voor hem was het reden om te scheiden en om Wissink te bedreigen.'

'Wel verdomme,' zei Hartog. 'Waarom heb je me dat nooit verteld?'

'Ik heb je verteld waarom we zijn gescheiden. Nou moet je niet opeens net doen alsof je van niks weet. Hij sloeg me.'

'Je hebt me niet verteld dat je hem belazerde,' zei Hartog zwaar.

'Hij liet me alle hoeken van de kamer zien.' Haar stem werd hoger. 'Daar is geen woord van gelogen. Dat met Wissink was niks. Niks! Peter en ik hadden al problemen. Leo was een collega. Ik heb een paar keer iets met hem gedronken. Punt.'

Ze gooide de hond op de vloer en greep naar het pakje shag dat op tafel lag. De dunne vingers draaiden vliegensvlug een sigaret. 'En nou komen er twee van die droogkloten en jij gaat meteen uit je dak.'

Vegter zag de onzekerheid in de ogen van Hartog. Het eerste wantrouwen was er, en het zou nooit meer helemaal verdwijnen.

Natasja voelde het feilloos aan. Ze legde de aansteker terug op tafel, schoof dichter naar haar vriend en veranderde behendig van onderwerp. 'U vraagt me van alles, maar ik weet nog steeds niet wat u komt doen.'

'Leo Wissink is twee dagen geleden om het leven gebracht,' zei Vegter.

Ze staarde hem aan. 'Leo? Dood?'

'Daar was u niet van op de hoogte?'

'We zijn vannacht teruggekomen van vakantie,' zei Hartog.

'Waar vandaan?'

'Turkije.'

'Mevrouw Van Woerkom,' zei Vegter. 'Wat wij van u willen weten, is of u na uw scheiding nog contact had met uw ex-man.'

'Nee.'

'Wist u dat hij Wissink telefonisch heeft bedreigd?'

'Nee.'

'Dat hij daarvóór in gevecht is geweest met Wissink? Vanwege wat we nu maar even uw ontrouw zullen noemen?'

Ze liet rook ontsnappen via haar neus. 'Hij heeft hem een paar klappen gegeven.'

'Wanneer?'

'Weet ik veel. Ik woonde al bij een vriendin, maar de scheiding moest nog worden geregeld, dus ik sprak Peter soms nog. Een keer had hij een kapotte lip en een gescheurde wenkbrauw. Hij zei dat hij een ongelukje had gehad, maar later hoorde ik dat hij had geknokt met Leo.'

'U zegt dat uw man u mishandelde. Deed hij dat ook al vóór uw relatie met Wissink?' Vegter voelde haar aarzeling meer dan hij die zag.

'Ja.'

Vegter zweeg, vertrouwend op Talsma, die keurig inviel. 'Het is mogelijk dat u hierover een verklaring moet afleggen voor de rechtbank. Onder ede.' Zijn knauwende accent leek de woorden extra lading te geven. 'Misschien moet u goed nadenken voordat u antwoord geeft. Deed hij dat voordien ook al?'

Ze trok hard aan de sigaret. 'Nee.'

We zijn even goed op elkaar ingespeeld als een komisch duo, dacht Vegter. Alleen zijn we minder grappig. 'Moeten we er dus van uitgaan dat uw verhouding met Wissink zo serieus was dat uw man daarvan ernstig gefrustreerd raakte?' Hij keek naar Joop Hartog en zag diens onrust groeien.

'Nee. Het was… Ik verveelde me. Peter was weinig thuis, en als hij thuis was, dronk hij te veel. Hij hing voor de televisie en hij had nergens zin in. Om halftien lag hij in bed. Ik wilde gewoon een beetje plezier. Leo was al oud, vijftig of zo, maar hij nam me overal mee naartoe, en hij bracht bloemen mee, en cadeautjes. Ik vond het leuk, meer niet. Het was Peters eigen schuld. Hij wist dat ik er niet tegen kan om altijd maar thuis te zitten.' De grote zwarte ogen werden fel. 'Hij had niet het recht om me te slaan.' Ze drukte haar sigaret uit en pakte opnieuw de shag.

Hartog trok het pakje uit haar handen. 'Hier is het laatste woord nog niet over gesproken.'

Het klonk krachteloos. Het dreigement van een man die er zelf niet in geloofde. Een lobbes, dacht Vegter. Niet opgewassen tegen een vrouw die haar ogenschijnlijke kwetsbaarheid bekwaam uitspeelde. Totdat hij te zeer werd getergd. Dorhout was hetzelfde type. Natasja selecteerde haar mannen op die eigenschap, wetend dat ze met vuur speelde en misschien zelfs genietend als ze haar vingers brandde. Een mot rond een kaars. Hoe lang gingen motten mee? Niet erg lang.

'U wist dat uw man bajonetten verzamelde?'

Ze knikte. 'Hij gooide ermee. Dan zette hij een stuk van dat spul neer, ik weet niet hoe het heet.'

'Zachtboard,' gokte Talsma.

'Ja. En dan gooide hij met die dingen. Met de korte. Met de lange kon je alleen maar steken, zei hij.'

'Hoeveel had hij er?'

Ze haalde haar schouders op. 'Zes of zeven, dat weet ik niet meer.'

'Denkt u even goed na.'

Ze fronste de fijne wenkbrauwen. 'Er waren twee van die lange dunne, en eentje die ook een zaag was. En dan nog een paar korte brede. Ik weet het niet meer. Echt niet.'

'Waar bewaarde hij ze?'

'Gewoon in de kast, in een doos. Ik wilde ze niet in de kamer hebben.'

'Heeft hij er ooit iemand mee bedreigd?'

Ze schudde gedecideerd haar hoofd. 'Nee. Hij maakte er weleens grapjes over.'

'Grapjes?'

'Ja. Dan zei hij dat een inbreker weinig kans zou hebben.'

'Heeft hij er ooit mee geoefend op bijvoorbeeld een pop? Zoals dat vroeger in het leger gebruikelijk was?'

'Nee.' Ze pakte Hartogs sigaret, nam een trekje en gaf hem weer terug. 'Dat wilde hij wel, maar ik heb het hem verboden.'

'Waarom?'

Het was de eerste vraag waarover ze werkelijk nadacht. 'Omdat ik het ziek vond,' zei ze ten slotte. 'Ik snap wel dat als je in het leger zit, dat je dan wapens leuk vindt, maar dit was anders. Hij wilde gewoon de macho uithangen. Voor mij hoeft dat niet.' Haar hand raakte vluchtig Hartogs dij. 'Dan zijn er wel andere manieren.'

Hartogs gezicht ontspande enigszins. Vegter bewonderde haar raffinement. De vleugels van deze mot wisten de kaarsvlam voorlopig te ontwijken.

Buiten zei Talsma: 'Klein kreng. Ze kan die knakker drie keer over de kop.'

Vegter wist inmiddels wat de uitdrukking betekende, en hij knikte instemmend.

'Maar ze gaat een keer voor gaas,' zei Talsma, die zijn talen moeiteloos mengde. En toen, in een van zijn zeldzame openhartige buien: 'Precies waarom ik nooit een mooie vrouw zou willen hebben.'

Ze liepen naar de auto, terwijl Vegter zich afvroeg of Akke van dit standpunt op de hoogte was, en zo ja, of ze het naar waarde wist te schatten.

Ze stapten in en Talsma startte. Zijn telefoon ging, en hij zette de versnelling in zijn vrij en nam op. Van het gesprek dat volgde, verstond Vegter vrijwel niets aangezien het in het Fries werd gevoerd, maar hij zag Talsma's kaakspieren verstrakken.

'Bliuw rêstich lizze,' zei hij. 'Jawis famke, ik kom.' Hij hing op en draaide zich naar Vegter, paniek in zijn ogen. 'Dat was Akke. Ze bloedt. Ze zegt dat dat niet kan, maar het is wel zo.'

Vegter wist dat Talsma's vrouw was geopereerd vanwege baarmoederkanker. Hoewel ze daar zelf niet op had vertrouwd, was ze daarna opgeknapt, en hij had Talsma's blijdschap daarover gezien. Op personeelsavonden had hij haar ontmoet; een kleine, tanige vrouw in wier nabijheid hij zich niet op zijn gemak had gevoeld, omdat ze een directheid had die de gebruikelijke wellevendheid voorbij was. Het ging ergens over of het ging nergens over, en als dat laatste het geval was, haakte ze af. Talsma had dezelfde attitude, maar had – misschien vanwege zijn beroep – geleerd iets tactvoller te zijn. Vegter had grote waardering voor hen beiden, in de wetenschap dat er nog maar weinig mensen waren zonder verborgen agenda.

'Laat mij rijden,' zei hij. 'Dan breng ik je naar huis.'

■

Ferry zat op de wc toen zijn vader thuiskwam. Er lag bloed in de pot. Ontlasting en bloed, maar vooral bloed. En hij kon niet opstaan. Hij kon niet opstaan omdat hij nog steeds bloedde. Hij hoorde de druppels vallen. Grote, helderrode druppels. Telkens als hij tussen zijn benen door keek, zag hij dat de plas weer groter was geworden.

Hij had er niet bij stilgestaan. Hij lag in bed, nog altijd zonder te slapen, en hij had naar de wc gemoeten. Nu was hij zich voor het eerst in zijn leven bewust van de inspanning die het lichaam moet leveren om reststoffen kwijt te raken. Voor het eerst ook wist hij hoeveel pijn dat kon doen.

Zijn vader liep langs de wc, stappen op de trap, een deur die openging. O jezus, hij ging zijn geweer opbergen, zijn ongebruikte geweer.

Hij legde zijn hoofd op zijn knieën. De vertrouwde geluiden van boven. Rits. Kluisdeur. Nog een keer de kluisdeur. Trage stappen naar beneden. De kamerdeur.

Hij kon hem zo niet onder ogen komen. Maar hij moest van die wc af. Naar een dokter. Hij reikte naar de toiletrol, trok er een paar meter af, vouwde het papier tot het in zijn onderbroek paste, stond op, vergat bijna door te trekken, zag hoe het bloed kolkend verdween. Naar buiten nu. Had hij geld bij zich? Hij had geld bij zich. Eenendertighonderd en vijfenzestig euro. Meer dan hij ooit had bezeten.

Hij strompelde naar de voordeur, trok die bijna geruisloos achter zich dicht. Knipperend tegen het felle licht ging hij op weg naar de tramhalte, maar twee straten verder had hij geluk. Een oude man die uit een taxi werd geladen, rolstoel erachteraan, een liefhebbende dochter op de stoep. Geduldig wachtte hij tot de chauffeur zijn geld had, sprak hem aan.

De chauffeur deed niet moeilijk, wees achter zich. 'Stap in.' Pas toen ze de straat uit reden, draaide hij zich half om. 'Welk ziekenhuis zei je?'

'MCW.'

Hij probeerde de nattige prop tussen zijn benen te negeren, concentreerde zich op de voorbij glijdende straten. Medisch Centrum West doemde op, lelijk maar vertrouwd. Automatisch gingen zijn ogen naar het raam op de zesde etage. Toen zijn moeder er pas lag, had ze naar hen gezwaaid. Later ging dat niet meer.

Hij was voldoende bij zijn positieven om zich te laten afzetten bij Spoedeisende Hulp.

Binnen wachtte hem de bureaucratie. Naam, adres, verzekeringsmaatschappij. Ergens uit zijn geheugen kwam de naam naar boven. Had hij een pasje? Nee, hij had geen pasje. Had hij helemaal geen pasje? Jawel, maar hij had het niet bij zich.

'Hebt u een verwijzing van uw huisarts, meneer?'

'Nee.'

'Betreft dit een ongeval?'

'Ja.' Zo mocht je het noemen, toch?

'U hebt pijn?'

'Ja.'

De verpleegkundige, die eruitzag alsof ze haar tanden moest scheren, pakte hem bij zijn arm en duwde hem een kamer binnen. 'Er komt zo meteen iemand bij u.'

De plastic stoelen waren te hard, en hij bleef voor het raam staan, staarde naar een binnentuin die voornamelijk uit steen bestond, met hier en daar wat moedeloze planten ertussen, voelde aan zijn spijkerbroek. Kwam het erdoorheen?

Zo meteen was inderdaad zo meteen, want de deur ging open. 'Komt u maar.'

Hij liep mee, drie meter de gang door, een andere kamer binnen. Een oudere man in een witte jas, een onderzoektafel met kraakvers papier erop, een opstapje ervoor. 'Vertelt u het maar. Wat zijn de klachten?'

Stamelend legde hij het uit.

Op zijn buik op de onderzoektafel, koude rubbervingers die zijn billen spreidden. De arts, de conventie vergetend: 'Wat heb jij uitgespookt, joh?'

Tranen, die hij niet had voorzien en die hij niet wilde. 'Ik ben verkracht.'

Het klonk belachelijk, het was een tekst voor vrouwen. Geen tijd om méér te beseffen dan dat.

De stem van de arts. 'Ga op je knieën liggen. Leun maar op je ellebogen. Ik moet iets onaangenaams doen. Zet je schrap.'

Een witgloeiende priem die tussen zijn billen werd gestoken. Het gevoel dat alles daarbinnen *bewoog*. Zijn eigen schreeuwen.

Opnieuw de arts. 'Nog even zo blijven liggen. Ik ga het bloeden stoppen.'

Hij klemde zijn kiezen op elkaar, maar deze keer was het minder erg.

'Heb je aangifte gedaan?'

De pijn ebde weg, even snel als hij was opgekomen. 'Nee.'

'Waarom niet?'

'Dat kan niet.'

Het bleef even stil achter hem.

'Ik heb je endeldarm teruggeduwd,' zei de arts effen. 'Die was gedeeltelijk naar buiten gestulpt. Ik zal je een recept meegeven om de restschade te beperken. Hou er rekening mee dat je hiervan last kunt blijven houden. Wanneer is dit gebeurd?"

'Gisteren.'

'Kom maar van de tafel. Laat je over drie maanden testen op hiv-infectie. Daar kun je voor naar de GGD. Er zijn wel kosten aan verbonden.'

Het gevoel dat de grond onder hem vandaan zonk.

Hiv.

Aids.

Jezus. Een wereld waarvan hij alleen theoretisch weet had. Aids was iets waarover je grinnikte. Domme homo's die onduidelijke dingen deden in parken of op parkeerplaatsen. Jij had gewoon een vriendinnetje met wie je na te veel bier in bed belandde, en dan had zij een condoom of jij had er een, en als dat niet zo was, hoopte je er het beste van, gokte erop dat je niet zo'n doos had getroffen die het met iedereen deed. Dit was een scène uit de filmpjes die je bekeek op internet, half gefascineerd, half griezelend. Het overkwam *jou* niet.

Van de rest van het verhaal hoorde hij niets. Hij kwam overeind. Hees zijn broek op. Keek in de grijze ogen van de arts, zag aan die ogen dat diens interesse al verflauwde.

Bij de apotheek kreeg hij een tube zalf en de mededeling dat hij moest terugkomen voor een nieuwe als deze op was. Lege tube meebrengen. In een warenhuis kocht hij zes onderbroeken, trok in de wc een ervan aan, gooide de oude in zo'n pedaalemmertje waarvan hij zich weleens had afgevraagd wat dat in een herentoilet voor functie had. Dat wist hij nu. Zo'n emmertje stond er om bebloede onderbroeken in achter te laten nadat je zo stom was geweest je te grazen te laten nemen.

Hij waste zijn handen, droogde ze omstandig af terwijl hij in de spiegel keek en constateerde dat hij eruitzag als een junk die toe was aan een shotje troost.

In de tram deed het zitten pijn, maar minder. De enorme, alsmaar groter wordende knikker tussen zijn billen was verdwenen. Wat bleef was het gevoel dat hij geen controle had over zijn darmen, alsof alles wat zich daarnaartoe een weg had gezocht zomaar zijn lichaam zou kunnen verlaten, omdat hij de spieren die daarover gingen niet kon beheersen.

Vanaf de halte liep hij om, zodat hij de straat aan de verkeerde kant in kwam en door het raam kon kijken, langs de vuile lamellen de kamer in, waar zijn vader roerloos aan de tafel zat en niet reageerde toen hij binnenkwam.

Hij moest het vragen. Hij kon de man niet aan zijn lot overlaten.

'Pa, wat is er gebeurd?'

Zijn vader draaide zijn hoofd om. Zijn ogen hadden geen uitdrukking. De asbak was overvol, en op de tafel maakten oude kringen doffe cirkels op het oppervlak. Het licht was groenig, en zonder sprankeling.

'Pa…'

'Alles weg.' Zijn vaders handen knepen zich samen, openden zich, knepen weer samen.

'Wat is weg?' Met enige behoedzaamheid ging hij zitten.

'Alles. Het gebouw, alles.'

'Ik begrijp je niet,' zei Ferry. Zijn lippen waren stijf, als verzetten ze zich tegen de leugen. 'Leg eens uit.'

'Afgebrand,' zei zijn vader. 'Er staat niets meer overeind. Inbraak, denken ze. En daarna brandstichting.'

'Jezus.'

'Tina huilde.' Het leek zijn vader te bevreemden dat iemand daartoe in staat was. 'Wim ook. Hun winkel is weg. Hun geweren zijn weg. Het smeulde nog.'

Ferry zweeg. Dikwijls had hij zich onterecht schuldig gevoeld; in zijn vaders ogen schoot hij tekort omdat hij niet kon voldoen aan diens verwachtingen, en nooit had hij de juiste woorden gevonden om zichzelf vrij te pleiten. Deze maal lag het anders, maar hij ervoer dezelfde machteloosheid – schuldig of niet, het maakte geen verschil.

'Er is niets meer over,' zei zijn vader traag. 'Nu heb ik niets meer.'
Ferry zei het niet. Hij dacht het alleen maar. En ik dan?

14

Vegter had Talsma thuis afgeleverd. Hij had hem nagekeken toen hij de parkeerplaats overstak. Een grijze man op weg naar huis.

Daarna had hij, samen met Renée, Dorhout opnieuw verhoord. Harder, agressiever. Zo agressief dat Renée hem er na afloop op had aangesproken.

'Wat is er, Paul?'

'Niets.'

Ze was dertig. Ze wist nog niet dat het leven één groot afscheid nemen was, en dat hem dat, kijkend naar Talsma, plotseling woedend had gemaakt. Talsma wist het. Talsma was bezig met afscheid nemen. Niet alleen van zijn vrouw, maar ook van zijn toekomst. Het huisje in Friesland, het meer voor de deur, de badkamer die er na lang wikken en wegen was gekomen, de kippen; dat alles had zijn betekenis verloren.

Hij sloeg de weg naar het dorp in, stopte bij het supermarktje, voorheen De Spar, en kocht een pak kattenvoer en de duurste fles rode wijn die er in het schap stond. Vijftien euro, de kwaliteit zou tegenvallen, maar het ging om het gebaar – een protest tegen de vergankelijkheid.

Thuis voerde hij Wolf, die, zijn stemming aanvoelend, zich daarna op de bank zo klein mogelijk maakte. Glas in de hand liep hij naar buiten, plukte uitgebloeide bloemen uit de klimroos, brak de bottels af die hij eerder over het hoofd had gezien. Bijna herfst. Hij had zich erop verheugd, nu vroeg hij zich af waarom. De wijn was wrang, wat ongetwijfeld te wijten was aan de kurk, die er verdroogd had uitgezien. Hoe vaak zou voorheen De Spar een fles wijn van vijftien euro verkopen? Niet vaak genoeg.

Hij ging weer naar binnen, schonk zijn glas bij, zette Bach op, de orkestsuites, maar de alles overstijgende genialiteit schrijnde in plaats van troost te bieden. Hoe zou hij in deze stemming het Air kunnen verdragen? Rusteloos liep hij rond. In de slaapkamer stonden de stapels dozen in zwijgende uitnodiging, naast het bed lagen brochures van meubelfabrikanten. Wat had hij gedacht? Man, 56, begint nieuw leven. Het werd tijd toe te geven dat de tijd zou winnen.

De fles was bijna leeg toen op de tafel zijn mobiel rinkelde. De display lichtte fel op in de schemerige kamer. Renée. Hij kon opnemen, maar hij kon het ook niet doen. In beide gevallen zou het hem niet verder helpen. De mobiel rinkelde voort, en hij bedacht dat een van de moeilijkste dingen was geweest Stefs nummer te wissen. Eindeloos had hij haar laatste voicemails afgeluisterd, die tegelijkertijd vertrouwd en vervreemdend waren. Een dode stem, vol warmte en leven.

Met enige tegenzin nam hij op.

'Waar ben je?'

'Thuis.'

'Wat doe je?'

'Niets. Ik loop wat rond. En ik heb vijftien euro uitgegeven aan smerige wijn.'

'Ben je dronken?'

Hij dacht na. 'Ik geloof het niet.'

'Ik geloof het wel,' zei ze. 'Ik kom naar je toe.'

'Waarom zou je dat doen?'

'Omdat ik denk dat je je zelfmedelijden zit te verdrinken. Daar wil ik graag bij zijn. Jij en ik zijn kampioenen in zelfmedelijden, misschien kunnen we elkaar troosten.'

Hij hoorde de lach in haar stem, maar hij had geen zin in relativering. Ze was verdomme net Stef. Wegpoetsen en gladstrijken. 'Ik zou het je niet aanraden.'

'Je bedoelt dat je niet getroost wilt worden.'

'Niet met dit soort troost.'

'Wat bedoel je met dit soort troost?'

'Vrouwentroost.' Hij wist dat hij onvergeeflijk bot was, en hij hoopte dat de woede snel zou bedaren, zodat hij spijt kon krijgen.

'O, maar ik blijf niet slapen,' zei ze kalm.

'Dat bedoelde ik niet.' Hij dronk zijn glas leeg. 'Daar hoopte ik ook niet op.' Het zou verstandiger zijn geweest meteen aan de whisky te gaan. Sneller resultaat en een betere smaak. 'Ik weet dat je alleen blijft slapen als je daar zin in hebt.'

'Nu maak je ruzie,' concludeerde ze. 'En omdat jij daar blijkbaar voor in de stemming bent, doe ik met je mee. Ik vind het niet altijd prettig om wakker te worden naast de foto van je vrouw.'

'Is dat een verwijt?'

'Het is een constatering.'

'Ik zal hem omdraaien.'

Ze was even stil. 'Heb je gegeten?'

'Nee.'

Ze hing op.

Lichtelijk verbaasd legde hij de telefoon neer, haalde zijn schouders op en ging naar de keuken. Gooide het staartje wijn weg en schonk een whisky in. Liep daarmee de slaapkamer binnen en pakte het zilveren lijstje. Stef, meer dan dertig jaar geleden. Blond, jong, stralend en verleden tijd. Hij had die foto niet nodig om zich haar te herinneren. Maar wat herinnerde hij zich? Niet langer het dagelijks leven met haar. Stef in de keuken, roerend in een pan. Stef verdiept in een boek, Stef naast hem, op weg naar de film of een concert. De herinnering was gekrompen tot een aantal hoogtepunten. In de fotoalbums keek hij nooit. Daarin stonden diezelfde hoogtepunten, gereduceerd tot een momentopname, en daarnaar was hij niet op zoek. Hij wilde de gewone Stef, de vertrouwde Stef, die alleen al door haar aanwezigheid de dingen verzachtte. Een anker. Een krabbend anker soms, rukkend aan de ketting die het op zijn plaats hield. Maar nooit had ze zich losgemaakt van de bodem van hun bestaan.

Hij zette de foto terug. Pakte hem weer op en ging ermee naar de huiskamer, zette hem in de vensterbank. Misschien was het geen verraad.

Hij had Bach vervangen door Haydn, omdat doodgewoon vakmanschap soms te verkiezen was boven perfectie, en besloten dat hij niet aan een tweede whisky zou beginnen, toen de kleine blauwe Peugeot het pad op reed. Renée stapte uit, twee pizzadozen in haar handen.

■

Ferry had zijn vader gezelschap gehouden tot hij het niet langer volhield. Naast elkaar hadden ze op de bank gezeten, tegenover de televisie – het enige dat geluid maakte. Tussendoor had hij boterhammen gesmeerd en met kaas belegd, omdat het kennelijk niet in zijn vaders hoofd opkwam dat er gegeten moest worden. Ze hadden gekeken naar een klusprogramma, waarin een bête blondine probeerde haar nagels heel te houden terwijl ze een schuurmachine hanteerde op een manier die verried dat het apparaat haar angst inboezemde. Daarna de sterrenroddelrubriek. Een komische serie met ingeblikt gelach. Het televisiescherm flikkerde blauwig in de donker wordende kamer. De komische serie werkte toe naar een apotheose die vanaf het begin duidelijk was geweest, terwijl Ferry overwoog een aanloop te nemen en zijn hoofd met volle kracht tegen de muur te beuken. In plaats daarvan was hij opgestaan. 'Welterusten.'

Nu lag hij in bed. Het leek of hij tegenwoordig weinig anders deed; het leven teruggebracht tot eten en slapen. Hij had de voorlichtingsfolder over hiv-infectie uit de zak van zijn spijkerbroek gehaald en twee keer doorgelezen. De opluchting te kunnen liggen zonder al te veel pijn, was groot. Groter was de woede, en nog groter de angst. Drie maanden wachten voordat duidelijk was of hij zou horen bij de mensen die de rest van hun leven medicijnen moesten slikken. Hij was negentien, hoe lang zou de rest van zijn leven duren? Hij had de dood al tweemaal ontmoet, hem zelfs als huisgenoot gehad – een permanente, inktzwarte schaduw. De folder suste en bemoedigde, maar waarschuwde vooral.

Omdat hij met de angst geen raad wist, probeerde hij zich te concentreren op de woede. André zou hiervoor betalen.

15

Om tien over halfzeven trok Ernst Reekers de voordeur achter zich dicht en ademde diep de frisse ochtendlucht in. Voor hij de lange oprit af liep, maakte hij zijn spieren los, intussen genietend van de tuin, die er prachtig bij lag, en zoals bijna dagelijks bedacht hij hoe verstandig het was geweest een gefortuneerde vrouw te trouwen. Regelmatig sprak hij collega's, ploeterend in hun te krappe praktijkruimte, gesitueerd in een achterstandswijk, hun wachtkamer overvol met sjofel werkvolk, bijstandsmoeders of allochtone vrouwen die in rudimentair Nederlands poogden duidelijk te maken wat hen mankeerde. Sommige van die collega's waren tegelijk met hem afgestudeerd, en het bleef hem verbazen hoe weinig ze nog gemeen hadden met de zelfverzekerde knullen van toen. Zorgelijke, vermoeide mannen waren ze geworden, hun taal doorspekt met welzijnsjargon, al kwam na een paar borrels het cynisme bovendrijven, verpakt in plastische beschrijvingen van praktijkgevallen waar bulderend om werd gelachen. Wat had collega Loman onlangs verteld? Een jonge meid met vaginale klachten die bij onderzoek een complete ijzerwinkel door de schaamlippen bleek te hebben laten slaan. Onder het mom van 'interessant geval' had hij zijn aio erbij geroepen, die ook nauwelijks zijn lachen had kunnen houden. Geslaagd verhaal voor bij de borrel, maar intussen werd je wel geconfronteerd met dat slag mensen.

Hoe anders was zijn eigen situatie; meer dan vier dagen per week had hij nooit gewerkt, en sinds een paar jaar had hij dat teruggebracht tot drie. Specialisatie had hij niet geambieerd – het leven had meer te bieden dan werken, en de aanzienlijk hogere inkomsten had hij nooit nodig gehad.

Met voldoening keek hij naar de eerste asters, warmpaars op-
gloeiend in de borders, het vlammend rood en beschaafde crème
van de dahlia's, het gazon, smetteloos dankzij de geprogrammeerde
sproei-installatie. Maar kom, rennen nu, hij had Meta beloofd na
het ontbijt de honden uit te laten, zodat zij alle tijd had de lunch
voor te bereiden.

Aan het eind van de laan had hij het juiste ritme te pakken. Het
voelde goed, de hamstring speelde niet op. Het was verstandig geweest gisteren kalm aan weer te beginnen. Hij besloot de lange route door het park te nemen. Hij liep er graag, en zo 's ochtends vroeg
kwam hij zelden iemand tegen – al die stilte voor hem alleen. Weliswaar betekende het een kilometer meer, maar de gedwongen rust
vanwege de blessure, en vooral de dinertjes van de afgelopen weken
hadden gezorgd voor een gewichtstoename van bijna drie kilo. Hij
zou grotere afstanden moeten lopen, een hartslagmeter kopen en al
die onzin meer, maar als je eenmaal de vijftig was gepasseerd, werd
het toch verrekt lastig. Het hele metabolisme veranderde. Alles wat
je kon doen, was het proces een beetje vertragen. Hij zou zich straks
beperken tot één glas wijn, en voorlopig ook de cognac bij de koffie
overslaan. Het zou Meta plezieren; zijn alcoholinname was de laatste jaren bijna ongemerkt gestegen. Soit. Een man had recht op zijn
genoegens, en je kon beter sterven na een goed dan na een slecht leven.

Hij sloeg linksaf en volgde het pad langs de tennisbaan, dat
doorliep tot aan het park. Misschien was er vanmiddag nog gelegenheid een balletje te slaan, en anders zeker morgen. Godlof voor
die extra vrije dag, hij was de ingegroeide teennagels, de steenpuis-
ten en de koortsige baby's meer dan beu. Meta had gefronst toen hij
had geopperd er helemaal een punt achter te zetten. Druk als ze was
met haar eigen besognes was ze bang dat hij te veel beslag op haar
zou leggen, maar daar was geen sprake van. Hij zou zijn tijd moeiteloos kunnen vullen. En hij zou het doorzetten ook; hij was drieënvijftig, het was welletjes geweest. Eindelijk gelegenheid om de As-
ton Martin mee naar Engeland te nemen en daar op zijn gemak op
jacht te gaan naar de juiste onderdelen. Hij zou er tijdens de lunch

Jan-Willem over aanspreken, ongetwijfeld zou hij voelen voor een uitje voor twee heren. Sinds hij zijn bedrijf had verkocht, liep hij een beetje met de ziel onder de arm. Was al twee keer langs geweest om zijn bloeddruk te laten meten. Allemaal nonsens, de man was kerngezond, had alleen te veel tijd om na te denken.

Dat zou hem niet overkomen. Hij had geneeskunde gekozen omdat het aanzien verschafte en een rechtenstudie hem te droog leek, maar nooit had hij er ziel en zaligheid in gelegd. Altijd had hij het menselijk lichaam beschouwd als een ingenieuze, maar kwetsbare machine, fascinerend vanwege zijn zelfherstellend vermogen. Het verband dat collega's legden tussen lichaam en geest had hij waar mogelijk genegeerd. Als je daaraan begon, werd je een soort sociaal werker, wat alleen maar ellende opleverde.

Het pad kronkelde het park in, en hij was blij met de koelte onder de bomen. Het zou weer een schitterende dag worden. Goed beschouwd was die cruise begin oktober totaal onnodig. Met een zomer als deze reikten zijn verlangens niet verder dan de tuin en een goed boek. Maar ach, Meta verheugde zich erop, en de Cariben bleven natuurlijk een prettig gebied.

Hij trok zijn shirt los van zijn rug. Straks niet vergeten de parasols uit te zetten. Champagne en oesters buiten, lunch binnen, zodat alles fris bleef. Meta zou er ongetwijfeld weer iets moois van maken. Ze was een fantastische gastvrouw, en hoe meer gasten, hoe liever ze het had.

De enorme kruinen van de eiken speelden met het zonlicht, toverden dansende vlekken op het smalle pad. Hij knipperde om zijn ogen zich sneller te laten aanpassen aan de groene schemer, en de gestalte die net na de bocht midden op het pad stond, merkte hij pas op toen hij hem al vrij dicht was genaderd. Ondanks zijn forse bijziendheid droeg hij tijdens het joggen nooit zijn bril, omdat hij een hekel had aan rode groeven op een bezwete neus. Op deze afstand kon hij alleen zien dat de gestalte de handen op de rug hield.

De man bleef roerloos staan, en Reekers fronste zijn wenkbrauwen. Wat deed die vent daar? Als hij niet opzij ging, moest hij zelf uitwijken, wat hem uit zijn ritme zou halen. Nonsens, natuurlijk liep hij gewoon door, niets aan de hand. Toch maakte hij zijn passen korter en vertraagde hij zijn tempo naarmate hij dichterbij kwam, en terwijl hij dat deed, daagde er iets van herkenning. Hij had die kerel eerder gezien, al was het hem even ontschoten waar en wanneer. Ongetwijfeld een patiënt, maar in die verschoten spijkerbroek en dat vale hemd niet gekleed zoals hij van zijn patiënten gewend was. Enfin, je kon ze onmogelijk allemaal onthouden.

Hij plooide zijn lippen alvast in een glimlach die zijn irritatie verborg. Verdorie, de vent bleef staan als was hij vastgegroeid. In godsnaam geen gratis consult onder het mom van een gesprekje.

De man bewoog, haalde een lang, smal voorwerp achter zijn rug vandaan en hief het met het karakteristieke gebaar van de schutter tot schouderhoogte.

Een geweer. Reekers' glimlach bevror. Zijn knieën werden slap, en hij kwam struikelend tot stilstand. Verbijsterd zag hij dat het wapen op hem werd gericht, waardoor het kromp tot twee vuurmonden boven elkaar, elk niet meer dan een klein zwart gat. En nu hij stilstond, zo dichtbij was, herkende hij het gezicht, hoewel de rechterkant schuilging achter de kolf, zag de ogen, en begreep. Hij had willen roepen dat het allemaal anders lag dan het misschien leek, dat hij het kon uitleggen, dat hij naar beste weten had gehandeld, maar hij vond de woorden niet.

Een ondeelbaar ogenblik stonden ze tegenover elkaar, de afstand tussen hen hooguit vijf meter. Het nauwelijks zichtbare spannen van spieren in de rechteronderarm, het linkeroog dat nog iets verder werd dichtgeknepen. In ontzetting stak Reekers zijn handen afwerend voor zich uit, terwijl boven zijn hoofd een merel uitbarstte in schaterend gejubel.

Toen explodeerde de wereld in zijn gezicht.

16

De telefoon ging om vijf over acht. Vegter was wakker en aangekleed. Hij had koffiegezet en was naar buiten gelopen, had zich zoals altijd verwonderd over de stilte, die op zondagen iets plechtigs
had – geen mens op straat, gordijnen overal nog gesloten, zelfs Warmans klompen stonden nog ongebruikt voor de deur.

Over een uur zou hij achter zijn bureau zitten, maar niettemin
genoot hij van de belofte die de nieuwe dag inhield. Hij had het
paard begroet, de huid gestreeld, waarover een fijn waas van vocht
lag, gekeken naar het stuk grond dat hij had omgespit; het begin
van wat ooit een tuin moest worden. Zware klei, vettig glimmend
toen hij spitte, de kluiten later verdroogd en uiteengevallen omdat
de regen al weken was uitgebleven. Tijdens het spitten had hij een
onwennige tevredenheid gevoeld. Dit was vruchtbare grond, en hij
ging daar gebruik van maken. Vroeger had hij Stefs voldoening niet
kunnen volgen wanneer ze steunend overeind kwam nadat ze een
nieuwe heester had geplant, bollen had gepoot, nu begreep hij dat
die te maken had met gevoel voor continuïteit, het volgen van de
seizoenen. Warman had hem pootaardappelen aangeraden, uien,
een aardbeienveldje, een paar fruitbomen, en Vegter had beleefd
geluisterd. Hij wilde geen groente, hij wilde een tuin die bloeide,
kleur bood, schoonheid, en daarmee beschutting.

Hij dronk zijn koffie en vroeg zich af waarom hij zo idioot vergenoegd was. Binnen sliep Renée, en ongetwijfeld had het daarmee te
maken. Vrouwentroost was troost gebleken, en hij zou haar zijn excuses maken voor die opmerking, al was dat misschien niet eens
meer nodig.

Hij had de deur open laten staan, en de telefoon sneed de zondagsrust aan flarden. Hopend dat Renée zou doorslapen, haastte hij zich naar binnen en nam op.

'Het is krankzinnig,' zei Renée, haar mond vol tandpasta.
'Ja.' Vegter vroeg zich af of hijzelf tot gekte zou worden gedreven. Twee moorden in drie dagen – waar had hij het aan verdiend?
'Weet je zeker dat je mee wilt?' Het was een retorische vraag. Hij zou haar hard nodig hebben, en deze keer kon hij niet verhinderen dat ze het lichaam zou zien.
'Loyaliteit,' zei ze. 'Of misschien gewoon plichtsbesef.' Ze glimlachte in de spiegel naar hem, en hij sloeg zijn armen om haar heen, snoof haar geur op. Ze leunde tegen hem aan, maakte zich toen los. 'Opschieten.'

Hij trok een schoon overhemd aan, begon met het verkeerde knoopje en herstelde de fout, terwijl zij al haar spijkerbroek dicht ritste, haar sneakers onder het bed vandaan haalde, iets met haar haren deed waardoor die veranderden in een glanzende massa op haar achterhoofd, bijeengehouden door een zwarte klem.

Ze reden door het stille dorp, en Vegter groette een man die op het kleine kerkplein zijn hond uitliet en een hand opstak.
'Ken je hem?' vroeg Renée.
'Iedereen groet elkaar hier, was je dat nog niet opgevallen?'
'Nee.' Ze sloeg rechtsaf de weg langs het kanaal in. Een vroege zeilboot gleed door het water, veroorzaakte nauwelijks een rimpeling.
'Renée,' zei hij. 'Straks is er geen tijd meer voor.'
'Je meende het niet,' zei ze. 'En je had het niet moeten zeggen.'
'Nee. Ja.'
'Ik ben te ongeduldig.' Ze schakelde naar de vijfde versnelling. 'Ik verlang van jou dat je na twee jaar je vrouw bent vergeten. Of nee, eigenlijk is dat het niet. Wat ik moeilijk vind is dat jij zoveel verleden hebt waar ik geen deel van uitmaak. En wat ik nog moeilijker vind, is dat ik ook geen deel uitmaak van je leven nu, behalve dan als je even tijd voor me vrijmaakt.'
'Dat is niet waar.'

'Dat is wel waar. Je zult je dochter ooit iets meer moeten vertellen.'

'O god,' zei hij. 'Ik ben vergeten haar te bellen.'

'Was het dringend?'

'Ze heeft een zwangerschapscontrole gehad. Tenminste, dat denk ik.'

Ze zette haar knie tegen het stuur en bracht met beide handen een ontsnapte haarlok in het gareel. 'En jij vergeet daarop te reageren. Je bent absoluut asociaal.'

'Waarom kunnen we daar nu over praten?' vroeg hij. 'En gisteravond niet?'

'Gisteravond zaten we elk in onze loopgraaf. En toen we daaruit klommen, gingen we naar bed. Bovendien was jij aangeschoten. Op zijn minst.'

Hij zweeg. Er zat niets anders op. Hij moest bezig zijn een *grumpy old man* te worden dat hij teleurgesteld was geweest bij het zien van de pizzadozen, en dat hij had moeten denken aan Stefs verrassende, geïmproviseerde ovenschotels als hij weer eens laat thuis kwam. 'Ik dacht dat je daar misschien nog wel trek in zou hebben.' Idealiseerde hij haar, en was hij destijds tekortgeschoten in zijn waardering?

De ingang van het park was al afgezet. Talsma wachtte hen op, grauw en moe.

'Wat doe jij hier in godsnaam,' zei Vegter.

'Ik werd gebeld.'

'Je gaat naar huis.'

'U hebt mensen tekort, Vegter.'

'Ja. Maar dat doet er niet toe. Hoe is het met je vrouw?'

Talsma haalde zijn schouders op. 'Ze denken aan uitzaaiing in de blaas. Maar het hele circus moet nog op gang komen.' Zijn mond vertrok. 'Dokters hebben ook recht op hun vrije weekend.'

Hoe moest het zijn, dacht Vegter. De wetenschap dat elk uur iets groeide dat kwaad deed, en niet de macht noch de invloed hebben om het onmiddellijk te bestrijden. Afhankelijk te zijn van regels en formaliteiten, het besef dat je niet meer was dan een van de velen.

Een snelle dood was genadiger dan een langzame, en niet alleen voor het slachtoffer, al had hij daar in het begin anders over gedacht. De ruk aan de pleister was te verkiezen boven het langzame losmaken.

'Ga naar huis.'

'Straks,' zei Talsma. 'Ik heb daar niks te zoeken, Vegter, ik vlieg tegen de muren op. Laten we hem even bekijken, al was het maar omdat ik het leuk vind.'

Ze liepen het pad af, de serene rust van bomen, gras en vijver onwerkelijk. Een eend stak over, vlak voor hun voeten, niet in het minst verstoord door hun nabijheid. Het Zuiderpark was een oud park, aangelegd toen arbeidskrachten nog goedkoop waren, en nog steeds straalde het iets uit van de grandeur van die voorbije tijd. Glooiende grasvelden, imposante eiken, een theehuis, een muziektent die na langdurige verwaarlozing in oude glorie was hersteld. Een heerlijke plek, dacht Vegter. Een plaats om te picknicken, wijn te drinken en in het gras te liggen, een zondagmiddag te vermorsen.

Maar nu was er een dode man die de idylle bedierf. Hij lag op zijn rug midden op het pad, armen en benen gespreid als had hij een sneeuwengel willen maken. Wat er van zijn hoofd over was, lag voor een deel om hem heen.

Vegter hoorde Renée een geluid maken, maar hij draaide zich niet om toen zij zich omdraaide en uitbraakte wat de restanten van de pizza moesten zijn.

'Schot hagel.' Talsma trok zijn schouders op en stak zijn handen in zijn zakken alsof hij het koud had. 'Van heel dichtbij.'

'Goddomme.' Vegter vloekte zelden.

'Ja.'

'Hoe weet je dat het hagel is?'

Talsma haalde een hand uit zijn zak. In de palm lag een zilverkleurig bolletje. 'Er liggen meer korrels. Verderop waarschijnlijk ook. Maar niet veel. Hij heeft wat je noemt de volle laag gekregen.'

Vegter maakte zijn ogen los van de stille figuur. Zijn brein had al de sportkleding opgeslagen; de strak zittende broek van glanzende stof, het shirt met korte mouwen, de smetteloze sportschoenen waarvan de zolen niettemin intensief gebruik verraadden. Er schoot iets terug in zijn herinnering. Wat was het? De melding van brandstichting in een clubgebouw. Inbraak. Diefstal van een aantal hagelgeweren. Ongetwijfeld had het hier niets mee te maken.

'Ik heb geen verstand van hagel. Jij?'

'Je kunt ermee schieten,' zei Talsma.

'Wie heeft hem gevonden?'

Talsma knikte naar een meisje dat zo'n twintig meter verderop in het gras zat, het hoofd op de knieën. Korte broek, bruine benen, blonde haren bijeengebonden in een staartje. Een agent hurkte naast haar. 'Een studente. Roeit en jogt. Traint hier elk weekend.'

Vegter keek weer naar het lichaam. Geen jonge man meer, wat kon worden afgeleid uit het beginnende buikje, de grijzende haren op de armen, de pigmentvlekken op de rug van de handen. Geen arme man ook, te oordelen naar de kleding. 'Je zou denken dat hij in de buurt moet wonen.'

'Kan, maar hoeft niet,' zei Talsma. 'Zondagochtend. Een man gaat joggen in het park. Zijn vrouw slaapt nog. En als ze wakker wordt en hij is nog niet terug, slaat ze niet meteen alarm.'

'Hoeveel schoten denk je?'

'Ik gok op één. Meer is niet nodig, niet van zo dichtbij, maar twee zou kunnen. De meeste hagelgeweren zijn tweeschots, anders kom je in de riotguns.' Talsma hoestte. 'Kan ook nog, natuurlijk. Dit is vrij fijne hagel, trouwens. Anders zou het effect nog indrukwekkender zijn geweest.'

De laatste maal dat Vegter een geweer in zijn handen had gehad, was zeker twintig jaar geleden, en hij wist niet eens meer bij welke gelegenheid dat was. 'Je herinnert je meer dan ik.'

'In Friesland ging ik geregeld mee op jacht,' zei Talsma. 'Toen ik nog zo'n knulletje was. Leverde een haas op, of een gans. Soms fungeerde ik als drijver. Ik had geen verlof, laat staan een jachtakte, maar dat donderde niet. Wij aten geregeld wild.' Hij lachte een beetje. 'Ik heb ooit nog een kies gebroken op een hagelkorrel.'

Renée voegde zich weer bij hen, spierwit. 'Sorry.' Ze bleef staan met hangende schouders, en Vegter zag haar lippen trillen.

'Renée,' zei hij. 'Dit kan zo niet. Ga naar huis of naar het bureau.'

Ze schudde haar hoofd. 'Niet nodig. Heb jij een sigaret voor me, Sjoerd?'

'Roken? Hier? Ben je besodemieterd.' Talsma pakte haar bij haar schouders en draaide haar om. 'Park uit. Lopen. We zien je straks.'

Ze liep weg met stramme passen, als een robot.

'Het zijn mijn zaken niet,' zei Talsma. 'Maar ze kan dit niet alleen aan. Houdt u daar rekening mee, Vegter?'

'Het zijn inderdaad jouw zaken niet, Sjoerd, en ze wilde dit zelf.' Vegter pakte zijn telefoon terwijl Talsma hem bleef aankijken. Hij tikte een nummer in en probeerde niet de teleurstelling in die blauwe blik te zien. 'Eerst wat mensen bellen, daarna gaan we een praatje maken met de studente.'

'Ik loop hier elke zaterdag- en zondagochtend,' zei het meisje. 'Soms ook door de week, dat hangt af van mijn colleges.'

Ze heette Renate Meulman, en ze was studente economie, derdejaars. Vegter en Talsma zaten op hun hurken naast haar, want ze zag er niet uit alsof ze in staat was te staan.

'Altijd op dezelfde tijd?'

'Meestal wel. Op zondagen soms een uurtje later, als ik op zaterdagavond uit ben geweest.'

'Komt u dikwijls mensen tegen in het park?'

'Nee. Soms een jogger, zoals…' Ze was met haar rug naar het pad gaan zitten en wees achter zich.

'Waarom traint u zo vroeg?'

'Omdat ik 's middags roeitraining heb. Ik roei op vrij hoog niveau.'

Je kon het zien, dacht Vegter. Brede, sterke schouders en gespierde bovenarmen. De bruine huid glansde van gezondheid.

'Ik weet dat het een moeilijke vraag is,' zei hij. 'Maar zou u kunnen zeggen of u deze meneer ooit eerder hebt gezien? Hij is een oudere man.' Van de bovenste helft van het hoofd was vrij veel intact gebleven, en door de donkere haren liepen grijze strepen.

Ze aarzelde, kokhalsde opeens en legde weer het hoofd op de knieën. Talsma haalde een pakje kauwgom uit zijn zak en gaf het haar. 'Neem hier een van. Het helpt.'

Renate Meulman knikte dankbaar en frommelde met onvaste handen een kauwgompje uit de verpakking. 'Ik… Het zou kunnen. Ik denk eigenlijk van wel. Soms kwam ik een oudere man tegen in net zo'n shirt, blauw met een witte streep. Maar de laatste weken niet.'

'U hebt vanochtend niemand anders gezien? Niet per se een jogger, maar bijvoorbeeld een wandelaar?'

Ze schudde haar hoofd.

'Van welke kant kwam u? Het park heeft twee ingangen.'

Ze wees opnieuw achter zich. 'Daar. Ik loop graag langs de tennisbaan, omdat het pad daar mooi egaal is. Het is niet zo lang geleden opnieuw geasfalteerd.'

'En dan verlaat u het park via de andere ingang?'

'Ja. Ik loop meestal tien kilometer, en dit is een van mijn vaste routes.'

'U hebt meteen 112 gebeld?'

'Ja. Of nou ja, bijna meteen.' Ze kauwde op de kauwgom, en er kwam wat kleur terug op haar wangen. 'Ik werd heel misselijk, en daarna heel bang. Ik wist niet hoe lang… Er kon nog iemand zijn, toch?'

Vegter knikte. 'Wat deed u?'

'Ik begon te rennen. Terug. Ik wou weg. Maar toen bedacht ik dat dat misschien heel stom was. Want ik had niet eens gekeken of hij nog… Maar ik wist eigenlijk ook wel dat dat niet kon.' Ze kauwde heftig. 'Ik had nog nooit een dood mens gezien,' zei ze kinderlijk.

'U ging terug.'

'Ja. Omdat ik dacht dat ik hem daar niet zomaar kon laten liggen, ook al kon ik niets voor hem doen.'

'Dat was moedig van u,' zei Vegter. 'Maar waarom bent u hem voorbij gelopen?'

'Ik ben zó gelopen.' Ze gebaarde naar het grasveld achter de bomenrij. 'Ik wilde niet meer naar hem kijken, omdat hij er zo verschrikkelijk uitziet, en ik liep per ongeluk te ver door.' Voor het eerst keek ze hem vol aan. De helderblauwe ogen hadden een donker randje rond de iris. 'Wat hebben ze met hem gedaan?'

'Dat weten we nog niet precies,' zei Vegter neutraal. 'U kwam dus een flink stuk voorbij hem weer op het pad terecht?'

'Ja. Hier. Ik heb hier gebeld. Ik was een beetje in de war,' zei ze met gevoel voor understatement. 'Eerst wilde ik een dokter bellen, maar ik wist geen nummer. Ik heb niet eens het nummer van mijn eigen dokter in mijn mobiel staan, want ik ben nooit ziek. Daarna dacht ik pas aan 112. En de meneer die opnam, zei dat ik hier moest wachten. En dat er heel gauw hulp zou komen. Maar dat duurde toch nog wel lang.' Ze lachte, een beverig lachje dat dicht bij huilen lag. 'Of in elk geval leek het lang. Hij vroeg ook of er een ambulance nodig was, maar ik dacht…' Ongerust keek ze naar Vegter op. 'Had ik die toch moeten laten komen?'

'Ik zou daar ja op moeten antwoorden,' zei hij. 'Want normaal gesproken is die beslissing niet aan u. Maar in dit geval denk ik dat u juist hebt gehandeld.'

Haar melding was om tien voor acht binnengekomen. De man kon er nog niet lang hebben gelegen, al waren er natuurlijk fanaten die 's zomers al voor zessen aan hun gezondheid werkten, of nog tot 's avonds laat. Maar er was geen sprake van dauw op de haren, en ook de kleding was kurkdroog.

Met krakende knieën stond hij op. 'U wordt zo meteen naar huis gebracht, maar u moet straks op het bureau een gedetailleerder verklaring afleggen.'

Achter hen gonsden stemmen, en een snelle blik leerde hem dat Heutink op zijn hurken naast het slachtoffer zat en in gesprek was met de officier, die met zijn rug naar hem toe antwoordde. Mannen in witte pakken zwermden uit over het gras, het loshangende uiteinde van een van de roodwitte afzettingslinten klapperde in de wind. In het heldere zonlicht maakte het een bijna vrolijke indruk, alsof er een zomerfeest werd voorbereid, met straattoneel, jongleurs en muziek.

'Het is nu over negenen.' Heutink vouwde zijn overall op en klopte zijn broekspijpen af. Zoals altijd was hij formeel gekleed; donkere broek, wit overhemd, al droeg hij als concessie aan het mooie weer geen colbert. 'Hij ligt er hooguit twee uur. Eerder korter dan langer, zou ik zeggen. Over de doodsoorzaak hoeven we het niet te hebben, lijkt me. Enfin, dat komt allemaal nog.' Hij keek naar een zwaan die zijn veren opschudde en hen vanaf een afstand met wiegende hals in de gaten hield.

Vegter wachtte. De officier sloeg zijn armen over elkaar.

'Ik vraag me twee dingen af,' zei Heutink eindelijk. 'Ten eerste of het een nieuwe trend wordt om legerwapens te gebruiken. Eerst een bajonet, nu een geweer.'

'Dit was geen kogelbuks maar een hagelgeweer,' zei Vegter. Hij keek ook naar de zwaan, die had besloten dat ze geen bedreiging vormden voor zijn jonkies, in rommelig bruinwit donspak rond-dobberend in de vijver, en zich nu naar hen toe haastte, zijn enorme zwemvliezen petsend op het vochtige gras.

Heutink wachtte onverstoorbaar tot de zwaan het water in gleed. 'Precies. Dus geen pistool. Als er dan toch geschoten moet worden, is dat het geijkte wapen, behalve bij bendeoorlogen, maar ik heb het idee dat we daar niet mee te maken hebben. Excuus als ik op jullie terrein kom. Ten tweede is me het horloge opgevallen. Ik heb dat eerder gezien, of in elk geval hetzelfde type horloge, maar ik weet niet meer waar of wanneer.'

'Is het zo bijzonder?'

'Niet zozeer bijzonder als wel duur.' Heutink streek de haren op zijn achterhoofd omhoog, zodat hij iets weg had van een kuifeend. 'Ik heb een zwak voor horloges, en ik herken een Cartier als ik er een zie. Daarvoor hoef ik niet op de wijzerplaat te kijken.'

Vegter had geen speciale aandacht aan het horloge geschonken, omdat het paste in het plaatje van een welgestelde man. 'Hoe duur?'

'Ik denk zo rond de acht mille.' Heutink dacht nog even na. 'Ik heb het gevoel alsof ik de vent ergens van ken, maar ik kan me abso-luut niet herinneren waarvan of wanneer.' Hij zuchtte. 'Ik word oud. Jullie horen van me.'

Het bleek verbazend eenvoudig. Terwijl het onderzoek in het park nog in volle gang was, kwam er op het bureau een telefoontje van een mevrouw die zich op voorhand verontschuldigde dat ze de politie lastigviel. Haar man was naar gewoonte 's ochtends vroeg gaan joggen, maar inmiddels was het ver na elven en hij was nog steeds niet terug. Ze had vrienden in de buurt gebeld, maar dat had niets opgeleverd, en nu maakte ze zich ernstig ongerust. Ze verwachtten gasten voor de lunch, en daarop verheugde haar man zich, dus nee, er was geen enkele reden om aan te nemen dat hij plotseling andere plannen had zonder haar daarover in te lichten. 'Zo'n soort huwelijk hebben wij niet.'

Het adres was hemelsbreed anderhalve kilometer van het park, en Vegter besloot er zelf naartoe te gaan. Hij liep naar Talsma. 'Melding vanuit de Rembrandtlaan. Ik denk dat dit het is. Ga je mee?'

'Wie belde?'

'Zijn vrouw. Of in elk geval lijkt het daarop. Ze verwacht gasten voor de lunch en maakt zich ongerust omdat haar man nog steeds niet terug is van zijn rondje joggen.'

Talsma's onderlip stulpte naar voren. 'Altijd leuk om te zien hoe de rijken eten.'

Ze verlieten het park. Bij de uitgang had zich een bescheiden groepje nieuwsgierigen verzameld. Vegter nam hen vluchtig op. Honden en hockeysticks.

In kalm tempo reden ze naar de Rembrandtlaan. De zonovergoten straten waren leeg, langs de trottoirs stonden de betere auto's. Veel zonneschermen. Het geheel maakte een bijna afwerende indruk.

'Moet niet onaardig zijn om hier te wonen,' zei Talsma. 'Als je geen moeite hebt met het idee van een compound.'

Vegter lachte. 'Ik dacht hetzelfde.'

Talsma reed de oprit van Rembrandtlaan nummer zevenentwintig op. Een imposant maar vriendelijk huis lag achter een groot gazon, omzoomd door een slimme combinatie van borders en bomen. Kiezels spatten op toen hij stopte vlak voor een bord waarop een zwarte pijl naar links wees. Eronder stond 'praktijk'.

Talsma trok zijn wenkbrauwen op. 'Tandarts?'

'Tandarts, pedicure, fysiotherapeut, waarzegger,' zei Vegter. 'In elk geval levert het geld op.'

Een vrouw kwam naar buiten toen ze uitstapten. Ze liep hen tegemoet; een slanke gestalte, kastanjebruine spoeling, wijde zwarte tuniek boven een lichte broek, drie rijen parels, beschaafde make-up. 'U komt mij nieuws brengen?'

'Vegter,' zei Vegter. 'Dit is rechercheur Talsma.'

'Meta Reekers.' Ze raakte zijn hand nauwelijks aan. 'Ik ben zo blij dat u mijn ongerustheid serieus neemt. Het is nu bijna twaalf uur, hij is al uren weg. Ik begrijp absoluut niet wat er aan de hand is.'

Vegter knikte. 'Zullen we naar binnen gaan?'

'Ja, ja natuurlijk. Komt u verder.'

Ze liep voor hen uit door de vestibule een kamer en suite binnen. In de achterkamer was de tafel gedekt met donkerblauw linnen. Wijnglazen, waterglazen, koelemmers. Zilver glinsterde naast de borden. Vegter telde tien couverts. De deuren naar de tuin stonden open, en op het grote terras waren stoelen gerangschikt rond een enorme tafel. Twee zwarte labradors lagen in de schaduw van strategisch opgestelde parasols.

'Ik weet niet waar u wilt zitten?' Meta Reekers' grijsblauwe ogen waren onzeker.

Het moest de eerste maal in haar leven zijn dat ze werd geconfronteerd met de politie, dacht Vegter, en hier liet haar allround opvoeding haar in de steek. Hij gebaarde naar de voorkamer, en ze knikte, schudde een kussen op voor ze op de bank ging zitten, al haar bewegingen efficiënt en elegant.

De kamer was ingericht in klassieke stijl, passend bij het huis; diepe, comfortabele fauteuils, tafel en bijzettafels in glanzend notenhout, perzen op de donkere parketvloer, die doorliep tot in de charmant gemeubileerde serre. Twee enorme kamerpalmen versterkten het ouderwetse beeld.

'Ernst had beloofd de honden uit te laten,' zei Meta Reekers. 'Maar toen hij om negen uur nog niet terug was, heb ik dat zelf gedaan. Toen begon ik me ook ongerust te maken, want hij zal de honden niet gauw vergeten. Het werd later en later, en eerst dacht ik nog dat hij misschien bij een kennis een kop koffie was gaan drinken. Soms doet hij dat, en hij zou de tijd vergeten kunnen zijn.'

'Weet u hoe laat uw man is weggegaan?'

'Nee, ik sliep nog. Maar het zal rond kwart voor zeven zijn geweest, dat is zijn gewone tijd.'

'Hij jogt dagelijks?'

'Ja. Behalve dan de laatste paar weken, omdat hij een blessure had. Hij is gisteren weer begonnen.'

'Hoe is uw man gekleed als hij gaat joggen?'

Ze dacht even na. 'Hij legt zijn kleren altijd klaar in de badkamer, zodat hij mij 's ochtends niet al te veel hoeft te storen. Ik geloof dat het zijn blauwe shirt was. Langs de hals, een V-hals, loopt een witte bies. En dan zijn donkerblauwe broek, en sportschoenen. Hij heeft maar één paar om mee te joggen, lichtgrijs met een donkergrijze streep over de neus.'

Vegters ogen ontmoetten die van Talsma. 'Droeg hij een horloge?'

'Dat denk ik wel. Hij draagt er eigenlijk altijd een. Maar ik weet niet welk, hij heeft er drie. Ik zou boven moeten kijken.'

'Heel graag.'

Talsma wachtte tot ze de deur achter zich had gesloten. 'Beet.'

Vegter knikte.

Mevrouw Reekers was snel terug. 'Het moet de Cartier zijn. Het horloge zelf vind ik moeilijk te beschrijven, maar het heeft een donkere schildpadleren band.' Ze overhandigde Vegter een foto in een brede, zilveren lijst. 'Het is natuurlijk niet nodig. Maar ik dacht: misschien is hij onwel geworden, ligt hij in het ziekenhuis.' Haar ogen gingen hoopvol van Vegter naar Talsma en terug. 'Hij draagt nooit iets bij zich als hij gaat rennen, geen identiteitsbewijs, bedoel ik.' Ze ging zitten en wreef nerveus haar handen over elkaar.

Vegter keek naar wat het gezicht van de man in het park was geweest.

17

Ferry was wakker geworden van het geluid van de douche, en hij had besloten op te staan. Halfnegen; normaal gesproken zou hij pas een paar uur hebben geslapen, maar hij wist dat het nu niet meer zou lukken. Hij was helderder dan hij in maanden was geweest. Geen bier, geen joints, hij was zo clean als een baby. En hij voelde zich goed. De pijn tussen zijn billen was draaglijk, en hij zou die hele fucking tube leeg smeren de komende weken.

Hoewel het raam openstond, rook het muf in zijn kamer, en in een vlaag van energie had hij het laken van zijn bed getrokken, kussen en dekbed gestript. Hoe lang was het geleden sinds dat bed was verschoond? Minstens drie weken. In de badkamer had hij de wasmachine volgepropt, inclusief shirts, spijkerbroeken en ondergoed, terwijl van beneden de geur van koffie kwam. Bijna leek het op vroeger – zijn vaders neuriën boven de wasbak, zijn kin vol schuim, zijn moeders stem onder aan de trap: 'Als jullie nu niet komen, worden de eieren koud!'

In badjas had hij de laatste boterhammen gegeten, terwijl zijn vader alweer voor de televisie zat, shag binnen handbereik, asbak naast hem op de bank.

Hij had de achterdeur opengegooid omdat hij opeens de rooklucht niet verdroeg, en daarna bijna twee uur ook op die bank gezeten, verscholen achter de lamellen die ooit een vensterbank vol planten tegen de zon hadden beschermd, en waarvan hij nu betwijfelde of ze überhaupt nog open zouden gaan als je aan het vettige, bruin verkleurde koord trok. Achter die lamellen kwam de stille straat tot leven. Kinderstemmen. Autoportieren die werden dichtgeslagen. Een fietsbel die rinkelde, ergens het sissen van een tuinslang. Zondag – mensen deden de dingen waar ze zin in hadden. Ze gingen ergens naartoe, ze volgden een patroon, hadden een doel. Voor zijn vader en hem was elke dag hetzelfde; niets om je op te verheugen, niets om tegenop te zien. Stilstand was geen achteruitgang, het was levend dood zijn.

Ten slotte meldde het signaal van de droger dat hij kon ontsnappen. Aangekleed kwam hij weer beneden. 'Mag ik je auto lenen?'

Zonder zijn ogen van het scherm af te wenden haalde zijn vader zijn autosleutel uit zijn broekzak.

'Pa,' zei Ferry. 'Waarom ga je volgende week niet ergens anders schieten? Banen genoeg.'

'Ik heb er geen zin meer in.'

'Wat ga je dan doen op zaterdag? Televisie kijken?'

Zijn vader haalde zijn schouders op, greep naar zijn shag.

'Zullen we even gaan kijken, straks, bij de club?' Hij begreep zelf niet waarom hij de vraag stelde. Uit behoefte zijn medeleven te laten blijken? Uit nieuwsgierigheid?

Zijn vader schudde zijn hoofd.

'Jesus!' Ferry boog zich over hem heen, schreeuwde recht in zijn gezicht. 'Ga je hier voortaan lekker zitten wegrotten? Je bestaat niet eens meer, weet je dat? Je haalt alleen nog maar adem. Stik er dan maar in!'

Zijn vader haalde uit met gebalde vuist, trof hem op zijn kaak, en Ferry struikelde achteruit, viel ruggelings over de salontafel, knalde met zijn hoofd tegen de leuning van wat zijn moeders stoel was geweest en waarin nooit meer iemand zat.

'Nietsnut,' zei zijn vader. 'Waarom was jij het niet?'

Ferry krabbelde langzaam overeind, al zijn energie opgezogen door dat ene zinnetje. Zijn vader keek naar hem, voor het eerst sinds lange tijd met uitdrukking in zijn ogen. Minachting.

'Nu heb je het eindelijk gezegd,' zei Ferry zachtjes. 'Voel je je nu beter?'

Zijn vader bleef naar hem kijken. De minachting maakte plaats voor iets dat erger was. Onverschilligheid.

'Nee,' zei hij. Zijn ogen gingen terug naar de televisie.

De loods was door Mo afgesloten, maar al maanden geleden had Ferry de sleutel van hem geleend en laten dupliceren nadat André had geweigerd hem er ook een te geven. Hij glipte naar binnen, deed het licht aan en wachtte tot de tl-buizen klaar waren met flikkeren. Hij liep naar de muur van dozen, gevuld met rotzooi en uitsluitend bedoeld als camouflage voor wat erachter lag. Dat kon van alles zijn: suède jassen, sigaretten, elektronica. Nu waren het geweren. Hij was bang geweest dat André ze al zou hebben weggehaald, maar daar lagen ze.

Hij smeet de dozen door de loods. Sommige barstten open, wat precies zijn bedoeling was. Hoe meer het leek op een inbraak, hoe beter. Mo had de geweren slordig op een hoop gegooid, en het duurde even voor hij een van de dure B525's had gevonden. Hij schouderde, en het voelde onmiddellijk vertrouwd, al waren de lopen langer dan die waaraan hij gewend was geweest. Schieten was als fietsen, je verleerde het nooit meer. Hij keek over de bies, brak het wapen en sloot het weer, bewonderde het prachtige hout van de kolf, liet zijn duim over de zilveren gravure glijden. Een ingewikkeld patroon van sierlijke krullen, met in het midden een vogel, vleugels gespreid, het geheel met uiterste precisie gegraveerd. Een fucking mooi geweer.

Het andere was er niet. Hij checkte, checkte nog een keer en kwam ten slotte op het idee om te gaan tellen. Drieënveertig. Die kutmarokkaan had er een achterovergedrukt.

Hij dacht na. Wat zou Mo in godsnaam met een hagelgeweer moeten? Hij had de ballen verstand van wapens. Mo was een krabbelaar. Voelde zich niet te goed voor een spontaan overvalletje op een groenteboer als hij krap bij kas zat, had een halfjaar opgeknapt voor een opbrengst van tweehonderd euro, omdat hij zo stom was geweest met een mes te gaan zwaaien. Hoopte hij een goede prijs te kunnen maken voor die andere Browning nadat hij had gehoord wat die waard was, was het ijdelheid, willen patsen tegenover vrienden, of wilde hij zelfstandig carrière maken? Dat zou hem nog weleens tegen kunnen vallen. Voor een geweer had je bijna voortdurend je beide handen nodig, en je viel ermee op als een olifant in een aardbeienveld.

Hij verzamelde de beste geweren, bracht ze per drie stuks naar de auto, die hij pal voor de deur had geparkeerd, en legde ze in de bagageruimte. Wilde hij ze allemaal, dan zou hij nog een keer moeten rijden. De achterbank gebruiken was te link.

Het was maar tien minuten rijden naar het verlaten terreintje waar de verrotte caravan stond die hij al eerder voor opslag had gebruikt. Er stonden meer caravans, ooit bewoond door mensen die uit de maatschappij waren gevallen. De kleine leefgemeenschap, een van de rafelranden van de stad, was een aantal jaren door het gemeentebestuur gedoogd, totdat iemand had besloten dat het zo niet langer kon en dat de grond tot bedrijventerrein moest worden omgetoverd. Wat over het hoofd werd gezien, was dat het aanleggen van een goede verbindingsweg naar de havens en de rondweg een investering vergde die – gezien de grootte van het terrein – nooit rendabel zou zijn. De bloedeloze plannen verdwenen in een bureaula, de met geweld verwijderde bewoners, wie alleen kon worden verweten dat ze geen nuttige bijdrage leverden aan de maatschappij, kwijnden weg in de hun opgedrongen woningen, en het terrein bleef zoals het was. Het was zelfs nooit opgeruimd, en de caravans en woonwagens, aanvankelijk schilderachtig en bohemien, vervielen tot troosteloosheid.

Terwijl hij bezig was de geweren van de auto naar de caravan over te brengen, kwam er een nieuw idee boven. Hij was van plan geweest ze te verkopen; André had er geen recht meer op. Maar zelfs voor de dure B525 zou hij niet meer vangen dan vier- of vijfhonderd euro, en dan nog alleen als hij er de juiste liefhebber voor vond. Wat konden hem die fucking euro's schelen? De B525 zou hij houden, die had hij nog nodig. De rest kreeg een andere bestemming.

Opeens voelde hij zich een heel stuk beter. Hij jakkerde naar de loods, laadde de overige wapens in, reed terug en stalde ze bij de andere.

Hij sloot de deur van de caravan, ging op het opstapje zitten en draaide een joint. De zon scheen warm op zijn schouders, een lijster streek neer en pikte vlak voor zijn voeten in het geel geworden gras, de wind ritselde door de spichtige struiken.

Met zijn ogen dicht leunde hij tegen de caravandeur, probeerde niet aan het woord nietsnut te denken, liet de joint zijn werk doen en luisterde naar de stilte.

Hij ging de grap van de eeuw uithalen.

18

Mevrouw Reekers had zelf de identificatie verricht, bijgestaan door haar zoon, die in zijn vaders voetsporen zou treden, aangezien hij medicijnen studeerde. De dochter, die in Parijs woonde en werkte, was nog onderweg. Alle formaliteiten waren achter de rug, en Vegter had Meta Reekers en haar zoon meegenomen naar zijn eigen kamer.

'Ik begrijp het niet.' Meta Reekers had zichzelf weer min of meer onder controle. De hand rond de plastic beker met thee trilde minder hevig. 'Ernst heeft... had geen vijanden.'

'Dat nemen wij ook niet onmiddellijk aan,' zei Vegter. 'Het is heel goed mogelijk dat uw man puur toevallig iemand heeft ontmoet die erop uit was een slachtoffer te maken.'

'Hij was huisarts.' Ze leek hem niet te hebben gehoord. 'Wil je een socialer beroep dan dat?'

'Mama,' zei de zoon. 'Misschien moet je de inspecteur zijn vragen laten stellen.'

Hij was het evenbeeld van zijn moeder; lang, slank, dezelfde grijsblauwe ogen. Hij hield haar hand vast, en Vegter wist niet of hij daarmee steun gaf of ontving.

'Wij proberen in eerste instantie te werken volgens een logica die niet de juiste hoeft te zijn,' zei hij. 'Dat wil zeggen dat we alles wat zou kunnen lijken op een wraakoefening moeten uitsluiten, voor we kunnen overgaan op de theorie van toeval. Heeft uw man onlangs een conflict gehad dat is geëscaleerd? Met een van zijn patiënten misschien?'

Ze schudde haar hoofd. 'Zijn patiënten wonen eigenlijk allemaal in Zuid, en een flink aantal van hen zijn goede vrienden, of op zijn minst bekenden.' Ze probeerde te lachen, maar faalde. 'Het beste bewijs daarvoor is dat vier van hen vandaag onze gast zouden zijn.'

Ze had erop gestaan dat haar zoon de gasten afbeelde, voor ze bereid was mee te gaan voor identificatie. Vegter had zich erover verbaasd; hoe ver gingen conventie en decorum?

'Hoe goed bent u op de hoogte van de lotgevallen binnen zijn praktijk?'

Ze haalde licht haar schouders op. 'Niet heel goed, al hoor ik weleens iets. Patiënten zijn tegenwoordig verbazend mondig. Maar ik heb me er nooit mee bemoeid. En hij heeft natuurlijk een assistente. Vroeger twee, maar sinds hij nog maar drie dagen werkt...' Haar zelfbeheersing liet haar in de steek.

Vegter wachtte.

'Zijn praktijk is nooit heel groot geweest,' zei ze. 'En de laatste jaren zelfs gekrompen omdat hij minder ging werken. Hij vatte het beroep niet meer zo zwaar op. Eigenlijk was hij het beu. Hij was drieënvijftig, begrijpt u? Hij wilde er het liefst mee stoppen.'

'En u was het daarmee eens?'

Ze gaf niet meteen antwoord. 'Gedeeltelijk,' zei ze ten slotte. 'Financieel gezien was het niet nodig dat hij werkte, dat is het nooit geweest, dus dat was geen argument.'

'Hij was vermogend?'

'Niet hij, ik. Maar toen wij trouwden was hij net afgestudeerd, en ik heb altijd op het standpunt gestaan dat hij die studie moest benutten, ook al zouden de inkomsten meer symbolisch zijn. Ik heb zelf een aantal jaren gewerkt, ook weer toen de kinderen groter werden.'

'Had hij begrip voor uw zienswijze?'

Ze aarzelde. 'Hij heeft ermee ingestemd.'

Het klonk niet alsof je te maken had met een bevlogen arts, dacht Vegter. Hij keek naar de zoon. 'Was het de bedoeling dat u uw vaders praktijk zou overnemen?'

'Nee.' De zoon liet zijn moeders hand los. 'Ik wil me specialiseren. Chirurgie.'

'Maar u hebt van uw vader de liefde voor de geneeskunde geërfd.'

'De interesse,' zei de zoon koeltjes. 'Jazeker.'

Vegter stelde zijn volgende vraag met enige behoedzaamheid. 'Moet ik uit uw antwoord opmaken dat uw vader niet zozeer in zijn patiënten was geïnteresseerd als wel in wat hen mankeerde? Dus meer in de wetenschappelijke kant van zijn beroep dan in de sociale?'

'Zo zou je het kunnen omschrijven.'

Vegter nam de jongen aandachtig op. Neus, ogen en wenkbrauwen had hij ontegenzeglijk van zijn moeder, maar de mond was die van de vader; een iets te zware onderlip, licht naar buiten krullend, wat het gezicht een permanente uitdrukking van dedain gaf. Hij wist niet of hij Reekers senior als huisarts had willen hebben. Zijn eigen huisarts stond op het punt om met pensioen te gaan. Gepokt en gemazeld in het vak, nuchter maar nog steeds betrokken, en met wat Vegter beschouwde als een gezonde kijk op het leven. Hij had hem geholpen te stoppen met roken, niet omdat hij iets had voorgeschreven wat dat proces zou vergemakkelijken, maar omdat hij had gezegd: 'Een rokersdood is pijnlijk, maar dood ga je toch. De vraag is of je jezelf wilt opzadelen met spijt omdat je die dood te vroeg veroorzaakte.'

Hij keek weer naar Meta Reekers en zag dat ze niet langer luisterde, nauwelijks nog besefte waar ze was en waarom. 'Ik zal een auto laten komen om u naar huis te brengen, maar ik moet u waarschuwen dat onze mensen daar de eerstkomende uren aan het werk zullen zijn, en dat u later op de dag opnieuw zult worden ondervraagd.'

■

Het team dat zich in de recherchekamer had verzameld, was divers. Mensen die nog bezig waren met het onderzoek naar de dood van Leo Wissink, en daarnaast mensen die van andere zaken waren afgehaald om ingezet te worden bij dit nieuwe geval.

De ondergaande zon bescheen de foto's van Reekers en belichtte genadeloos de ravage die was aangericht. Technische details waren besproken, en Vegter maakte aanstalten om af te ronden. Hij was doodmoe, en alles wat hij wilde was een borrel en een bad.

'Eén schot,' zei hij. 'Afgevuurd op een afstand tussen vier en acht meter. Hagel nummer zeven, oftewel geschikt om mee te jagen op klein wild, maar ook om op kleiduiven te schieten. Ik heb me laten vertellen dat daarvoor over het algemeen nummer zes en zeven wordt gebruikt. Er zijn tot dusver driehonderdnegen korrels terug-gevonden, waarvan honderdachtentwintig in hoofd, hals en schouders van Reekers. Heutink denkt dat er nog een aantal in de schedel is blijven steken. Voorzichtig concluderend zou je kunnen zeggen dat er is geschoten met een kaliber twaalf.'

'Gangbaar kaliber,' zei een van de rechercheurs.

Vegter knikte. 'Geen voetafdrukken, geen enkel ander spoor. Onbekend is of de dader is opgemerkt. Er hebben zich nog geen ge-tuigen gemeld. Ook onbekend is of hij te voet dan wel op andere wijze is gekomen. Samenvattend wil ik terugkomen op het wapen.' Hij was zich ervan bewust dat hij gebrekkig formuleerde. 'Ik zou daar extra de nadruk op willen leggen, omdat vrijdagavond een aan-tal hagelgeweren is ontvreemd uit een verenigingsgebouw. Daarna is het gebouw in brand gestoken en tot de grond toe afgebrand. Nog geen aanwijzingen omtrent de dader of daders.' Hij wachtte even. 'Het een hoeft geen verband te houden met het ander, maar opmer-kelijk is het wel. Ik ben nagegaan hoeveel aanslagen er met hagelge-weren zijn gepleegd, en in deze regio waren dat er de afgelopen twintig jaar welgeteld twee, niet meegerekend de idioot die het een paar jaar geleden leuk vond de geiten en ganzen op een kinderboer-derij om zeep te helpen.'

Hij had zijn instinct gevolgd, eenvoudig omdat het hem niet met rust liet. Had Reekers de dader gekend? Je moest het bijna aan-nemen, want hoe had die hem zo dicht kunnen naderen zonder dat Reekers een poging tot vluchten of verzet had gedaan? Dit was geen professionele moord, al was hij professioneel uitgevoerd. De dader hoefde niet per se vertrouwd te zijn met het wapen. Een hagelge-weer was betrekkelijk simpel. Het feit dat het schot van zo dichtbij was afgevuurd kon twee dingen betekenen: de dader had niet het ri-sico van een misser willen lopen, of hij had de intentie zo veel mo-gelijk schade aan te richten. Een combinatie van beide factoren was ook mogelijk. Iemand die niet thuis was in de vuurwapenwereld zou er misschien voor terugschrikken zich te begeven in het louche circuit van de illegale wapenhandel.

Daar nam de rede het over van zijn instinct. Zou zo iemand bereid zijn een inbraak te plegen en brand te stichten met het enkele doel een vuurwapen te bemachtigen? Al waren inbraak en brandstichting kruimeldelicten vergeleken bij moord, en niet meer dan kleine hindernissen als het besluit daartoe eenmaal was genomen.

'Voorlopig resultaat van het buurtonderzoek is nihil,' zei hij. 'Zondagochtend vroeg; de meeste mensen sliepen nog, waar nog bij komt dat het Zuiderpark royaal bemeten is, en Zuid een rustige buurt. Voor zover we nu weten stond Reekers goed bekend, en niet alleen hij, maar het hele gezin. De meeste van zijn patiënten wonen in Zuid, een aantal van hen is met hem bevriend en roemt hem als huisarts.'

Een van de rechercheurs stak zijn hand op. 'Het staat ook in mijn rapport, maar ik wil het nu graag even vermelden: vier jaar geleden heeft een echtpaar hem als huisarts aan de dijk gezet. Ze wilden er niet verder op ingaan, omdat ze nu geschokt waren door zijn dood, maar ik vond het de moeite waard om te noteren.'

'Wat zijn het voor mensen?'

'Oud, maar goed bij de tijd. Volgens hen was Reekers een ouderwetse arts. Arrogant en niet geneigd de patiënt inspraak te gunnen.'

Vegter keek naar Renée, die nauwelijks merkbaar knikte. Het luchtte hem op. Ze begreep niet alleen dat hij de volgende dag samen met haar deze mensen wilde spreken, ze stemde daar ook mee in. Misschien was het alleen de schok geweest. Maar zelfs al was dat niet het geval, hij had niet meer de energie om daarover na te denken.

'Meer opmerkingen?'

Het bleef stil.

'Op dit moment wordt zijn administratie uitgeplozen. Misschien komt daar iets uit. Morgen praat ik met zijn assistente.' De assistente was met vakantie, en scheen per auto op weg te zijn van Italië naar Nederland, maar was onbereikbaar gebleken.

Vegter deed een stap naar achteren, en iedereen stommelde over-

eind. Zoals hij al had gevreesd, kwam de hoofdinspecteur vastbera-
den zijn kant op.

Renée zei niets en Vegter vroeg niets, en dus reden ze over de onverlichte kanaalweg naar het dorp, dat alweer sliep. De radio stond af-
gestemd op de klassieke zender, en Vegter legde zijn hoofd tegen de
steun en liet de klanken van een toepasselijke nocturne zich ver-
mengen met zijn gedachten. Ging ze nu alleen maar met hem mee
omdat ze niet thuis durfde te slapen? Er was geen tijd meer geweest
om ergens over te praten, en van haar gezicht was niets af te lezen.
Het beste was misschien om het voorlopig te laten rusten. Morgen
zou Talsma zich gaan bezighouden met de schietvereniging, al was
dat tegen de zin van de hoofdinspecteur, die er het nut niet van in-
zag, het verband tussen deze moord en een aantal gestolen wapens
niet relevant achtte, of liever: als niet bestaand beschouwde.

Zat hij fout? Niet altijd was zijn intuïtie juist gebleken, en op dit
moment – na een werkdag van vijftien uur – ontging ook hem zijn
eigen logica. De hoofdinspecteur had aangevoerd dat het niet nodig was een kleine vijftig wapens te ontvreemden teneinde iemand
dood te schieten. De term 'dood te schieten' had hij daadwerkelijk
gebruikt, en het had geklonken alsof er in de wereld van een hoofdinspecteur geen dood te schieten personen voorkwamen. Geen
botsplinters en hersenen in onsmakelijke wanorde geëtaleerd rond
het slachtoffer, geen kotsende rechercheurs die nog worstelden met
hun eigen trauma na een aanslag, geen hysterische weduwen. De
wereld van de hoofdinspecteur was de zijne niet, wat niet wegnam
dat hij twijfelde aan zijn eigen beoordelingsvermogen. Het was ook
niet alleen intuïtie geweest die hem had doen besluiten Talsma
morgen een relatief ontspannen dag te gunnen.

De hoofdinspecteur had gezegd dat dit geen geplande moord
kon zijn; Reekers was een willekeurig slachtoffer. Vegter had daar-
tegen ingebracht dat Reekers in geen weken had gejogd. Hoe had
de dader dus kunnen weten dat hij juist dit weekend zijn training
zou hervatten? Alleen omdat hij Reekers' doen en laten over een
langere periode had gevolgd. Misschien had hij die periode nodig
gehad niet alleen om het juiste moment te bepalen, maar ook om te

besluiten welk wapen honderd procent zeker succes zou garanderen. Als je die gedachtegang volgde, had de moord ook een paar weken later gepleegd kunnen worden. De dader had geluk gehad dat hij Reekers nu al was tegengekomen.

Zijn eigen redenering klonk hem niet sterk in de oren, omdat hij zoals altijd moeite had de woorden te vinden voor wat niet meer was dan een vage onrust. De hoofdinspecteur had zijn hoofd geschud. 'Laat Talsma een dag zijn gang gaan, maar niet langer. Die wapens gaan waarschijnlijk de grens over, en verder is het een verzekeringskwestie, meer niet. We kunnen onze tijd wel beter gebruiken.'

Hij schrok op toen Renée de scherpe draai naar het pad maakte en de motor afzette.

'Ben je wakker?'

'Natuurlijk.'

Ze liepen door de geur van de klimroos, vonden op de tast hun weg naar de voordeur, en Vegter maakte een geestelijke aantekening: een buitenlicht.

Binnen deed hij de lampen aan terwijl Renée de koelkast opendeed, in de groentelade keek en zei: 'Ik kan soep maken. Wil je dat?'

'Dat zou heerlijk zijn.'

Ze stalde tomaten, courgette, champignons en een paprika uit op het aanrecht als moesten ze dienen voor een stilleven. 'Bel jij dan je dochter?'

'Het is kwart voor elf.'

'Nou en?'

Gehoorzaam pakte hij zijn mobiel.

'Hoi pap,' zei Ingrid.

'Ik moet mijn excuses maken,' zei Vegter.

'Hoeft niet.' Ze lachte. 'Wij lezen ook kranten, en we kijken naar het nieuws.'

'Gaat het goed met je?'

'Het gaat uitstekend met me. Junior is blakend, en zijn vader is bezig een commode te timmeren. Wanneer heb je tijd om die te komen bewonderen?'

'Er is een nieuw geval,' zei hij. 'Je leest er morgen alles over. Maar ik kom zodra ik kan. Mag ik Renée meebrengen?'

Er viel een stilte. Niet de stilte van een slechte verbinding, maar een van zwijgend protest.

'Is dit het juiste moment?' vroeg Ingrid.

'Waarschijnlijk niet,' zei hij. 'Maar de vraag is of dat zich zal aandienen.'

Hij keek naar Renée, even slank en jong als zijn dochter. Daar stond ze na vijftien uur werken groente te snijden om soep van te maken, ogenschijnlijk onberoerd door het feit dat ze tijdens die vijftien uur de aanblik van een kapotgeschoten hoofd had moeten verwerken.

'Ingrid,' zei hij. 'Praat met Thom. Misschien kan hij uitleggen wat ik niet kan.'

'Papa…'

'Ik ben haar niet vergeten.' Vegter zag aan Renées rug dat ze probeerde niet te luisteren. 'Dit is niet een gesprek dat we nu moeten voeren,' zei hij. 'Het is te laat. Ik ga eten en naar bed.'

'En daarna komt er opnieuw niets van,' zei Ingrid. 'Ik vind je een beetje laf. En niet alleen tegenover mij. En ga nou niet zeggen dat ik me bemoei met dingen die me niet aangaan.'

Ze klonk buiten adem, en hij begreep hoeveel moeite het haar moest kosten te zeggen wat ze zei.

'Dat was ik niet van plan. En je hebt gelijk. Je bent trouwens niet de enige die me dat verwijt.'

'Dat is dan in elk geval iets,' zei ze. 'En pap, het is niet alleen dat ik er gewoon niet tegen kan. Ik ben ook bang dat je je vergist.'

'Nu voeren we tóch dit gesprek.'

'Omdat het gemakkelijker is door de telefoon.'

'Goed,' zei hij. 'Als jij dat vindt, dan ga ik je nu vertellen dat ik vind dat ik recht heb op mijn eigen leven en op mijn eigen vergissingen.'

In de keuken werd een kastje te hard dichtgedaan. Mijn god, dacht Vegter. Ik kwets twee mensen tegelijk.

'Word volwassen, Ingrid,' zei hij. 'Jij leidt jouw leven, ik het mijne. Ik maak fouten ten opzichte van jou, en waarschijnlijk niet alleen de laatste twee jaar. Ik heb daarover nagedacht. Ik begrijp wat je denkt en wat je voelt. Ik heb er zelf moeite mee.' Hij probeerde een grapje. 'I'm only human.'

'Praat jij maar met Thom,' zei ze. 'Misschien kan hij me daarna uitleggen dat ik het niet erg moet vinden dat mijn eventuele stiefmoeder even oud is als ik.' Ze hing op.

Vegter schudde zijn hoofd. Stiefmoeder. Moest hij dit rubriceren als een emotionele uitbarsting, veroorzaakt door zwangerschapshormonen? Even overwoog hij Ingrid terug te bellen om haar aan het verstand te brengen dat ze zich gedroeg als een prinses uit een sprookje. Maar dan zou het escaleren en zouden ze beiden een slapeloze nacht hebben. Hij legde de telefoon op tafel.

'Ik ben geloof ik nog niet welkom.' Renée roerde in de soeppan, haar rug naar hem toe.

'Zodra ik tijd heb, ga ik met haar praten,' zei Vegter. Hij wreef met beide handen over zijn gezicht.

'Doe dat,' zei ze. 'Zou je dan nu een paar boterhammen willen ontdooien, zodat jouw eigen vergissing daar toast van kan maken?'

19

Ferry had de deur van de loods wagenwijd open laten staan, nadat hij hem eerst op slot had gedaan en vervolgens geforceerd met het breekijzer dat Mo samen met de gasbrander en de moker netjes mee terug had genomen. In de loods stond ook nog een flinke voorraad elektronica, en hij hoopte dat iemand op het idee zou komen zich die toe te eigenen voordat André langskwam met zijn klant. André noemde zichzelf een tussenpersoon, wat in veel gevallen klopte, al was hij niet vies van rechtstreekse handel, en anders dan gewone tussenpersonen liet hij zich deels vooruitbetalen. Hij zou nu een strop hebben, en met een beetje geluk zelfs een dubbele.

De geweren, drieënveertig stuks, lagen netjes gestapeld op de mottige kussens in de caravan, en in plaats van naar huis te gaan, terug naar de man die wenste dat hij niet meer bestond, had hij besloten de auto wat langer te lenen, al was het maar omdat hij hem later op de avond opnieuw nodig zou hebben.

Hij had gegeten bij een Chinees schuin tegenover André's huis. Merkwaardig om een doodnormale straat opeens met andere ogen te bezien. De gracht was totaal ongeschikt voor wat hij in gedachten had. Te druk, geen mogelijkheid om je te verschuilen, en je kon er niet parkeren, terwijl hij toch moeilijk met een geweer in zijn handen door de stad kon gaan rennen. Maar het kon geen kwaad alvast iets meer over André's gewoonten aan de weet te komen.

Aan zijn tafeltje bij het raam had hij nagedacht over een aantal andere problemen dat nog moest worden opgelost. Allereerst was daar de kwestie van patronen. Hij was van plan geweest ze te kopen, tot hij zich had gerealiseerd dat het niet nodig was – zijn vader had altijd een doosje op voorraad, dat hij in zijn wapenkluis bewaarde, behalve als hij controle verwachtte. Al jaren wist Ferry waar de kluissleutel lag, hoewel dat officieel niet de bedoeling was. Eens per jaar kwam er onaangekondigd een ambtenaar langs van Bijzondere Wetten, wat betekende dat werd gecontroleerd of het wapen volgens voorschrift was opgeborgen. Was de eigenaar niet thuis, dan vertrok de ambtenaar onverrichter zake. Ferry's moeder had het spel altijd keurig meegespeeld, al wist ook zij dat de kluissleutel in de meterkast onder de brandblusser lag. Twee patronen, meer zou hij niet nodig hebben, en de tweede diende alleen als reserve. Hij zou hem niet hoeven gebruiken, want hij zou niet missen.

Vervolgens piekerde hij over waar hij de Browning veilig kon bewaren. Terwijl hij naar buiten keek en de kleffe bami at, was hij tot de conclusie gekomen dat het waarschijnlijk het beste was het ding gewoon in de caravan te laten. Al die keren dat hij op het terrein was geweest, had hij er nooit een mens gezien.

Was het noodzakelijk eerst weer wat praktijkervaring op te doen? Hij had al lange tijd niet geschoten. Maar André was vele malen groter dan een kleiduif. En vele malen trager.

Laatste punt was dat hij een auto moest regelen. Zelfs al kocht hij een koffer of een foedraal, een geweer werd altijd meteen als zodanig herkend. Je viel op als je ermee rond sjouwde. Die auto zou hij huren zodra hij wist wanneer hij hem nodig had.

Hij had zijn maaltijd zo lang mogelijk gerekt en twee koppen koffie gedronken, maar achter de ramen aan de overkant werd het langzaam donker zonder dat er iets gebeurde.

Noodgedwongen had hij de gok gewaagd: alle geweren op de Browning na ingeladen, verdeeld over bagageruimte en achterbank. Het was te ver om twee keer te rijden, en bovendien wilde hij er zo snel mogelijk van af. Toch had hij, cola drinkend in een kroeg, lang gewacht.

Op de snelweg was het rustig, maar hij nam geen enkel risico, bleef rechts rijden en hield zich aan de maximum snelheid. Het liep tegen tweeën toen hij over de smalle onverlichte dijk de kleine woonboerderij naderde. Ze woonden lang niet slecht, Wim en Tina, mits je er geen bezwaar tegen had jezelf op te bergen in een gehucht.

Hij minderde vaart nadat hij het statige huis met de strenge poort en de lange oprijlaan was gepasseerd dat hij zich herinnerde van de keer dat hij met zijn vader hier was geweest. Er had iets aan diens geweer gemankeerd, en Wim had, naast de wapenhandel op het verenigingsterrein, een kleine werkplaats aan huis. Tina had hen uitgenodigd te komen eten, en zijn vader had aanvankelijk geweigerd, kluizenaar die hij toen al was geworden, maar ze had aangedrongen tot hij overstag was gegaan. Zwijgend had hij aan tafel gezeten, terwijl Wim en Tina hun best deden het gesprek gaande te houden.

Hij spande zijn ogen in. Fokking donker was het op zo'n dijk, en de ene bocht na de andere, zodat je nauwelijks tijd had om opzij te kijken. Het moest hier toch ergens zijn? Een laag, witgepleisterd huis met een rieten dak. Bijna reed hij er voorbij, zag net op tijd dat de weg iets breder werd waar het pad naar het huis begon. Er brandde een buitenlamp, maar binnen was alles donker. Hij zette de motor af, deed de lichten uit en bleef een paar minuten wachten voor hij uitstapte en het portier zachtjes dicht duwde. Ze zouden slapen, en het laatste kwartier was hij niemand tegengekomen. Zo'n dorp ging om acht uur op slot. Hij luisterde, huiverend in de kille nachtwind, keek omhoog naar de hemel, die tot zijn verbazing barstte van de sterren. Het was lang geleden sinds hij sterren had gezien; in de stad was de hemel 's nachts neonroze. Ergens loeide klaaglijk een koe, daarna was het weer stil. Hij opende de achterklep.

Meer dan vier geweren tegelijk kon hij niet dragen, en de minst onhandige methode was ze twee aan twee bij de lopen vast te houden, net voorbij het voorhout. Hij schuifelde het hellende pad af, struikelde over de bovenliggende wortels van de bomen die het omzoomden. Shit, waarom had hij hier niet beter over nagedacht? Hij had die krengen met touw moeten bundelen, nu moest hij elf keer op en neer. Goddank hielden Wim en Tina er geen hond op na.

Hij bukte naast de schuur, vlijde de wapens zo geruisloos mogelijk in het gras en ging terug om de volgende lading te halen.

Nadat hij het dorp achter zich had gelaten, zette hij de auto in de berm, deed de lichten uit en draaide een enorme joint. Binnenverlichting aan, radio aan, de auto als een warme cocon om hem heen. Hij was bekaf, moest iets hebben om wakker te blijven en tegelijk te ontspannen. Hij likte aan het derde vloeitje en plakte het vast, legde er tabak op, kruimelde de stuff er met royale hand overheen.

De joint landde goed. Ferry bleef met gesloten ogen zitten, zong zachtjes mee met de muziek terwijl hij wachtte op het maximale effect. Toen dat kwam, bracht het een idee mee, zo eenvoudig dat het hem verbaasde dat hij er niet eerder op was gekomen. André ging driemaal per week naar een sportschool, beweerde dat die gelegenheid bood om nuttige contacten te leggen. Waarmee hij volgens Mo bedoelde dat hij daar zijn vriendjes kocht. Maar welke sportschool was het? Hij had het geweten, André had de naam een keer genoemd. Hij wist zelfs nog wanneer. Ze hadden de eerste vrachtwagen net achter de rug, en André had hen de avond daarna betaald. Hij was in een goede bui geweest, had een paar rondjes gegeven.

Hij legde zijn hoofd tegen de steun, probeerde zich de avond voor de geest te halen. Het was die chauffeur die zo bang was geweest. Een oudere man die iets had gebrabbeld over zijn gezin. Mo vond het leuk, Mo had een beetje met hem lopen dollen. Mager klein mannetje, stoppelbaard, hele cabine vol met plastic poppetjes. Hij had doordringend naar zweet geroken, en hij was nog net niet op de knieën gegaan, het was een zielige vertoning. 'Alstublieft, alstublieft.'

Fok, wat was het, wat was het? Het nadeel van een joint was dat je gedachten alle kanten uit vlogen. Kom op, concentreer je.

Sportschool Everybody. Nieuw. Rand van de stad, rustige buurt. Eigen parkeerterrein. Thank you, Lord. Hij ging rechtop zitten en trommelde met zijn vuisten op het stuur. André, jongen, vuile ranzige flikker, je hebt voor de laatste keer lol gehad.

Wat was het leven simpel. De helft van zijn missie was geslaagd, de andere helft zou ook lukken. Daarna was hij vrij. Daarna lag alles open.

Op de verlaten snelweg bereikte zijn kunstmatige euforie een hoogtepunt. Hoe laat was het? Kwart over drie. Wat lette hem om verder te rijden, de grens over, verder en verder te rijden tot het dag was of de benzine op? Hij lachte hardop, bleef lachen, kon niet meer ophouden met lachen, liet schaterend de auto walsen over de volle breedte van de drie rijbanen en hield zijn hand op de claxon tot het lawaai hem verveelde. De wereld sliep, maar hij was wakker en had een goede daad verricht. Dat was lang geleden, en wat voelde het nobel. Een moderne padvinder was hij. Waar was de hopman om hem te prijzen?

Op een haar na miste hij de afslag. Hij jakkerde in volle vaart over het verdrijvingsvlak en stuurde de langgerekte bocht in zonder snelheid te minderen. Merkte pas dat er iets misging toen aan de linkerkant een snijdend geknars van metaal opklonk. Jesus christ, wat gebeurde er?

In paniek stampte hij op de rem, corrigeerde tegelijkertijd naar rechts, en de vangrail week, het gillende knarsen hield op, maar hij raakte in een slip, schoot met gierende banden van de linkerbaan naar de rechter, tolde rond en kwam aan het eind van de afrit tot stilstand pal voor het verkeerslicht, dat toepasselijk op rood stond.

De motor liep nog, de radio speelde, alles was in orde, behalve dan dat hij bijna dood was geweest. Hij bracht beide handen naar zijn nek. Zijn hoofd zat los, oh fokking christ, zijn hoofd zat los. Hij betastte zijn schedel, zijn hals, zijn gezicht, tot hij zeker wist dat alles op zijn plaats zat. Voorzichtig probeerde hij zijn hoofd te draaien. Het voelde alsof zijn nek in een bankschroef zat, maar zijn ogen registreerden het veranderende uitzicht. Links het viaduct, rechts ver weg aan de overkant huizen. Een eenzame auto, netjes wachtend op groen licht.

Hij moest hier weg. Nu. Hij keek naar de versnellingspook omdat hij zich niet kon herinneren waar de achteruit zat. Wat gewoonlijk een automatische handeling was, moest nu worden beredeneerd. Krakend zette hij de versnelling in zijn achteruit, en hij had het benul om in de binnenspiegel te kijken. De weg was leeg. Hij reed een paar meter achteruit en draaide aan het stuur, dat gehoorzaamde. Aan de overkant verdween de wachtende auto onder het viaduct. Ferry keek naar zijn eigen verkeerslicht, en terwijl hij keek,

sprong het op groen. Hij bedwong de hysterische lachbui die op-
borrelde en sloeg rechtsaf. Behoedzaam gaf hij gas en schakelde.
Het ging niet helemaal goed, zijn benen deden niet precies wat hij
wilde, en hij omklemde krampachtig het stuur, probeerde zich te
concentreren. Van een naar twee naar drie. Meer hoefde niet.
Rechts blijven, overal richting aangeven, en lieve god, laat hem
geen politie tegenkomen.

Hij redde het. Reed zijn eigen straat in, parkeerde voor de deur. Alle huizen waren donker, aan de rand van het trottoir stond voor elk
huis een container klaar om te worden geleegd, behalve bij hen.

Hij stapte uit, sloot de auto af en bekeek wat hij in het donker
kon zien van de schade die de vangrail had aangericht. Van voor tot
achter liep over de linkerkant een bijna kaarsrechte streep waar de
lak was weggeschuurd. De auto was acht jaar oud, maar er was geen
geld voor een nieuwe.

Op wankele benen liep hij het tuinpaadje op en stak de sleutel in
het slot. Hij had nog ruim drieduizend euro. Dat zou genoeg moeten zijn.

20

'Pa,' zei Ferry. 'Ik kon er niks aan doen. Een of andere idioot drukte me van de weg toen ik hem inhaalde.' Zijn oogleden waren dik van de slaap. Het was halfzeven, hij lag tweeënhalf uur in bed, op de kale matras. De schone dekbedhoes en het laken lagen in een hoek.

Zijn vader stond in de deuropening, armen over elkaar geslagen. 'Gelul. Je zal wel dronken zijn geweest.'

'Ik was broodnuchter!' Het was de waarheid, als je de joint niet meetelde.

'Lieg niet tegen me, jongen. Je regelt het vandaag nog. En je betaalt het.'

'Dat zei ik toch al.' Ferry zette zijn voeten op de vloer. God, hij was gesloopt. 'Ik breng je naar je werk, en ik rij straks meteen naar de garage om een afspraak te maken. Het komt allemaal goed, pa.'

'Je hoeft me niet te brengen.'

'Natuurlijk wel. Waar zitten jullie? Nog steeds op de nieuwbouw?' Hij realiseerde zich dat hij daar al maanden geen flauw idee meer van had. Zijn vader was metselaar, en hij was er altijd prat op gegaan snel en nauwkeurig te werken, had ooit een wedstrijd blind metselen gewonnen, georganiseerd door het jubilerende aannemersbedrijf waar hij werkte. Het was een feestelijke dag geweest, waarvoor ook de gezinnen van de werknemers waren uitgenodigd, tot en met het etentje; steengrillen bij een wegrestaurant.

'Wat kan het je schelen?' Zijn vader draaide zich om, zei als terloops over zijn schouder: 'Ik geef je een maand.'

'Hoe bedoel je?'

'Dan ben je weg.'

'Weg?'

'Ben je doof?' Zijn vader liep naar hem toe, greep hem bij zijn arm en sleurde hem overeind. 'Ik verdraag het niet langer. Ik verdraag niet langer dat er hier een worm rondkruipt in een stinkend hol. Je dondert op. Ik red me wel alleen.'

'O ja?' Ferry rukte zich los. 'Nou en of jij je redt! Wie maakt er hier een stinkend hol van? Wie kan het allemaal geen zak meer schelen sinds mama dood is?'

Zijn vader hief zijn hand, en hij dook weg. Maar hij hield niet op met praten. 'Zelfs Niek heb je laten barsten. Waarom denk je dat hij het huis uit wilde?'

'Laat Niek erbuiten.'

'Deze keer niet!' schreeuwde Ferry. Hij bukte, wees naast zijn blote knieën. 'Vanaf dat we zo groot waren. Vanaf dat we zo groot waren moest hij het allemaal doen. Papa's lievelingetje. Dacht je dat hij dat leuk vond? Nog beter worden dan papa? Forget it!'

Hij was groter dan zijn vader, maar hij had niet de spieren die dertig jaar bouwvakken opleveren. De vuist onder zijn kin sloeg hem achteruit tegen de muur. Een tweede vuist pal onder zijn borstbeen benam hem de adem, en hij gleed langs de muur naar beneden, verborg instinctief zijn hoofd in zijn armen, rook zijn eigen slaaplucht. Een hand trok hem aan zijn haren overeind.

'Als je het nog één keer waagt om zijn naam te noemen, trap ik je nu de straat op.'

'Je doet maar.' Ferry keek naar zijn vader alsof hij hem voor de eerste maal zag – een kleine man, sterk, maar gebogen voor zijn tijd, het gezicht gelooid door het werken in de buitenlucht, de handen eeltig en ruw, de nagels brokkelig en onherstelbaar beschadigd. 'Trap me maar in elkaar,' zei hij. 'Het kan me niet schelen.'

Zijn vader lachte. 'Ik heb er zin in, weet je dat?'

'Doen,' zei Ferry. 'Je bent zielig, pa. Jij bent zo simpel, het is om je dood te lachen. Je bent gewoon stom, en je kunt het niet hebben dat iemand minder stom is dan jij.'

Een nieuwe klap, nu met de vlakke hand. Zijn kiezen sloegen op elkaar, en zijn linkerwang stond in brand, maar hij raasde door, schreeuwde zo hard dat zijn stem oversloeg.

'Mama was minder stom, mama wilde een diploma halen. En

wie lachte haar uit? Jij was degene die het meeste geld binnenbracht, en zo moest het blijven. Stel je voor, een vrouw die meer verdiende dan jij, hoe moest je dat uitleggen aan je maten op de bouw? En je werkte hard, hoor. Je werkte zo hard dat je nooit tijd voor ons had. Behalve dan toen Niek kampioen werd. Judo, dat vond je leuk. Spieren. Maar toen hij ziek werd, was je er niet. Toen was hij opeens een watje. Hij spuugde op je, weet je dat?'

Nooit was hij met woorden tegen zijn vader in opstand gekomen, bang als hij was voor diens snijdende commentaar. Hij deed alles stiekem, want als je niets vertelde, hoefde je je niet te verantwoorden. Het was een opluchting dat het er niet langer toe deed.

'Hou je bek.' Zijn vaders gezicht was een masker, het vuur eruit verdwenen.

'Nee,' zei Ferry. 'Ik zal nooit meer mijn bek houden. Ik ben niet meer bang voor je.'

21

Talsma belde Vegter terwijl hij onderweg was naar de schietbaan. 'Ik tref zo meteen collega Erkelens van bureau West. Hij had honden verordonneerd voor vandaag, dus dat komt niet slecht uit.'

'Oké. Bel me als je klaar bent. En ga van daaruit naar huis.'

'Ik zie wel.' Talsma stak zijn telefoon weg.

Naar huis, waar niemand was. Waar de boel niet meer was opgeruimd sinds hij zijn vrouw naar het ziekenhuis had gebracht, kasten en laden nog openstonden nadat hij wat spullen bij elkaar had gegraaid. 'Mijn ochtendjas, Sjoerd, en mijn slippers. Toiletspullen. En de schone T-shirts, vier denk ik, en wil je de wasmachine vullen? Je moet het bed verschonen, en er moet ook ondergoed gewassen, dat doe ik normaal altijd op maandag.'

Normaal. Niets was meer normaal. De angst die langzaam maar zeker was weggeëbd, was weer terug, en groter geworden. Hij zou gedacht hebben dat hij had geleerd ermee om te gaan, maar het tegendeel was waar. Deze maal kon hij niet ontkennen wat Akke had voorvoeld – het was niet voorbij. Het begon pas.

's Avonds laat had hij de wasmachine volgestopt en vervolgens vergeten leeg te halen, omdat hij rondjes liep door het huis als een hond die zijn kluif zoekt. Opnieuw was de flat niet meer dan een verblijfplaats, een dak boven zijn hoofd. De ene helft van het bed bleef onbeslapen, in de badkamer hing haar washandje kurkdroog en als bevroren over de rand van de wasbak, op het balkon stonden de zonnebloemen met gebogen hoofd.

Al die kleine taken die ze schijnbaar moeiteloos verrichtte en die het huis zijn ziel gaven, bleven onvervuld, omdat hij wel het geheel zag, maar de delen niet kon definiëren.

Hij reed het weggetje af dat naar het schietterrein leidde. Het hek stond open, en er waren drie auto's geparkeerd; twee busjes en een personenwagen. Halfnegen. De hondenmannen moesten allemachtig vroeg van huis zijn vertrokken. Hij stapte uit en keek naar de ruïne van wat een fors verenigingsgebouw was geweest. Het dak ontbrak op een paar geblakerde spanten na, en van de muren stonden er een paar min of meer overeind. Er hing nog een zwakke brandlucht. Twee schitterende herders scharrelden rond tussen het puin.

Erkelens stond het van een afstandje gade te slaan. 'Goeiemorgen.'

'Nog nieuws?' vroeg Talsma.

Erkelens haalde zijn schouders op. 'Dit zijn de honden voor vluchtige stoffen. Ze zijn net begonnen. Er komt straks een vent van de verzekering, en een contra-expert. Plus de voorzitter van de schietvereniging, en de secretaris.' Hij haalde een pakje sigaretten uit de zak van zijn gekreukelde colbert en bood Talsma er een aan. 'Ik kon je gisteravond niet meer bereiken.'

'Mijn vrouw ligt in het ziekenhuis.'

'Ernstig?'

Talsma hield zijn aansteker bij de sigaret. 'Weten we nog niet.'

'Ik had je willen vertellen dat we gisteren hebben gepraat met de mensen van het beveiligingsbedrijf, Safety First. En met de voorzitter.'

'En?'

'Er was uiteraard een alarminstallatie,' zei Erkelens. Hij trok zo hard aan zijn sigaret dat de tabak sputterde als in protest. 'Die heeft nooit gehaperd sinds hij vijf jaar geleden werd aangelegd. Vrijdagavond dus wel. En prompt wordt er ingebroken.'

'Wie zet hem aan en uit?'

'Iemand van het personeel, of een van de bestuursleden, afhankelijk van wie er aanwezig is. De vereniging heeft twee parttimers in dienst voor keuken en bar. De vrijdag is meestal een drukke dag, dus ze waren er allebei. Plus de voorzitter en de secretaris, die op vrijdag of zaterdag komen. Installatie werd rond halfelf ingeschakeld toen de laatste bezoekers waren vertrokken en alles was opgeruimd.'

'Door wie?'

'Een van de werknemers. Zij merkte dat er iets mis was en waarschuwde de voorzitter, die al thuis was. Hij heeft op zijn beurt Safety First gebeld. Daar beloofden ze een keer extra langs te rijden. Deden ze ook, maar toen stond de zaak al in de hens.'

'Verder nog bijzonderheden?'

Erkelens schudde zijn hoofd. 'Behalve dan dat ze bij Safety First niet erg enthousiast meewerken. Directeur zegt dat ze die brand hebben gemeld en er verder niks mee te maken hebben.'

Talsma stak zijn onderlip naar voren. 'Ik wil straks wel een gesprekje.'

'Volgens hem is een haperend alarm dagelijkse kost, en zijn ze meer tijd kwijt aan valse meldingen dan aan echte,' zei Erkelens. 'Zit wat in.'

Een van de honden blafte kort en begon verwoed te graven.

'Prachtbeesten,' zei Erkelens.

'Ja.' Talsma hield van honden, maar had er nooit een willen hebben, omdat hij van mening was dat een hond ruimte nodig had. Na zijn pensionering, als ze weer in Friesland woonden, zou hij tijd hebben voor een hond, die ook aanspraak voor Akke zou betekenen. Nu kwam opeens de gedachte boven dat hijzelf weleens degene zou kunnen zijn die gezelschap zou behoeven. Hij gooide zijn sigaret weg en keek naar de begeleider, die op zijn beurt voorzichtig in het puin begon te graven. 'Zullen we eens even gaan kijken?'

Ze maakten een rondje om het gebouw. Erkelens had de plattegrond inmiddels goed in zijn hoofd. 'Ingang, kantine, bestuurskamer, toileteenheid, garderobe, winkel.' Hij wees. 'Dat is de munitiekluis. Er lagen zo'n vijfduizend patronen in. Maximaal hadden ze er acht- à negenduizend op voorraad.'

Talsma bekeek de kluis, die door de brandweer was opengemaakt. Binnenin waren grotendeels verbrande dozen en samengeklonterde patronen zichtbaar. De onderste dozen waren zelfs nog heel. Hij hurkte. 'Zo te zien zit er niks raars tussen. Zesjes en zevens. De wapens die weg zijn, welk kaliber was dat?'

'Zover ik weet vooral twaalf,' zei Erkelens. 'Die gaan het illegale circuit in, natuurlijk. Serienummers wegvijlen en klaar is Kees. Ben je geïnteresseerd in hagelgeweren?'

'Vroeger wel. Die kluis is nog aardig intact.'

'Ja. Relatief weinig kruit, en bovendien geen zwaardere explosieve stoffen in de buurt. Dus het ploft wel, maar kan weinig kwaad.'

Op het terras leunden half gesmolten kunststof stoelen tegen half gesmolten tafels. Even verderop lagen drie geweren in het gras, kolf en voorhout verkoold, de lopen geblakerd en verwrongen.

'Ik ben geen expert,' zei Erkelens. 'Maar je zou zeggen dat ze hier een ruit hebben ingeslagen om binnen te komen.'

'Waar baseer je dat op?'

'Dat ze in de haast een paar geweren hebben verloren. Die fik was nog maar net aan de gang toen de jongens van Safety First arriveerden.'

Ze liepen door naar de achterkant van het gebouw, waar de hondenman een verschroeid stukje stof van minieme afmetingen omhoog stak. 'Bingo. Denk ik.' Hij hield het de hond voor, die nog net niet bevestigend knikte.

'Van buitenaf aangestoken?' vroeg Talsma.

'Het lijkt erop.' De hondenman schudde zijn hoofd. 'Typisch. Binnen barstte het van de brandbare materialen. Enfin, we zijn er nog niet.'

Een auto kwam aanrijden en parkeerde netjes naast een van de busjes. Er stapten twee mannen uit.

'De voorzitter,' zei Erkelens. 'En de secretaris. Landman en Eggink. Ik heb ze extra vroeg voor je besteld.'

Ze ontmoetten elkaar halverwege het parkeerterrein. De secretaris droeg een grote thermoskan en een stapeltje plastic bekers. De voorzitter stak zijn hand uit. 'Ik had u liever te woord gestaan in de bestuurskamer.'

'Als dat had gekund, was een gesprek niet nodig geweest,' zei Talsma.

De secretaris zette zorgzaam de thermoskan en de bekers in het gras voor hij handen schudde. 'De heren lusten waarschijnlijk wel koffie?'

Erkelens knikte.

'Niet voor mij.' Talsma nam hen op zijn gemak op. De voorzitter was een grof gebouwde man met slecht geschoren kaken die zijn versleten ribbroek in zijn laarzen had gepropt. De secretaris was een kop kleiner, droeg goed gepoetste brogues, een grijze broek die te ver over zijn schoenen hing en een blauw colbert met glimmende knopen.

Witte pet erbij en hij kan meevaren op het koninklijk jacht, dacht Talsma. 'Ik heb wat vragen,' zei hij. 'En ik hoop dat u daar antwoord op kunt geven.'

Landman knikte, zijn ijsblauwe ogen strak op Talsma gericht. 'Natuurlijk. Daarvoor zijn we hier.'

'De alarminstallatie,' zei Talsma. 'Wie heeft die op vrijdagavond ingeschakeld?'

'Een van de personeelsleden. Zij was de laatste die wegging.' Landman keek naar Erkelens. 'Maar dat had ik al verteld.'

'U hebt er nooit eerder problemen mee gehad?'

'Nee.' Landman nam een beker koffie aan van de secretaris, die gehurkt zat in te schenken.

'U had eerder ook geen problemen met het elektrische circuit?'

'Nee.' Landman aarzelde. 'Niet voor wat betreft de elektriciteit binnen het verenigingsgebouw. Met de kleiduivenmachines op de banen is het een ander verhaal. De stroomvoorziening was niet optimaal. Een en ander is aangelegd vóór mijn tijd, en ik was al een paar jaar van plan er verbetering in te brengen, maar dat is een kostbare operatie, waarvoor tot nu toe de middelen ontbraken.'

'Tot nu toe,' zei Talsma. 'Gaat u herbouwen?'

Landman dronk zijn koffie. 'U overvalt me een beetje met die vraag. Natuurlijk is dat wat wij het liefst zouden willen. En het is wat de leden zullen willen. Ook niet onbelangrijk. Maar of de gemeente zal meewerken is een andere kwestie.'

'Is het terrein eigendom van de schietvereniging?'

'Jawel. Maar om te herbouwen hebben we een vergunning nodig.'

'Zover zijn we ook nog helemaal niet,' zei Eggink. Hij keek op naar de voorzitter. 'We zijn nog niet eens van de schrik bekomen, toch, Wout?'

'Waarom zou de gemeente die vergunning niet willen verlenen?'

Landman haalde zijn schouders op. 'Gemeentebelangen. En we hebben wat klachten gehad in verband met geluidsoverlast. We hebben vergunning voor een bepaald aantal schoten, en volgens omwonenden hadden we het quotum overschreden. Dat is allemaal een beetje gesust, en we hebben een kort geding weten te voorkomen, maar de verstandhouding is er niet beter op geworden.'

'Wat gebeurt er als u niet herbouwt?'

'Dan zal de grond moeten worden verkocht, want dan hebben wij als vereniging geen bestaansrecht meer.'

'Aan de gemeente?'

Landman gaf zijn lege bekertje aan de secretaris, die om het te kunnen aannemen eerst de thermoskan in het gras moest zetten.

Talsma keek geamuseerd naar Erkelens, die niet reageerde.

'Aan de gemeente,' zei Landman op vragende toon. 'Dat zou kunnen. Of aan iemand anders.'

'U bedoelt?'

'Op dit moment kan ik daar niets over zeggen. Alles kan. We hebben geen enkele zekerheid. Ik kan u wel zeggen dat ik het somber inzie. Ik ben bang dat de gemeente deze brand zal aangrijpen als excuus om ons weg te krijgen.'

'Aan wie komt de opbrengst ten goede, als de grond verkocht zou worden?'

'Uiteraard aan de leden.'

'Wie heeft Safety First gebeld om te melden dat het alarm niet werkte?'

'Ik. Als voorzitter hoort dat bij mijn taken.'

'Hoe lang loopt het contract al met Safety First?'

'Ongeveer een jaar.'

'Wie heeft dat afgesloten?'

'Ik.'

'Dat behoort ook tot uw takenpakket?'

'Uiteraard.'

'U maakte natuurlijk vóór Safety First ook gebruik van een beveiligingsbedrijf. Wat deed u besluiten om naar een andere firma over te stappen?'

Landman wierp een vluchtige blik op de secretaris. 'Eggink en ik regelen zulke zaken in goed overleg. Hij had wat bedrijven met elkaar vergeleken, ook qua kostenplaatje. Maar natuurlijk ben ik verantwoordelijk voor de uitvoering van bestuurlijke besluiten.' In zijn broekzak rinkelde een gsm, en hij stak zijn hand op. 'Moment.' Hij nam op en luisterde. Over zijn gezicht gleed een uitdrukking van opperste verbazing. 'Wat zeg je nou?'

De telefoon kwetterde opgewonden.

'O, nou, gefeliciteerd. Moet een pak van je hart zijn, Wim. Ik bel je straks nog even, ben nu in gesprek met een rechercheur.' Hij stak de gsm terug.

'Nieuws?' vroeg Eggink.

'De wapens zijn teruggebracht,' zei Landman. 'Wim vond ze een halfuurtje geleden naast zijn schuur.' Hij schudde zijn hoofd. 'Raadselachtig.'

'Allemaal?' vroeg Eggink verbijsterd.

'Weet ik veel,' zei Landman geprikkeld. 'Dat zei hij niet. Ik neem aan van wel.' Hij wendde zijn blik naar Talsma. 'Dit is een onverwachte ontwikkeling. De wapenhandelaar die zijn winkel hier op het terrein had, meldt net dat hij zijn geweren terug heeft. Wat vroeg u, inspecteur?'

'Ik vroeg niets,' zei Talsma. 'Wat ik graag van u wil hebben is de naam van uw contactpersoon bij Safety First, plus een ledenlijst van uw vereniging.'

'Mijn contactpersoon is uiteraard de directeur,' zei Landman. 'Safety First is een betrekkelijk klein bedrijf. Ik geloof dat ze tien man in dienst hebben. Aan een ledenlijst kan ik u niet helpen, want de administratie is bij de brand vernietigd.'

'U heeft ongetwijfeld een back-up.'

De secretaris spreidde zijn handen, waarbij een scheut koud geworden koffie over de rand van zijn bekertje gutste. 'Helaas.'

Talsma trok zijn wenkbrauwen op. 'Niet?'

'Het klinkt u misschien vreemd in de oren,' zei Landman. 'Maar u moet niet vergeten dat wij niet meer zijn dan goedbedoelende amateurs die proberen een vereniging naar beste weten te besturen. Het is allemaal liefdewerk oud papier, en er gaat een hoop tijd in zitten. Maar u hebt natuurlijk gelijk.' Zijn ogen gleden naar de secretaris. 'Zo'n back-up had er moeten zijn. Punt is dat we speciaal voor de administratie hier een computer hadden staan.'

'Hoeveel dagen per week bent u hier aanwezig?'

'Gemiddeld een.'

'Dan valt het met die hoeveelheid tijd nog wel mee,' zei Talsma opgewekt. 'Wat doet u in het dagelijks leven?'

'Ik ben ondernemer.'

'In welke branche?'

'Wij legden zwembaden aan bij particulieren.'

'Legden?'

'Wij hebben een paar maanden geleden onze activiteiten moeten staken.'

'U bent failliet?'

'Ja.'

Talsma keek naar Eggink, die zijn koude koffie in het gras goot. 'En u?'

'Ik zit in de tussenhandel.'

'Waarin?'

'Dat kan van alles zijn.'

'U bent beiden dus vertrouwd met het bedrijfsleven,' zei Talsma. 'U hebt of had beiden een administratie bij te houden. Dan verbaast het me dat u de zaken bij uw vereniging kennelijk niet op orde had.'

'Wel op orde,' zei Eggink. 'De boekhouding was up-to-date, de vereniging is financieel gezond.' Hij keek weer omhoog naar de voorzitter. 'Wij doen gewoon ons stinkende best, toch, Wout? Maar we hebben nooit beseft dat iets verschrikkelijks als dit kon gebeuren.'

Ons stinkende best, dacht Talsma. Vegter zou deze Laurel en Hardy onmiddellijk naar waarde weten te schatten.

■

Het echtpaar dat Reekers niet langer als huisarts had willen hebben, woonde in dezelfde straat, in een huis dat te groot voor hen was. Twee breekbare oude mensen, klein onder de hoge, fraai gestuukte plafonds, en met een welgemanierdheid die zeldzaam was geworden. Mevrouw bood koffie aan, meneer zette een zilveren asbak op tafel. 'Gaat u gerust uw gang.'

Ze zaten in de voorkamer van een schitterend zeventiende-eeuws pand. Alles klopte nog, van de gebeeldhouwde ornamenten aan de gevel en de enorme schouw, gezet met blauw-witte tegeltjes, tot de in lood gevatte ruitjes die het zonlicht aangenaam temperden.

'Een van onze mensen is bij u geweest in verband met de dood van dokter Reekers,' zei Vegter. 'Hij begreep van u dat u problemen met hem hebt gehad.'

'Dat mag u wel stellen.' Mevrouw ging rechtop zitten en wreef haar handen over elkaar. Haar zilverwitte haar was ondanks het vroege uur onberispelijk gekapt. 'Wij hadden Reekers al negen jaar als huisarts, nadat onze vorige huisarts met pensioen was gegaan. Gelukkig hebben we hem niet dikwijls nodig gehad, omdat onze gezondheid vrij goed is. Je vindt het niet erg, Henry, dat ik dit vertel, of doe je het liever zelf?'

Meneer schudde zijn hoofd.

'We kenden zijn vrouw al veel langer, omdat mijn man lang geleden zaken deed met haar vader, en het leek logisch om ons bij Reekers te laten inschrijven. Het maakte ons ook niet zoveel uit, en het was prettig dat hij zo dichtbij zijn praktijk had. Een huisarts is als de Wegenwacht; je wilt er geen gebruik van maken, maar als je hem nodig hebt, moet hij er zijn.'

Vegter knikte. Hij roerde zijn koffie en bewonderde het zilveren lepeltje, met een ragfijn gestileerd mannenhoofd aan het eind van de steel.

'Een van de twaalf apostelen,' zei mevrouw. 'Enfin, dat doet er nu niet toe. Waar was ik gebleven?'

'U had uw huisarts niet dikwijls nodig,' zei Renée. Haar spijkerbroek en T-shirt pasten slecht bij de okergele zijde van de fauteuil waarin ze zat.

'Dank u. Nee, dat klopt. Maar toen mijn man, nu vier jaar geleden, 's avonds onwel werd, belde ik Reekers. Instinctief, begrijpt u?

Dat moderne gedoe met alarmnummers heb ik geen vertrouwen in, en ik was lichtelijk in paniek. Hoe dan ook, hij sputterde tegen omdat hij geen dienst had, maar ik drong aan. Toen hij dan eindelijk kwam, en dat duurde meer dan twintig minuten, bekeek hij Henry en zei dat zijn benauwdheid waarschijnlijk met zijn astma te maken had.'

Astma, dacht Vegter. En dan toch een asbak op tafel zetten. Hij was blij dat Renée geen gebruik had gemaakt van het aanbod. 'Onderzocht hij hem?'

'Nauwelijks. Hij constateerde dat het hart te snel sloeg, en onregelmatig, maar schreef dat toe aan de benauwdheid. Het beste was om de inhalator te gebruiken. Dat hadden we al gedaan, maar het hielp niet, terwijl het gewoonlijk snel resultaat heeft. Henry heeft al dertig jaar astma, we weten echt wel hoe we moeten handelen bij een aanval. En hij hoestte niet, wat hij anders altijd wel doet. Hij was misselijk en hij zweette, en wij vonden dat er iets niet klopte. Maar Reekers ging naar huis. Hij was ook flink aangeschoten, en hij liet ons merken dat hij alleen kwam omdat we bevriend waren. Enfin, daarna heb ik Henry zelf naar het ziekenhuis gebracht, want het werd alleen maar erger. Daar bleek dat het een ernstig hartinfarct was. We waren net op tijd, nietwaar, Henry?'

Haar man knikte.

'Neem jij het nu maar over,' zei zijn vrouw. 'Het emotioneert me nog steeds. Ik was nog nooit zo in paniek geweest. Ik nam het Reekers zeer kwalijk. Zéér kwalijk.' Ze haalde een zakdoekje uit haar mouw en streek ermee langs haar lippen.

Vegter genoot heimelijk van het gebaar. Misschien borduurde ze zelfs nog, op van dat fijne linnen, of maakte ze krachtige gobelins.

'Om een en ander samen te vatten,' zei meneer. 'Toen ik eenmaal weer was opgeknapt, besloten we ten eerste om een andere huisarts te nemen, en ten tweede om Reekers ter verantwoording te roepen. U zult denken: hij kwam terwijl hij geen dienst had, dus hij deed meer dan zijn plicht. Maar hij was niet in staat tot een zuivere beoordeling van wat er aan de hand was, en hij had er iemand anders bij moeten roepen of ons doorverwijzen. Wij zijn dus in actie gekomen, en we hebben het geschopt tot de Medische Tuchtraad, maar onze klacht werd afgewezen. Daarna hebben we ons erbij neergelegd, ook al omdat het ons veel energie had gekost.'

'Kon u Reekers vóór dit voorval waarderen als huisarts?'

'Niet echt.' Meneer dacht even na. 'Hij was niet betrokken, begrijpt u? We hebben nu een huisarts die luistert.' Hij glimlachte. 'Als je zo oud bent als wij, inspecteur, is dat iets om dankbaar voor te zijn.'

'Ze zijn niet meer van deze tijd,' zei Renée.

'Nee,' zei Vegter. 'Helaas niet.'

Ze gaf geen commentaar. De vorige avond had hij, ondanks het mislukte gesprek met Ingrid, toch geprobeerd met haar te praten, maar zijn pogingen waren afgeketst op haar afstandelijkheid, waar hij geen weg mee wist. Onbereikbaar was ze, onaantastbaar. Ze zweeg en glimlachte, als een boeddha die alle antwoorden weet maar weigert op de vragen in te gaan. 'Wat verwacht je van me?' had hij gevraagd, en met beleefde verbazing had ze gezegd: 'Als je dat zelf al niet begrijpt, heeft het geen zin om het je uit te leggen.'

Stef was duidelijk geweest. Als iets haar beviel, liet ze dat blijken, als iets haar niet beviel ook. Hij had nooit hoeven raden, en hij was gaan geloven dat het zo hoorde. Renées houding herinnerde hem aan de puberale koppigheid van Ingrid. 'Jullie begrijpen er niets van!' Waarna ze op haar kamer ging zitten mokken. Hij had zich daarbij neergelegd, Stef was gaan praten en had daar later met humor verslag van gedaan. 'De wereld is minder vriendelijk dan ze dacht, Paul, daar moet ze aan wennen. Geef haar tijd.'

Wat Renée had ondervonden van de onvriendelijkheid van de wereld, was niet vergelijkbaar met Ingrids problemen destijds, en toch vergeleek hij. Waarschijnlijk was hij unfair. Talsma vond dat. Maar Talsma had zelf problemen met zijn houding ten opzichte van zijn vrouw. Kon je de dingen uitsluitend helder zien als ze niet jezelf betroffen?

Renées handen lagen op het stuur, de handen waar hij van hield – sterke meisjeshanden met sproetjes op de rug. Haar gezicht had geen uitdrukking op de lichte frons van concentratie na, en hij zag het verschil met een paar maanden geleden. Haar huid was even fris, haar onderlip even vol, het oogwit nog met die zweem van blauw die jeugd verraadde. Het verschil zat in de kringen onder haar ogen, in de nagels, afgebeten waar ze vroeger kort maar verzorgd waren geweest. Het was ook zichtbaar in haar rijstijl, die sneller was geworden, hoekiger en ongeduldiger.

Ze parkeerde voor het huis van de assistente, een rijtjeshuis in een onopvallende straat. Er stond een stoffige auto voor de deur, en toen Vegter een blik naar binnen wierp, zag hij een slaapzak op de achterbank liggen.

Ze belden aan. De deur werd geopend door een jonge vrouw met behuilde ogen. 'Francine Havelaar.' Haar haren waren opgestoken in een slordige knot boven een diepbruin gezicht. 'Komt u binnen.'

Op blote voeten liep ze voor hen uit door een gang waar kampeerspullen kniehoog lagen opgetast. 'We zijn nog maar een uurtje thuis.'

'U hebt de hele nacht doorgereden?'

'Ja. We waren van plan om een dag eerder naar huis te gaan, maar het was zo'n heerlijke vakantie, en het was heet. Dus we besloten om 's nachts te gaan rijden. Ik hoorde van uw assistente, of hoe noemt u dat, dat ze me niet kon bereiken. Mijn mobiel was leeg, en ik had de oplader per ongeluk ingepakt, maar ik vond het niet zo'n probleem, want we waren immers toch op weg naar huis.'

In de huiskamer stond een al even gebruinde jonge man op. 'Rick Havelaar.'

Francine ontdeed een paar stoelen van een stapel kranten en post. 'Sorry voor de rommel, maar u weet hoe het is als je van vakantie terugkomt. Maar wat is er nu gebeurd? Heeft dokter Reekers een ongeluk gehad?'

'Ernstiger dan dat,' zei Vegter. 'Hij is gisterochtend doodgeschoten in het Zuiderpark.'

Ze sloeg haar handen voor haar mond. 'Vermóórd?'

'Ik begrijp dat dit een schok voor u is,' zei Vegter. 'En ik zou u meer tijd willen gunnen om die te verwerken, maar tegelijkertijd hebben wij haast.'

'Ja, ja.' Ze zakte neer op de bank. 'Rick…'

Haar man sloeg zijn arm om haar heen. 'We hebben het er straks over. Nu moet je even flink zijn.'

'O god,' zei ze. 'Ik zou morgen weer gaan werken. Ik… Hoe moet dat nu?'

'U was zich niet bewust van problemen toen u met vakantie ging?'

'Nee. Nee, natuurlijk niet. Alles was gewoon.' Ze veegde de tranen van haar wangen en smeerde daarmee haar mascara uit tot aan haar kin. 'Ik begrijp dit niet. Er was niets aan de hand. Hij… Hij wenste me een prettige vakantie. Hij zou zelf… Ze gingen zelf over een paar weken een cruise maken.' Ze schoof nog dichter naar haar man. 'Hij maakte nog een grapje over dat we zouden vergelijken wie er het bruinst terug zou komen.'

'Was het dan niet onhandig gepland, uw vakantie in een andere periode dan die van Reekers?'

'Ja, normaal gesproken hadden we tegelijk vakantie, dan werd de praktijk gesloten,' zei ze haperend. 'Maar een zus van mij woont in Italië, en zij ging trouwen. Wij wilden natuurlijk graag bij de bruiloft zijn, en dokter zei dat hij het die paar weken wel alleen zou redden. Hij had ook maar drie dagen praktijk, en in de zomer is het altijd rustiger.'

'Hoe lang werkt u al voor hem?'

'Ruim vijf jaar.'

'Hebt u in die vijf jaar problemen meegemaakt? Klachten van patiënten, of anderszins?'

Ze aarzelde, stond op en liep de kamer uit, kwam terug met een vel keukenrolpapier en snoot haar neus. 'Soms heb je boze patiënten. Ik heb eerder gewerkt in een praktijk in Oost. Daar was dat bijna dagelijks het geval. Agressieve patiënten ook, die wilden dat ze direct werden geholpen. Maar bij dokter Reekers… Het was een rustige praktijk. Het is een heel andere buurt, begrijpt u? Een paar keer kwam iemand klagen dat de dokter hem had weggestuurd met een verkeerd recept. Dat is op zich niet ongewoon. Fouten maakt iedereen.'

'Maar klopte dat?'

'Ja.'

'Wie opende zijn post?'

'Hijzelf.'

'Hebt u tussen die post ooit brieven gezien van de Medische Tuchtraad?'

'Nee. Hij leegde zelf de brievenbus. Alles wat ik kon afhandelen, kreeg ik daarna van hem op mijn bureau.'

'Hoe laat wordt de post bezorgd op zijn adres?' vroeg Renée.

Francine Havelaar keek verbaasd naar haar, alsof ze Renées aanwezigheid was vergeten. ''s Ochtends tussen elf en twaalf.'

'Moest dokter Reekers dan speciaal zijn spreekkamer uit lopen om de post te halen?'

Francine Havelaar dacht na. 'Nu u het zegt. Ik heb daar nooit bij stilgestaan.'

Vegter leunde achteruit om Renée de ruimte te geven.

'Bent u op de hoogte van een klacht van vier jaar geleden?' vroeg ze. 'U werkte toen al voor dokter Reekers. Een klacht die is doorgevoerd tot de Medische Tuchtraad?'

'Nee.'

'U kreeg van dokter Reekers alleen die correspondentie die te maken had met uw functie als doktersassistente?'

'Ja.'

'Hij jogde elke ochtend. Wist u dat?'

'Jawel, dat heeft hij weleens verteld. Hij vond het vervelend om dikker te worden, maar soms lachte hij erom. Dan zei hij dat hij medisch gezien nihilistisch bezig was, omdat hij er 's avonds bij at wat hij er 's ochtends af rende.'

'Kende u de routes die hij liep?'

'Hij liep wel graag door het park, maar verder weet ik het niet. En hij was altijd alweer terug voor ik 's ochtends kwam.'

'Is u ooit iemand in de omgeving opgevallen, iemand die daar niet thuishoorde, en die zich misschien vreemd gedroeg?'

Ze zuchtte diep. 'Nee.'

'Hebt u in de vijf jaar dat u voor hem werkt een indruk gekregen van zijn privéleven?'

Francine Havelaar verfrommelde het vel keukenpapier. 'Ik ken zijn vrouw natuurlijk, en ik heb zijn zoon en dochter weleens ontmoet. Maar de praktijk heeft een eigen ingang.' Haar blik kreeg iets hulpeloos. 'Ik werk daar alleen maar. En dokter hield zijn privé-leven strikt gescheiden van de rest. Het is zo'n groot huis, je hoeft elkaar niet te zien. We hebben weleens samen geluncht in de tuin. Dat wou hij soms. Dan had zijn vrouw de tafel mooi gedekt, en er waren allemaal lekkere dingen.' Ze draaide zich naar haar man. 'Jij bent er ook nog weleens bij geweest, Rick.'

Hij knikte. 'Een soort personeelsuitje thuis.'

'Jij mocht hem niet,' zei zijn vrouw met lichte verontwaardiging. 'En haar ook niet.'

Rick Havelaar haalde zijn schouders op. 'Hallo zeg. Die mensen leven in een andere eeuw. Daar ben ik allergisch voor.'

'Wat is uw beroep?' vroeg Vegter.

'Ik ben muzikant. Gitarist in een band.'

'U voelde zich niet op uw gemak tijdens die lunches?'

Havelaar lachte. 'Dat was het niet.' Hij pakte een pakje shag van tafel en begon een sigaret te draaien. 'Mijn wereld is anders. Francine en ik hebben daar ook geregeld woorden over. In mijn optiek is iedereen gelijk. Wat zij zich laat welgevallen van dat stelletje snobs, daar begrijp ik niks van.' Hij strekte ontspannen zijn benen, die waren gehuld in een strakke spijkerbroek. Er zat geen onsje vet op zijn lichaam. Zijn gezicht was al ietwat getekend door het onregelmatige leven dat hij leidde, maar de algemene indruk was er een van fitheid en zelfverzekerdheid.

Vegter kon een vage jaloezie niet onderdrukken. Hoe lang was het geleden dat hij zich *on top of the world* had gevoeld?

'Ze wordt vast boos als ik dit zeg,' zei Rick Havelaar. 'Maar ik vond het een droplul, met zijn minzame lachje en zijn foute grapjes.'

'Hij is dóód,' zei zijn vrouw. Haar lippen trilden.

'Dat verandert toch niks aan zijn karakter?' Rick mikte de as van zijn sigaret bijna helemaal in de asbak. 'Wat wil je nou dat ik zeg? Hij was jouw baas, en je werkte er met plezier, en natuurlijk is het allemaal ellendig, en nu moet je op zoek naar een andere baan.'

Vegter besloot de echtelijke twist een halt toe te roepen. 'U hebt niet de afgelopen maanden een gedragsverandering geconstateerd?

Gemerkt dat dokter Reekers zich anders gedroeg dan gebruikelijk?'

'Nee.'

'Zijn administratie is opgeslagen in een computer. Had u toegang tot alle bestanden?'

'Natuurlijk. Dat is nodig om mijn werk te kunnen doen.'

'Had u ook toegang tot de fysieke correspondentie? In de zin dat u brieven of rapporten voor hem opborg?'

'Nee. Ik zag zijn post nooit. Dat vertel ik u toch net?'

'Kende u zijn privéleven?'

'Nee.'

'Misschien moet ik mijn vraag anders formuleren,' zei Vegter. 'U was weliswaar werknemer, maar u moet toch iets van zijn privéleven afweten. Hoe was de verstandhouding tussen hem en zijn gezin? En tussen hem en zijn overige familie?'

'Dat weet ik niet,' zei Francine Havelaar. 'Ik kwam 's ochtends om kwart voor acht, en ik ging om vijf uur naar huis.' Ze zweeg even en zei toen met iets van verwondering: 'Ik heb hem nooit echt leren kennen.'

22

Nadat de voorzitter en de secretaris waren vertrokken, belde Talsma Vegter om door te geven dat de wapens terecht waren.

'Een spijtoptant?' zei Vegter. 'Interessant. Ik stuur Brink er even langs.'

'Wil ik ook wel doen.'

'Nee, blijf jij daar. Ik wil weten wat de experts te melden hebben.' Vegter lachte. 'Ik mag je maar één dag uitlenen, daar wil ik het maximum rendement uit halen.'

'Dat het een geval van brandstichting is, lijkt duidelijk,' zei de verzekeringsexpert. 'Wij, en u als politie natuurlijk ook, zien vaker dat sporen op die manier worden vernietigd, al is dit wel erg rigoureus voor een betrekkelijk kleine buit. Zeker als die ook nog wordt teruggebracht. Wat mij dwarszit, is dat alarm. Een goed systeem, heeft uitstekend gefunctioneerd. Het valt uit en nog dezelfde nacht wordt er ingebroken. Gevalletje voorkennis zou me niet verbazen. En nu lijkt het erop dat het niet om de wapens ging, maar om het gebouw.'

'Is dat niet een wat snelle conclusie?' vroeg Talsma.

'Het is geen conclusie.' De expert glimlachte. 'Het is iets om rekening mee te houden, en blijkbaar ook iets waar de politie rekening mee houdt.'

'Het gebouw is bij u verzekerd, nou?'

De expert knikte. 'Daarom ben ik hier.'

'Dus,' zei Talsma. 'Als u tot betaling overgaat, kan er worden herbouwd?'

'Dat hangt ervan af.'

'Waarvan?'

'Van de financiële situatie van de vereniging,' zei de expert fijntjes. 'Er rust een hypotheek op het gebouw. Die moet worden afgelost. Om te herbouwen zal een nieuwe hypotheek moeten worden afgesloten. Ik ben niet op de hoogte van de inkomsten en uitgaven van de vereniging, dus ik kan niet beoordelen of een tweede hypotheek haalbaar is.'

Talsma dacht na. 'En wordt er niet herbouwd…'

'Dan lijkt me dat de vereniging geen lang leven meer beschoren is. Ik hoor dat men van plan is een noodgebouwtje neer te zetten. Maar dat heeft uiteraard niet de faciliteiten waarover het bestaande gebouw beschikte. U moet niet vergeten dat veel verenigingen het leeuwendeel van hun inkomsten halen uit keuken en bar. Vervallen die inkomsten deels of helemaal, dan betekent dat dikwijls het einde.'

'Er wordt lidmaatschapscontributie betaald.'

'Natuurlijk, maar dat is de bodem. Je zou die contributie kunnen verdubbelen, maar dan zal een aantal mensen afhaken.' De expert bukte zich naar zijn aktetas. 'Zover ik het nu kan beoordelen, en ik zeg beslist niet dat ik gelijk heb, heeft men een probleem.'

'Ze zullen zo lang mogelijk proberen schadevergoeding uit te stellen,' zei de contra-expert. 'Dat is de gebruikelijke gang van zaken. Zeker in een geval als dit.'

'U vindt dat er een luchtje aan zit?'

'Dat vindt de verzekeringsmaatschappij,' zei de contra-expert vriendelijk. 'Ik heb daar geen mening over.'

'Gaan we er voor het gemak van uit dat dat luchtje klopt.' Talsma had even genoeg ontwijkende antwoorden gehoord. 'Wie kan er voordeel van hebben?'

De contra-expert haalde zijn mollige schouders op. Hij droeg een pak dat aanzienlijk minder gekost moest hebben dan dat van zijn pendant. 'Vooralsnog niemand, lijkt het. Stel die vereniging gaat inderdaad ter ziele. Dan wordt het banksaldo plus de opbrengst van de grond verdeeld over de leden. Dat zijn er zo'n vierhonderd, heb ik vernomen. Het is een aardige lap grond, maar verdeel die opbrengst over vierhonderd man, en er blijft per persoon echt niet zo veel over.' Hij lachte. 'Ik zou er geen inbraak en brandstichting voor over hebben.'

'Hoeveel zou die grond opbrengen, schat u?'

De contra-expert rekende. 'Tussen de zeven en acht miljoen zou me niet verbazen. Dus spreek je over ruwweg twintigduizend euro per persoon.'

'Er zijn moorden gepleegd voor minder,' zei Talsma nuchter.

De contra-expert stak zijn hand uit. 'Dat is uw terrein, niet het mijne.'

■

Brink parkeerde achter een vuil busje op het pad dat naar het witte huis leidde en stapte uit. Op de schuur naast het huis meldde een bord dat hier Wapenhandel Kruithof was gevestigd. Hij keek om zich heen. Het huis hurkte achter de dijk, de rieten kap lager dan het wegdek. Fruitbomen markeerden het pad, en hij zag dat de appels al bijna rijp waren. In de uiterwaarden graasden koeien, verder weg stroomde kalm de rivier.

Vanachter het huis kwam een man op hem af. 'Wim Kruithof.'

Brink verbeet een grijns. Je was wapen- en munitiehandelaar en je heette Kruithof. Hij keek naar de schuur. 'U hebt de boel weggehaald?'

'Alles ligt binnen,' zei Kruithof. Felle bruine ogen twinkelden in een verweerd gezicht. 'Ik ga de kat niet op het spek binden. Veel te blij dat ik de handel terug heb.'

'Ik had liever gezien dat u alles had laten liggen.'

'Daar heb ik niet aan gedacht,' zei Kruithof beduusd. 'Maar kom verder.'

Brink volgde hem door een smal gangetje een tamelijk donkere huiskamer in, waar op de vloer een paar rijen geweren lagen uitgestald, met aan de meeste nog prijskaartjes.

'Ik had ze nog wel netjes voor u neergelegd,' zei Kruithof. 'Moment, ik roep mijn vrouw.'

'Ze hebben ze niet allemaal teruggebracht,' zei Tina Kruithof. Net als haar man was ze gekleed in T-shirt en legergroene broek. 'We hebben geteld, en het zijn er tweeënveertig. De twee duurste wapens ontbreken. En op het verenigingsterrein liggen er natuurlijk nog drie.'

Kruithof gaf Brink een velletje papier, afgescheurd van een notitieblok. 'Dit zijn de serienummers van de twee die nog missen.'

'Hoe duur zijn die?'

'Twee Brownings, de ene ruim negenduizend euro, de andere ongeveer achtduizend.'

'U vond deze wapens vanochtend terug?'

'Ja. Ik was op weg naar de werkplaats, en ik zag ze in het gras liggen. We hebben meteen gebeld. Eerst naar de verzekering, en toen naar de voorzitter.'

'Ze zijn onbeschadigd?'

'Wat krassen,' zei Kruithof. 'Maar voor zover ik het nu kan zien is dat alles. Ik heb ze nog niet een voor een nagekeken.'

Tina Kruithof schonk koffie in en zette een schaal koekjes op tafel. 'We begrijpen er niets van. We begrepen al niet dat iemand voor zo'n bedragje de boel in de fik steekt.'

'Welke waarde vertegenwoordigen deze wapens in totaal?' Brink nam een koekje. Hij verging van de honger, want Vegter had hem precies voor de lunch op pad gestuurd.

'Als je uitgaat van de verkoopprijs, ongeveer anderhalve ton,' zei Kruithof. 'Dat is dan inclusief de twee ontbrekende geweren. Op de zwarte markt heb je het over vijftien, maximaal twintig mille. En dan reken ik niet krap.'

'U bent bekend met de zwarte markt?' vroeg Brink nonchalant.

'Nee.' Kruithof keek hem strak aan. 'Ik heb een naam op te houden. Hagelgeweren zijn niet gewild. Niet vergeleken met pistolen. En ook die leveren maar een fractie van de eigenlijke waarde op. Laten we zeggen hooguit twintig procent.'

'U levert ook de patronen aan de vereniging?'

'Ja.'

'Er zijn er zo'n vijfduizend verloren gegaan.'

'Daar heb ik geen last van.' Kruithof lachte. 'Boter bij de vis.'

'Dus al met al valt de schade voor u mee.'

'Nee,' zei Tina Kruithof. 'Integendeel. We beheren het terrein, maar we hadden ook onze winkel in het verenigingsgebouw. We verkopen niet alleen wapens en munitie, maar ook andere schiet-benodigdheden. Dan moet u denken aan kleding, kijkers, koffers, foedralen, gehoorbeschermers, enzovoort. We zijn natuurlijk ver-zekerd voor wat daar is verbrand, maar onze handel ligt stil, en we hebben geen flauw idee hoe lang dat zal duren.'

'U hebt hier een werkplaats.'

'Jawel,' zei Kruithof. 'Maar daar word ik niet rijk van. Ik repareer en restaureer, en af en toe maak ik een kolf op maat, of ik pas er een aan voor bijvoorbeeld een linkshandige schutter.'

'U importeert niet alleen de wapens maar ook de patronen?'

'Jawel.'

'En u levert aan meer verenigingen?'

'Patronen.' Kruithof knikte. 'Door het hele land.'

'Kunt u bedenken waarom iemand eerst een partij wapens ont-vreemdt, om die vervolgens weer terug te brengen?'

'Daar hebben we het al de hele ochtend over,' zei Tina Kruithof. Ze roerde haar koffie, en bleef roeren. 'En we komen er niet uit. Waarom dan die brand?'

'Het zou niet om de wapens maar om het gebouw kunnen gaan,' zei Brink neutraal.

Kruithof schudde zijn hoofd. 'Dat betekent dan dat iemand een pesthekel heeft aan de vereniging, maar niet aan ons. Het wil er bij mij niet in dat iemand mij zo aardig vindt dat hij alle mogelijke moeite doet om die wapens van het terrein af te krijgen voor hij de zaak in de hens zet.'

'Wie zou er een hekel kunnen hebben aan de vereniging?'

Kruithof spreidde zijn handen. 'Er is een akkefietje geweest over geluidsoverlast, maar dat is alweer een tijdje geleden. Een boer dreigde met een rechtszaak, maar daar is het nooit van gekomen.'

'Iemand met een grief?'

'U bedoelt?'

'Verenigingen staan erom bekend dat er altijd bonje is.' Brink begon op dreef te raken.

'Daar hebt u een punt.' Kruithof lachte, en zijn vrouw lachte mee. 'Wij zijn er vier dagen per week, en dan hoor je het nodige. Ik heb bestuursleden zien komen en gaan, ik heb leden zien komen en gaan. Maar och, dat hoort er allemaal bij. Ze schieten, en daarna gaan ze aan de borrel. Ik zeg altijd: zet twee man aan een bar en ze beginnen een gesprek, zet er een derde bij en het wordt kankeren.'

'Hebt u enig inzicht in het reilen en zeilen?'

'Nee.' Kruithofs gezicht kreeg iets geslotens. 'Ik beheer de boel, en voor de rest heb ik nergens iets mee te maken.'

'Ik zou zeggen van wel,' zei Brink. 'U zult toch worden gekend in bepaalde zaken?'

'Nee. Niet voordat er besluiten zijn genomen.'

Brink nam nog een koekje. 'U bent beheerder, zegt u. Betekent dat dat u in loondienst bent?'

'Jawel. Voor vier dagen per week. Mijn vrouw runt de winkel.'

'Wat houdt uw functie precies in?'

'Ik onderhoud het terrein en de werktuigen, en ik vul en onderhoud de kleiduivenmachines.'

'Ik hoor dat er misschien niet zal worden herbouwd.'

Het echtpaar keek elkaar aan.

'Dan hebben wij een nog groter probleem dan ik al dacht,' zei Kruithof.

23

Nu Ferry de auto bij daglicht bekeek, viel de schade hem eigenlijk mee. Misschien kon het worden opgelost door de lak alleen plaatselijk over te spuiten. Hij bestudeerde een paar diepe krassen die geplamuurd zouden moeten worden. In de auto bleef hij even voor zich uit kijken. Die drie mille was hij waarschijnlijk kwijt, ook al ging hij niet naar de officiële dealer, maar naar het mannetje waar zijn vader zijn auto sinds jaar en dag liet nakijken, omdat het mannetje goedkoper was. Sinds die hele fucking inbraak had hij alleen maar verloren. En wiens schuld was dat? Maar hij ging het die klootzak betaald zetten. Hij zag het voor zich als een filmscène – André die kermend en kronkelend van de pijn op de grond lag, terwijl hijzelf kalm zou instappen en wegrijden.

Hij draaide de contactsleutel om toen zijn mobiel ging. Ongelovig keek hij naar de display. André. Wat een lef had die gozer. Hij drukte hem weg, reed de straat uit en de hoek om. De telefoon ging opnieuw. Hij zette hem op stil en gooide hem op de stoel naast zich.

'Aan het eind van de week,' zei het mannetje. 'Donderdag op zijn vroegst. Eerder heb ik er geen tijd voor.'

'Kunt u hem bijwerken in plaats van helemaal overspuiten?'

Het mannetje hurkte en keek. Hij was inderdaad een mannetje; klein van stuk, blauwe overall vol olievlekken, sigaret in zijn mondhoek en waterige oogjes. Leeftijdsloos. 'Nee.'

'Niet?'

'Nee.' De monteur keek opnieuw, en grondiger deze maal. 'Je bumper hangt los. Montagesteun afgebroken.'

Ferry zweeg.

De monteur lachte een brokkelig gebit bloot. 'Geen geld, zeker?'

'Niet al te veel. Wat moet het ongeveer kosten?'

Het mannetje gooide zijn sigaret weg en zette de hak van zijn zware werkschoen erop. 'Ga maar uit van dik twee mille, dan kan het niet tegenvallen.'

Ferry's humeur klaarde op. 'Oké.'

'Wil hij hem per se gerepareerd hebben?' vroeg de monteur. 'Eigenlijk is het de moeite niet meer. Acht jaar oud en nooit een courant model geweest. Wat heeft hij gereden?'

'Ongeveer honderdveertigduizend.'

'Leg twee mille bij de reparatiekosten en ik heb hier wat leuks voor hem staan. Vertel hem dat maar. Even oud, maar met minder op de teller.' De monteur gaf een schopje tegen het linkervoorwiel. 'En met betere banden. Hier zit geen profiel meer op.'

Ferry schudde zijn hoofd. 'Wil hij niet.'

'Ik zag hem vorige week nog lopen. Oud geworden. Hoe gaat het tegenwoordig met hem?'

'Hetzelfde.'

Het mannetje knikte. 'Niet best dus.' Hij pakte een vuile lap van een olievat en veegde zijn handen eraan af, ten teken dat het gesprek beëindigd was. 'Nou, zet hem hier donderdag maar neer.' Hij liep de schemerige garage binnen.

Ferry liep achter hem aan. 'Wanneer zag u hem?'

De monteur krabde in zijn nek. 'Daar vraag je wat. Ik was op weg naar de sloop om wat dingetjes te halen.' Hij dacht na. 'Dat moet woensdag zijn geweest.'

Ferry keerde met enige moeite op de kleine binnenplaats, waar de occasions en te repareren auto's dicht op elkaar stonden geparkeerd, en draaide de smalle, zonloze straat in. De oude huizen leken steun bij elkaar te zoeken om overeind te blijven, en hier en daar waren ramen dichtgespijkerd met planken of board. Een hond snuffelde aan een dichtgebonden vuilniszak, tilde zijn poot op en sukkelde verder.

Wat deed zijn vader op een werkdag in de stad? Had hij een snipperdag genomen? Maar waarvoor? Hij had geen vrienden meer, ging nergens naartoe. Dat doosje pillen in de badkamer... Had hij naar de dokter gemoeten?

Met een vaag gevoel van onrust besloot hij even langs het bouwterrein te rijden. Ze moesten daar nog bezig zijn, want het was een groot project, waarbij twee aannemers waren betrokken, dat herinnerde hij zich nog. Natuurlijk was er niets aan de hand, en hij zou niet eens stoppen en uitstappen. Vanochtend was uitgesproken wat ze allebei allang wisten, ze hadden elkaar niets meer te zeggen. Waar moest hij in godsnaam naartoe, over een maand? Alles was afgesneden – geen opdrachten meer, geen gemakkelijk, snel verdiend geld. Het beste zou zijn om vakkenvuller te worden. Als er geen hoop meer was, werd je vakkenvuller. En de caravan was er. Het was nog lang geen winter, hij kon het er best een paar maanden uitzingen. Intussen was het een kwestie van een adresje vinden, al klonk dat gemakkelijker dan het was. De oude schoolvriendschappen had hij verwaarloosd, en nieuwe vrienden had hij niet gemaakt. Mo wilde hij niet meer zien, Ron had hij al weken niet gezien, en Marko zat vast. Ron had trouwens een vriendin met wie hij samenwoonde. Die vriendin zou niet blij worden van een permanente logé.

Hij sorteerde voor om de uitvalsweg naar de rand van de stad te kunnen nemen, en besefte dat er tussen zijn vaders leven en het zijne niet veel verschil was.

De bouwplaats lag verlaten. Geen hijskranen, bulldozers of andere machines. Geen keten. Geen metselaars, geen timmerlieden, geen opzichter. Half afgebouwde kantoorpanden, de rijen glasloze ramen als donkere gaten in de gevel, stonden te blakeren in de felle zon.

Verbijsterd reed Ferry over de ijzeren platen op de provisorische weg. Onkruid groeide tussen de spleten, beginnende struikjes schoten op in de berm. Het enige dat herinnerde aan bruisende activiteit waren twee reusachtige borden op palen, die verkondigden dat hier werd gebouwd aan een luxueus bedrijvenpark, en dat er nog ettelijke duizenden vierkante meters kantoorruimte te huur waren.

Wat was dit voor flauwekul? Wat was er gebeurd? Hij stopte voor het bord waarop naam en telefoonnummer van zijn vaders bedrijf werden vermeld en pakte zijn mobiel. Er was een voicemail binnengekomen. 'André. Ik moet je spreken. Bel me onmiddellijk terug.'

Hij lachte hardop. De fucker moest gemerkt hebben dat zijn wapens kwijt waren. De fucker wilde een verklaring. Hij toetste zorgvuldig een boodschap in en verstuurde die. 'Val dood.' Daarna belde hij het aannemersbedrijf. De telefoon ging driemaal over en vervolgens klonk er een metalige stem. 'Dit is de automatische telefoonbeantwoorder van de firma Andriessen. Tot nader order is de firma Andriessen gesloten. Einde bericht.'

Ferry liet zijn raampje zakken en zette de motor af. In de binnenspiegel zag hij dat zijn wang nog steeds rood was, en ietwat opgezet. Hij pakte zijn shag, rolde een sigaret en stak die op. Stapte uit en begon te lopen.

Hij liep tussen de gebouwen door, waar de wind stukken plastic en papier voor zich uit joeg en lege bierblikjes heen en weer liet rollen, keek naar het schoon metselwerk van de muren en probeerde daarin zijn vaders hand te herkennen. Realiseerde zich dat zijn vader waarschijnlijk al weken geen werk meer had, dat hij niettemin al weken elke ochtend vroeg was opgestaan en vertrokken op weg naar nergens, dat hij al weken aan het eind van de middag was thuisgekomen na een lege dag.

Geen wonder dat hij geen lunchpakket meer had klaargemaakt, dat de wasmachine niet meer driemaal per week draaide om zijn werkkleren schoon te krijgen. Geen wonder dat hij zei dat hij niets meer had. Het was waar.

Hij gooide zijn sigaret naar binnen door een van de dode ramen en ging op weg naar de auto.

■

Brands en Vening waren in hun surveillancewagen niet ver van de spoorbrug verwijderd toen er een oproep kwam met het verzoek daar te gaan kijken. Vening keerde alvast.

'Wat is er aan de hand?' vroeg Brands.

'Een eindje voor de brug zit iemand te vissen die zegt dat hij geknal hoort. Klinkt volgens hem als schoten, en hij zag een dooie eend langs drijven.'

'Waar komt het precies vandaan?'

'Achter de brug, maar aan de stadkant van de rivier.'

Ze naderden de spoorbrug over de smalle dijk, en Brands liet zijn raampje zakken. 'Rij even zo langzaam mogelijk.'

Vening minderde vaart en schakelde terug terwijl Brands luisterde. Ze passeerden de visser op zijn klapstoeltje. De auto achter hen durfde niet te passeren. Na een paar honderd meter stak Brands zijn vinger op. 'Hij is er nog.' Hij wees vooruit naar een kleine parkeerhaven. 'Zet hem daar neer. We gaan een stukje lopen.'

Ze stapten uit en daalden de in de dijk uitgespaarde trap af naar het jaagpad. Twee knallen gingen bijna verloren in het lawaai van een over de brug denderende goederentrein. De brug stak aan weerszijden ver het land in, de felblauw geschilderde constructie een vloek te midden van de weilanden, waar plukjes schapen het spiegelbeeld leken van de wolken die boven hen dreven.

Vening wees omhoog naar de dijk. 'Dat zal zijn auto zijn. Ik denk dat hij net na de bocht zit.'

Brands wierp een blik op het aftandse witte Opeltje dat in de berm was geparkeerd. 'Dat wordt nog een flink eind lopen voor hem, straks.'

Boven hun hoofd raasde een nieuwe trein langs. Brands maakte zijn holster open. 'We gaan hier weer even omhoog. Beter dat wij hem het eerst zien.'

Met één hand steunend op de grond om niet weg te glijden, beklommen ze de steile dijk. De schutter moest zich pal achter de verste pijler bevinden, want de knallen klonken nu van heel dichtbij. Brands gebaarde naar de overkant van de weg, van waaruit ze onzichtbaar moesten zijn voor iemand die aan het water stond. Vening knikte. Geluidloos liepen ze over het asfalt. Het volgende schot kwam van recht beneden hen, en half gebukt staken ze opnieuw over.

De schutter stond op de oever met zijn rug naar hen toe, wijdbeens, geweer aan de schouder. Een jonge knul, klein en tenger, spijkerbroek, kort leren jasje. Naast hem lagen twee witte doosjes in het gras. Vening maakte aanstalten de dijk af te dalen.

'Kalm aan,' zei Brands zachtjes. 'Het is een dubbelloops, hij heeft nog een schot.' Terwijl hij sprak, legde hij de hand op zijn wapen.

Ze hoefden maar een seconde te wachten. De terugslag deed de schutter wankelen, en Brands schudde zijn hoofd. 'Klojo.'

Vening nam de helling in volle vaart, zijn broekspijpen ritselend door de droge begroeiing. De schutter bukte zich naar de doosjes, maar keek om, gealarmeerd door het geluid. Bij het zien van de uniformen liet hij zijn geweer vallen en begon te rennen.

Vening was ook jong, en in goede conditie. Brands keek met enige bewondering toe hoe hij de jongen na hooguit vijftig meter te pakken had, tegen de grond werkte en boeide. Hij kwam ermee terug als een jachthond met een patrijs.

Brands raapte het geweer op en de doosjes, die waren bedrukt met opschrift Gamebore White Gold, met op het deksel de vermelding Calibre 12, Load 24. Het ene was leeg, in het andere rammelden nog zes hagelpatronen.

■

'Serienummers?' zei Brink schuldbewust. 'U krijgt ze over tien minuten.'

'Het was de bedoeling dat je die in je rapport vermeldde,' zei Vegter.

De tien minuten werden er twintig, terwijl hij voor het raam stond en hoopte op geluk. Het terras van het eetcafé zat alweer vol, de parasols uitgeklapt ondanks dat de zon verstek liet gaan en de wind kastanjebladeren wervelend door de goot joeg.

Die ochtend had Vegter op de parkeerplaats een kastanje opgeraapt, die nu op zijn bureau lag als bewijs dat de natuur zelfs in de stad onverstoorbaar haar gang ging. Het was lang geleden sinds hij een kastanje in zijn broekzak had gestopt, de gladde schil onder zijn vingers had gevoeld. Over een paar jaar zou hij ze met zijn kleinkind rapen, zoals hij vroeger met Ingrid had gedaan. Ze mee naar huis nemen, waar de verrukking over die glanzende, roodbruine schat al snel zou wegebben, omdat je met kastanjes weinig méér kon doen dan ernaar kijken en er prikkers in steken, zodat er na een paar weken alleen nog een hoopje verdroogde, doffe bolletjes over was.

Achter hem ging de telefoon.

'Ik heb ze hier,' zei Brink. Hij klonk een beetje buiten adem.

'Waarom duurde het zo lang?'

'Ik had de aantekening per ongeluk in de zak van mijn overhemd laten zitten.' Brink aarzelde nauwelijks merkbaar. 'Ik moest even iemand anders inschakelen.'

Een nieuwe liefde, een nieuwe wasmand. 'Geef maar.'

Brink las de nummers op, en Vegter voelde zich als iemand met een winnend lot toen hij zag dat het serienummer van het in beslag genomen wapen overeenkwam met dat van een van de ontbrekende geweren van de wapenhandelaar. Hij belde Renée. 'We gaan nu naar hem toe.'

'Ik kom.'

'Het is niet van mij,' zei de jongen. Dat had hij ook onderweg in de surveillancewagen al gemeld. 'Ik heb het geleend.'

Hij zat in elkaar gedoken op zijn stoel, leren jasje tot de kin dichtgeritst alsof hij het koud had. Hij had Renée van hoofd tot voeten opgenomen en haar daarna genegeerd.

'Daar komen we zo op,' zei Vegter. 'Laten we bij het begin beginnen.'

De patronen die de jongen had gebruikt, bevatten hagelkorrels identiek aan de korrels die in en rond het lichaam van Ernst Reekers waren aangetroffen; doorsnede 2,5 millimeter. Telling van het aantal korrels in en rond Ernst Reekers wettigde de veronderstelling dat het in beide gevallen ging om patronen 24. Hoewel er nog geen enkele conclusie getrokken kon worden, zou de hoofdinspecteur niet ontevreden zijn.

'Wat is uw naam?'

'Mo Alzouri.'

'Mo?'

'Mohammed.'

Ze werkten de overige persoonsgegevens af, terwijl de jongen onrustig draaide op zijn stoel en in zijn oren pulkte. Renée stond op en verliet de kamer. Toen ze terugkwam, legde ze een briefje voor Vegter neer: veroordeeld wegens overval onder bedreiging met een mes.

Vegter ging wat gemakkelijker zitten. 'Hoe kwam u aan dat geweer?'

'Geleend.'

'Van wie?'

'Van een vriend.'

'Wat is de naam van die vriend?'

'Ik kan zijn naam niet zeggen. Dan komt hij in de problemen.'

'Nu zit u in de problemen,' zei Vegter met opzettelijk zachte stem. 'Ongeoorloofd wapenbezit, ongeoorloofd gebruik van het wapen, en bovendien op een plaats waar dat niet is toegestaan.'

'Wat?' De jongen stopte een pink in zijn rechteroor en bewoog hem heen en weer.

Vegter glimlachte. 'Nooit schieten zonder gehoorbeschermers.' Brands en Vening hadden ook de in het gras verspreid liggende patroonhulzen meegenomen. Mohammed Alzouri had vierenveertig schoten gelost. 'Naar alle waarschijnlijkheid hebt u blijvende gehoorschade opgelopen.'

De jongen staarde langs hem heen.

'Ik zal de punten even herhalen,' zei Vegter. 'Want ik wil graag dat die goed tot u doordringen.' Hij telde af op zijn vingers. 'Ongeoorloofd wapenbezit, ongeoorloofd wapengebruik, en op een plaats waar dat niet is toegestaan. Daarnaast vluchtpoging bij aanhouding. Het lijkt me verstandig dat u de naam van uw vriend noemt.'

Mohammed zweeg.

'Heeft uw vriend een verlof?'

'Wat?'

'Heeft hij een vergunning voor het bezit van een hagelgeweer?'

'Weet ik niet.'

'Gaf hij u de patronen?'

'Ja.'

'Het is een duur wapen,' zei Vegter. 'Kunt u me uitleggen waarom uw vriend zijn geweer zou uitlenen aan iemand die nog nooit heeft geschoten? En dan niet eens onder zijn toezicht?'

'Ik heb wel vaker geschoten.'

'Dat hebt u niet. Als u dat wel had gedaan, had u geweten dat je je oren moet beschermen. Hij zou het u hebben verteld. Hij zou u ook lichtere patronen hebben gegeven.'

Brands was een enthousiast schutter en had een kleine demonstratie gegeven. 'De knul sloeg zowat achterover. Geen benul van waar hij mee bezig was. Zijn schouder moet bont en blauw zijn.' De rechterwang van Mohammed Alzouri was ook blauwig, en lichtelijk gezwollen.

'Een vriend zou dat hebben gedaan,' zei Vegter. 'Mits hij had bestaan. Blijft u bij deze verklaring?'

Mohammed knikte onverschillig.

'Misschien bedenkt u zich als ik u vertel dat het geweer waarmee u schoot, afkomstig is van een partij gestolen wapens. Er zijn vierenveertig wapens ontvreemd. Dit is er een van.'

De jongen schudde zijn hoofd. 'Ik heb daar niks mee te maken.'

'Waar was u afgelopen vrijdagavond?'

'Dat weet ik niet meer.'

Renée boog zich naar voren. 'Behalve op grond van de overige strafbare feiten kunnen we u vasthouden op verdenking van inbraak, diefstal en brandstichting.' Ze keek naar Vegter, die toestemmend knikte. 'En bovendien op verdenking van moord, gepleegd met dit wapen.'

'Bullshit!' Mohammeds kaken werkten alsof hij van plan was op de vloer te spuwen. 'En ik praat niet met jou. Ik praat met hem.'

'Rechercheur Pettersen is geen jou maar u,' zei Vegter. 'Waar was u afgelopen vrijdagavond?'

'In een discotheek.'

'Welke?'

'In The Box.'

'Met wie?'

'Alleen.'

'Is er iemand die kan bevestigen dat u daar bent geweest?'

De jongen haalde zijn schouders op. 'De portiers misschien.'

'Vanaf hoe laat was u daar?'

Mohammed hoefde niet lang na te denken. 'Vanaf ik denk ongeveer tien uur.'

'Tot hoe laat?'

'Tot ongeveer drie uur.'

'Bent u daarna naar huis gegaan?'

'Ja.'

'Kan iemand bevestigen dat u na drie uur thuiskwam?'

'Nee.'

'Waarom niet?'

'Mijn moeder wordt nooit wakker als ik thuiskom.'

'En uw vader?'

'Hij woont in Marokko.'

'Woont u alleen met uw moeder?'

'Nee. Mijn broertje ook.'

'Kan hij u hebben horen thuiskomen?'

'Hij was nog niet thuis.'

'Waar was u afgelopen zondagochtend tussen zes en negen uur?'

'Thuis. In bed.'

'Kan iemand dat bevestigen?'

'Mijn moeder maakte mij wakker.'

'Hoe laat?'

Mohammed keek getergd naar het plafond. 'Ongeveer om elf uur.'

'Dat u om elf uur in bed lag, hoeft niet te betekenen dat u dat ook deed tussen zes en negen uur,' zei Vegter. 'Al met al is er geen enkel bewijs voor wat u mij vertelt. Laat het goed tot u doordringen dat er zeven verdenkingen tegen u zijn, waarvan vier zeer ernstig.'

De jongen keek hem strak aan. Een mooie jongen, de ogen groot en glanzend aan weerszijden van de smalle neus, het dikke zwarte haar pas geknipt, het lichaam fijn maar goed gebouwd. Wat niet paste bij zijn jeugd was de harde, berekenende blik.

Vegter wachtte, maar de jongen gaf geen krimp. Negentien jaar, door de wol geverfd en niet meer te imponeren. 'U wenst uw ver-klaring niet te wijzigen?'

'Nee.'

'Dan krijgt u een nachtje bedenktijd.' Vegter stond op. 'Ik kom morgen opnieuw met u praten.'

■

'Paul,' zei Renée. 'Dwaal je niet te veel af?'

'Hoe bedoel je?'

'Je concentreert je nu alleen op het wapen.'

'Omdat ik het idee heb dat daar de crux zit,' zei Vegter.

'Daar heb je geen enkel bewijs voor.'

'Het is ook maar een gevoel,' zei hij geduldig.

Ze zaten op het terras van het eetcafé schuin tegenover het bureau. Vegter voelde zich vaag schuldig, maar had de verleiding niet kunnen weerstaan. De frituurlucht in de kantine bedierf zijn eetlust eerder dan dat hij die opwekte, en het was maanden geleden dat hij en Renée hier samen hadden geluncht, waar week in week uit dezelfde serveerster bediende alsof ze geen recht had op vakantie. Het was als vanouds, en hij kon alleen maar hopen dat Renée er net zo over dacht. Dit was trouwens geen lunch, het was een maaltijd waarvoor geen naam bestond; vier uur 's middags, je zou het desnoods een vroeg diner kunnen noemen.

'Ik heb alle rapporten met betrekking tot Wissink gelezen,' zei Renée. 'Zoals je vroeg.'

Hij knikte. 'En?'

'Heb jij alles over Reekers gelezen?'

'Ja.'

'Zie jij overeenkomsten?'

'Het geweld,' zei Vegter. 'Dat is disproportioneel. Maar niet uitzonderlijk.'

'Nee. Maar twee van zulke gevallen in zo korte tijd… De vrouw van Leo Wissink heeft nog nooit gehoord van dokter Reekers. Mevrouw Reekers heeft nog nooit gehoord van Wissink. Ik heb het hun gevraagd. In de administratie van Reekers is de naam Wissink niet te vinden. Ik heb de kazerne gebeld en gesproken met de wachtcommandant. Ze kennen daar de naam Reekers omdat ze alle huisartsen in de omgeving geregistreerd hebben staan, al is dat sinds de invoering van de huisartsenposten eigenlijk niet meer nodig. Bovendien hebben ze natuurlijk hun eigen legerarts.' Ze prikte een plakje komkommer aan haar vork.

Om hen heen zaten mensen witte wijn en bier te drinken. Vegter keek met enige jaloezie naar de schuimkraag op de beslagen glazen. 'Toch denk jij dat er een connectie is.'

'Ja.'

'Waarom?'

'Jij vertelde me dat Heutink zich afvroeg of het mode werd om legerwapens te gebruiken.'

'En toen zei ik dat een hagelgeweer bepaald geen legerwapen is.'

'Dat is het ook niet, dat weet ik.' Ze dronk haar glas water leeg. 'En elke sufferd kan een bajonet aanschaffen. Misschien is het alleen de efficiëntie en de kilheid van beide gevallen.'

'Hij heeft me nog gebeld,' zei Vegter. 'Heutink. Om me te vertellen waarvan hij zich Reekers herinnerde. Hij heeft hem ontmoet op een artsencongres. Heutink moest daar een praatje houden, en bij het diner kwam hij naast Reekers terecht. Enfin, zoals hij zelf al zei: het doet er niet meer toe.'

'Dit zijn wraakmoorden,' zei Renée. 'Ben je dat met me eens?'

'Het lijkt het waarschijnlijkst. En ik hoop dat het zo is, omdat je anders helemaal geen aanknopingspunten hebt.' Vegter pakte het laatste stuk stokbrood en depte daarmee de dressing van zijn bord. Het zou vast niet lang meer duren voor hij zo'n bord sla werkelijk lekker ging vinden. 'Tot nu toe hebben we geen enkel houvast. Met alle patiënten van Reekers die bereikbaar zijn, worden gesprekken gevoerd. Patiënten die een andere huisarts namen worden nagelopen. Op dit moment wordt er gepraat met collega's en specialisten naar wie hij heeft doorverwezen. Tot dusver geen resultaat. Vrienden- en kennissenkring idem. Bij Wissink hetzelfde laken een pak. Als jij gelooft dat we met dezelfde dader te maken hebben, moeten we Dorhout dus laten gaan. Hij wordt trouwens morgen voorgeleid.'

'En wat gaat er gebeuren, denk je?'

'Ik denk niet dat er voldoende argumenten zijn om hem vast te houden. Ik heb daarstraks opnieuw met hem gepraat, en ik moet zeggen: ik twijfel sterk. Nu hij al een paar dagen nuchter is, is hij een stuk redelijker. Hij ziet in dat hij een probleem heeft, maar hij blijft er vrij laconiek onder. Komt er rond voor uit dat hij geen traan zal laten om Wissink. Maar er zit ook te veel tijd tussen.'

'Waartussen?'

'Tussen het onrecht dat hem door Wissink is aangedaan, en de moord. Hij zwelgt in zelfbeklag. Een van die mensen die zich permanent gekwetst voelen. Maar hij heeft allang afstand genomen van zijn ex-vrouw. Beschouwt haar als een halve hoer waar hij geen enkele binding meer mee heeft. En zelfs al zou dat niet zo zijn, dan zie ik hem die moord op deze manier niet plegen. Niet zo goed voorbereid, en niet op dat tijdstip. Ik acht hem zeker in staat tot het gebruik van een bajonet, maar dan bijvoorbeeld in dronkenschap in de kroeg, of voor mijn part op een voetbaltribune.'

'Waarmee we terug zijn bij af,' zei Renée. Ze legde haar mes en vork neer. 'En terug bij mijn ongefundeerde mening dat er een verband is.'

Hij wenkte de serveerster. 'Zolang jij me niet kunt vertellen waarop je die dadertheorie baseert, kun je me niet overtuigen.'

'Het is niet meer dan een gevoel.' Haar blik was ironisch. 'Moet jouw onvolprezen invloed zijn.'

24

Talsma verliet het ziekenhuis en bleef voor de ingang staan om een sigaret te rollen. Een paar meter verderop deed een man die aan een rijdend infuus vastzat hetzelfde. Een gotspe, dacht Talsma. Hij knipte zijn aansteker aan en inhaleerde diep. Nicotine leidde nergens toe, maar troostte voor zo lang de sigaret duurde.

Hij had de schone was van het rek gehaald dat hij 's nachts nog op het balkon had gezet, en die in een plastic tasje meegenomen. Akke had haar hoofd geschud bij het zien van de gekreukte shirts en de verfrommelde slipjes. 'Je moet het met knijpers ophangen, Sjoerd, dit kan zo niet.'

Alsof ze niets anders had om zich druk over te maken. Hij begreep het wel; het was haar uiting van zorg om hem, en daarnaast een poging voeling te houden met haar leven. Nu al was er verwijdering tussen hen. Hij zat daar onhandig op een krukje, wist geen raad met zijn benen, zocht naar gespreksstof. Hij kon ontsnappen – naar buiten gaan, de zon zien en de wind voelen, terwijl haar wereld was gekrompen tot een bed, onderzoeken en het ijzeren ziekenhuisregime.

'Hoe gaat het nou met je?'

'Best.'

'Wat zei de dokter?'

'Nog niet veel. Poliepen in de blaas. Daar maakt hij zich geloof ik een beetje zorgen om.'

De blaas. Alsof het niet háár blaas betrof, alsof ze boven haar eigen lichaam zweefde en met welwillende belangstelling kennisnam van het feit dat dat lichaam haar in de steek liet. Met dezelfde afstandelijkheid had ze gemeld dat ze de volgende dag een darmonderzoek zou ondergaan. 'Ik had wat problemen, de laatste weken.'

'Dat heb je me niet verteld.'

'Nee, jij had het druk na de vakantie, en ik dacht, och…'

'Famke…'

Ze was rechtop gaan zitten, klein in het grote bed, en oud. Het was alsof hij keek naar een onbekende vrouw. Natuurlijk had hij haar zien verouderen, maar in zijn geest bleef het beeld dat van de felle meid op wie hij verliefd was geworden, aantrekkelijk door het karakter dat sprak uit haar smalle gezicht, de gedecideerde stem, de vlugheid van haar bewegingen. Nu was haar huid gerimpeld en schraal, haar witblonde haar kleurloos, pluizig dun en nog niet eens fatsoenlijk aangegroeid na de chemokuren.

'Niet doen, Sjoerd. Ik kan dit alleen maar als ik weet dat jij je wel zult redden.'

Hij was nog kwaad geworden ook. Was bijna gaan schreeuwen, zodat in de andere bedden hoofden werden omgedraaid. Goddank was er geen hond die Fries verstond. 'Ik red me niet. Ik wil me niet redden! En als je nou weer over dat huis begint, sta ik op en loop ik weg. Út!'

Maanden geleden, na haar eerste aanvaring met kanker, had ze hem aan de kop gezeurd, hem aangeraden het huis in Friesland te verkopen. 'Wat moet je daar als man alleen, Sjoerd?'

Ze was gaan huilen, en dat had hem onmiddellijk gekalmeerd. De laatste keer dat hij haar had zien huilen was toen haar vader werd begraven, die in Brabant had gewoond, hertrouwd na haar moeders dood. Ondanks het feit dat er bijna uitsluitend Brabanders aanwezig waren, had ze haar toespraakje niet in het Nederlands gehouden. Rouwen deed zij in het Fries.

Nu rouwde ze ook. Hij had het opeens begrepen, en hij was weggegaan, sprakeloos.

De man met het infuus drukte zijn minieme peukje uit in de metalen, met zand gevulde asbak naast de ingang en verdween met slepende tred door de draaideuren.

Gij die hier binnentreedt, laat alle hoop varen. Talsma gooide balorig zijn sigaret in het taxushaagje dat het pad omzoomde. Jezusmaria, misschien had ze gelijk. Wat moest hij alleen in dat huis?

Toen hij naast het bureau parkeerde, gaf de dashboardklok aan dat hij al ruim twintig minuten te laat was voor de afspraak met de directeur van Safety First. Om psychologische redenen besloot hij er nog vijf minuten bovenop te doen door eerst een beker koffie te halen.

Koffie in de hand kwam hij de kamer binnen waar de directeur met over elkaar geslagen armen op hem zat te wachten. Een tailleloze dertiger in een zwart pak waarvan het jasje om de schouders spande. Wit overhemd een knoopje te ver open, geen das, kaalgeschoren hoofd. Waarom dachten al die securityjongens dat ze moesten lijken op een Amerikaanse marinier?

Hij kreeg een ietwat zweterige hand. 'Zaalman.'

Talsma mompelde zijn naam en liep om het bureau heen, zette zijn koffie neer en noteerde dat Zaalman ernaar keek.

'Ik wil van u graag weten door wie en hoe laat u afgelopen vrijdagavond bent gebeld met betrekking tot een weigerend alarm in het verenigingsgebouw van de kleiduivenschietvereniging,' zei hij zonder verdere plichtplegingen.

'Door de voorzitter, Wout Landman, om ongeveer kwart voor elf.' Zaalman had een lichte stem, te licht voor zijn postuur. 'Maar dat had ik ook al verteld aan een collega van u. Zijn naam weet ik niet meer.'

'Dat is me bekend,' zei Talsma kalm. 'Welke actie hebt u ondernomen?'

'Ik heb de jongens gebeld die die avond dienst hadden en hun gezegd een paar keer extra langs te rijden.'

'Hebben zij toegang tot het gebouw?'

'Ze hebben een sleutel van het toegangshek.'

'Wat doen ze tijdens zo'n controle?'

'Ze maken het hek open, lopen rond het gebouw en checken of alles in orde is. Deuren gesloten, ramen heel.'

'Hoe laat kwamen ze er vrijdagavond voor de eerste keer?'

'Tegen elven. Ze waren er niet ver vandaan toen ik ze belde, en ik heb instructie gegeven de route om te gooien.'

'Hoe laat waren ze er voor de tweede keer?'

'Om twintig voor een.' Zaalman haalde een vel papier uit de binnenzak van zijn colbert en legde het op het bureau. 'Dit is een print van hun route die nacht.'

Talsma negeerde het papier. 'Hoe vaak komen ze gewoonlijk per nacht?'

'Drie keer, gerekend vanaf elf uur tot 's ochtends zeven.'

'Dus gemiddeld elke drie uur?'

'Klopt.'

'Ze zijn om twintig voor een niet tot aan het toegangshek gereden,' zei Talsma. 'Laat staan dat ze rond het gebouw zelf zijn gelopen.'

Zaalman wreef over zijn kin. Aan zijn pink glom een zegelring, onder de mouw van zijn colbert een schakelarmband. 'Hoe bedoelt u?'

'Wat ik zeg. Er is daar een ruit, dubbel glas, vernield, er is een gat geslagen in een stenen muur van de winkel waar wapens lagen opgeslagen, vier vitrinekasten met veiligheidsglas zijn opengebroken, er zijn een kleine vijftig wapens ontvreemd en getransporteerd vanaf het gebouw naar een voertuig dat buiten het hek stond geparkeerd. Daarna is er brand gesticht.' Talsma blufte, maar hij had de plattegrond zorgvuldig bestudeerd. 'De deur van de wapenwinkel was nog intact. Stalen deur, goeie kwaliteit. Er is niet aan het slot geknoeid. Ze zijn die winkel binnengekomen via de muur. Halfsteens muur. Er gaat tijd in zitten om die tot puin te rammen. Ik weet niet of u de situatie ter plaatse kent?'

Zaalman knikte. 'Ik heb er met vrienden weleens een rondje geschoten.'

'Dan weet u dat de afstand tussen toegangshek en gebouw zo'n tweehonderd meter is. Het hek was afgesloten toen de brandweer ter plaatse kwam.'

'Ja, natuurlijk.' Zaalman legde zijn handen op zijn knieën. 'De jongens hebben het na hun tweede check weer op slot gedaan.'

'Dat hebben ze niet,' zei Talsma. 'Bij hun tweede controle zijn ze niet verder gekomen dan de afslag vanaf de doorgaande weg naar het terrein.'

'Hoe komt u daarbij?'

Talsma dronk op zijn gemak zijn koffie. 'Alle handelingen die ik daarnet opsomde, kunnen onmogelijk hebben plaatsgevonden tussen, laten we het afronden, één uur en tien voor twee. Tien voor twee was het tijdstip waarop door uw mensen de brand werd gemeld.'

'Wie zegt dat?'

'Wie zegt wat?'

'Dat dat niet kan? U kunt toch niet weten hoe lang dat allemaal heeft geduurd, wat u me net vertelt?'

'Zelfs al waren ze met zijn achten,' zei Talsma. 'Wat ik niet geloof, want dan hadden ze een touringcar moeten huren – zelfs al waren ze met zijn achten, dan nog konden ze niet in vijftig minuten voor elkaar krijgen wat ze voor elkaar hebben gekregen.'

Zaalman greep opnieuw naar zijn binnenzak. 'Mag ik hier roken?'

'Dit is een rookvrij gebouw,' zei Talsma spijtig.

Zaalman zakte terug. 'Wat u beweert is je reinste flauwekul.'

'Dat is het niet.'

'Dan zal ik mijn werknemers hierop aanspreken.'

'Doe geen moeite. Dat heb ik al gedaan.' Voor het eerst die dag vermaakte Talsma zich uitstekend. Deze snelle jongen was uitgegaan van het adagium dat hoe minder mensen van iets wisten, hoe beter het was. Meestal klopte dat, maar deze keer niet. De knullen waren als lammeren geweest. Allebei pas een paar maanden in dienst, bijna gretig in het afleggen van een verklaring. Had Zaalman hun een paar honderd euro beloofd, zouden ze alles hebben verklaard wat hij wilde.

'Hoe lang kent u Wout Landman al?'

'Een paar jaar.'

'Wat is een paar?'

'Een jaar of vier.'

'U bent bevriend?'

'We hebben weleens samen geschoten. Hij had…'

'Hij had?' zei Talsma aanmoedigend.

'Hij had een bedrijf in gebruikte wagens. Zo hebben we elkaar ontmoet.'

'Ik dacht dat hij zwembaden aanlegde.'

'Dat is hij daarna gaan doen.'

'Van gebruikte wagens naar zwembaden is zo op het oog geen logische stap, nou?' zei Talsma gemoedelijk.

'Misschien niet.' Zaalman probeerde een gemakkelijker houding te vinden op de rechte houten stoel. 'Dat moet u hem vragen.'

'Dat zal ik zeker doen,' zei Talsma. 'Maar wat was de reden van uw kennismaking?'

'Ik wilde een taxibedrijf beginnen.'

'En is dat gelukt?'

'Jawel, maar er zat niet voldoende brood in.'

'Niet sinds de taxiwet is aangescherpt,' zei Talsma begrijpend. 'Dus toen besloot u een beveiligingsbedrijf te proberen?'

'Ja.'

'En dat loopt goed?'

'Wij zijn in twee jaar gegroeid van twee naar acht man,' zei Zaalman met enige trots.

'Wat beveiligt u zoal?'

'We hebben veel particuliere klanten in Zuid, maar ook bedrijven en verenigingen.'

'Zoals de kleiduivenschietvereniging.'

'Ja.'

'De vereniging had een contract met een ander bedrijf,' zei Talsma. 'Dat hadden ze al zes jaar. Toch besloten ze om over te stappen naar Safety First. Waarom?'

'Wij waren goedkoper. En we leverden dezelfde kwaliteit.'

'Leverden is het goeie woord,' zei Talsma. 'Want afgelopen vrijdag hebben uw mensen een steekje laten vallen. In uw opdracht.'

'Niet waar.'

'Jawel,' zei Talsma geduldig. 'Ze moesten om elf uur langsrijden, het hek openmaken en al die flauwekul meer, en vervolgens rond kwart voor een even vanaf de provinciale weg naar rechts kijken, maar vooral niet oprijden tot aan het hek. Pas tegen tweeën, bij de volgende controle, moesten ze dat weer wel doen. Ze zijn gewend, hoorde ik, aan wijzigingen in hun schema en route, dus ze keken er niet raar van op.'

Hij had zich afgevraagd wat het nut was van je goeie geld uitgeven aan een beveiligingsdienst als je in ruil daarvoor twee knullen van twintig kreeg die niet hadden geleerd verder te kijken dan hun neus lang was.

Zaalman streek over zijn schedel, waarover een waas van zweet lag.

'Dat gaf onze inbrekers de gelegenheid om te doen wat ze moesten doen,' zei Talsma. 'En Safety First bleef keurig buiten schot.' Opeens had hij er genoeg van. Aan dit soort stommelingen was geen eer te behalen. 'Nou, wat wordt het, legt u meteen een verklaring af? Dan kunnen we allebei naar huis.'

'Ik verklaar niks,' zei Zaalman.

'Best,' zei Talsma inschikkelijk. 'Dan blijft u hier nog even.' Hij reikte naar het opnameapparaat. 'We doen dit gesprek nog een keertje over, maar dan wat uitgebreider.'

■

Nu het allemaal zo lag, had Ferry besloten dat hij de auto die paar dagen voor zichzelf zou houden. Het bespaarde hem de kosten van een huurauto. Hij moest zuinig zijn, hij zou zijn geld, of wat er nog van overbleef, straks hard nodig hebben. Zijn vader had de auto waarschijnlijk al die tijd ergens in de buurt geparkeerd, en mocht hij willen weten waarom hij hem een week lang niet kon gebruiken, dan had hij daar wel een antwoord op. Hij ging schoon schip maken, al begreep hij zelf niet waarom. Wat kon hem zijn vader schelen? Wat wilde hij afronden, als er iets af te ronden viel? Toch moest het. Daarom reed hij naar het privéadres van Nico Andriessen.

De aannemer had goed voor zichzelf gezorgd. Hij had net buiten de stad een huis gebouwd met een riante maar nog kale tuin eromheen. Twee pilaren torsten het afdak bij de voordeur, en aan de rechterkant was een ronde toren gedacht, die meters uitstak boven het blauwe pannendak. Het geheel was opgetrokken in witte steen, schril afstekend bij het nuchtere groen van een beginnend grasveld.

Er stonden verscheidene auto's op de oprit, maar op Ferry's bellen werd niet opengedaan. Over roze flagstones liep hij om naar de achterkant, waar een geanimeerd gezelschap in diverse stadia van ontkleding rond een zwembad troepte. Hij herinnerde zich het gezicht van Andriessen nog, maar het duurde even voor hij hem ontdekte, druk in de weer bij een grote, gemetselde barbecue. Andriessen droeg een schort over zijn bermuda, en toen Ferry dichterbij kwam, kon hij de tekst lezen waarmee het schort in olijk vlammende letters was bedrukt. *Deze man lust alle soorten vlees.*

Ferry ging naast hem staan. 'Meneer Andriessen?'

'Jawel.' Onder zijn baseballpet was Andriessens gezicht rood aangelopen. 'Jij bent de oesterman? Je bent laat, knul, er wordt met smart op je gewacht.'

Ferry had nog niets gegeten, en de lucht van schroeiend vlees maakte hem onpasselijk. 'Ik ben Ferry Elsman, en ik moet u spreken.'

'Elsman?' Andriessen legde verbaasd zijn vleestang neer en greep het glas bier dat op een hoek van de barbecue stond. 'Ach, verrek, nou zie ik het. Een zoon van Fred. Je bent groot geworden, jongen.'

'U hebt mijn vader ontslagen,' zei Ferry strak. 'Waarom?'

Andriessens lach verdween. 'Wat maak jij nou? Ik heb hier geen tijd voor, ik heb gasten. Kom morgen maar terug.'

'Nee,' zei Ferry. 'Ik wil nu een antwoord.'

'Zeg,' zei Andriessen. 'Ben jij besodemieterd. Dat komt hier ongevraagd, en dat denkt mij ter verantwoording te kunnen roepen in mijn eigen tuin. Oprotten.'

Een van de gasten kwam aangedwarreld en legde een arm rond Andriessens schouder. 'Hoe staat het met de karbonaadjes?'

Andriessen schudde de arm af. 'Nu niet, Frans, ik ben bezig.' Hij pakte de vleestang weer en drukte die zijn aangeschoten gast in de hand. 'Hou het in de gaten. Ik moet even iets afhandelen.' Hij greep Ferry bij zijn bovenarm en draaide hem om. 'We gaan die kant op.'

Ze liepen langs de korte zijde van het zwembad naar de overkant, waar het pad werd afgebiesd door een verse windhaag van coniferen. Andriessens schuimrubberen slippers maakten zuigende geluidjes op de vochtige tegels. Buiten gehoorsafstand van zijn gasten bleef hij staan. 'Wat wou je nou, jochie?'

'Mijn vader heeft bijna twintig jaar voor u gewerkt,' zei Ferry. 'Ik wil weten waarom u hem hebt ontslagen.'

'Zo,' zei Andriessen. 'Wil jij dat weten. Dan zal ik het je vertellen. Ik heb ze allemaal moeten ontslaan, omdat ik niet anders kon. Het is een en al malaise in de bouw. De recessie, weet je wel? Of lees je geen kranten?'

Ferry keek naar het huis, waarvan de achterpui bijna helemaal uit glazen deuren bestond die uitnodigend openstonden. Hij keek naar de parasols, het blauwe zwembadwater, de gasten die met gejuich de oesterman begroetten die eindelijk was gearriveerd. 'Bent u failliet?'

'Zo goed als,' zei Andriessen. 'Zo goed als.' Hij nam zijn pet af en veegde zweet van zijn voorhoofd, zette de pet weer op. 'Ik zal eerlijk tegen je zijn, jongen. Ik begrijp dat je je zorgen maakt om je vader. Hij heeft een hoop voor zijn kiezen gekregen, ik weet er alles van. Maar het zijn moeilijke tijden, ook voor mij. Zodra ik er weer een beetje bovenop ben, neem ik hem weer aan. Hij staat boven aan mijn lijstje. Goeie vakman. Maar op dit moment…' Hij zuchtte. 'We hebben ons in de luren laten leggen. Nooit gedacht dat het mij zou overkomen, maar hier sta ik.' Hij liet zijn hand zwaar op Ferry's schouder neerkomen. 'Ik waardeer het dat je voor je vader opkomt, dat moet je van me aannemen. Ik waardeer het. Maar ik kan hem even niet helpen. Ik heb genoeg aan mijn eigen sores.'

De warmte van zijn hand herinnerde Ferry aan André, maakte dat hij zich voelde krimpen. Dit soort mannen walste over je heen, verpletterde je met hun op geld gebaseerde arrogantie, kneep je uit en liet je leeg achter. Het was dit soort mannen door wie zijn vader was vernield. Maar dat zou hem niet overkomen, hij zou het niet laten gebeuren. Hij sloot een moment zijn ogen tegen de schittering van het kabbelende water. Aan de overkant klonk een plons, druppels spatten op en gasten applaudisseerden toen een jonge vrouw bovenkwam en lachend het haar uit haar gezicht streek.

'Enfin,' zei Andriessen. 'Zo staan de zaken er dus voor. Ik beloof je: zodra ik wat ruimte zie, kan hij terugkomen. Maar dat zal nog even duren. Voorlopig verzuip ik in de problemen.' Hij liet Ferry los en draaide zich om. Boven zijn billen wapperden de gestrikte linten van zijn schort.

Ferry trapte precies in het midden van de strik. 'Verzuip dan ook maar echt.'

Andriessen struikelde, probeerde tevergeefs zijn evenwicht te bewaren en sloeg voorover in zijn zwembad. De fontein die hij veroorzaakte was aanzienlijk groter dan die van de jonge vrouw, die inmiddels op de kant was geklommen.

25

Talsma ging terug naar het ziekenhuis. Niet omdat hij het wilde, maar omdat het moest. Al zou het alleen zijn omdat hij had vergeten de vuile was mee te nemen. Hij liep door de hal, waar het winkeltje met tijdschriften, snoep, roze knuffels en vrolijke hartvormige ballonnen die in de wind zouden moeten dansen, bezig was te sluiten, en bleef staan bij de bloemenshop. Hij keek naar de zonnebloemen, bijna een meter lang, hun felgele hoofden uitdagend boven de ruige, pinkdikke stelen. Hoe lang bestonden zonnebloemen al? Hij had het zich nooit eerder afgevraagd. Hun primitieve vitaliteit was in sterke tegenspraak met wat hij op de vijfde etage zou aantreffen. Hij had iets goed te maken, maar bloemen leken opeens een slecht idee.

'Ben je er alweer,' zei Akke.

Er was niets veranderd, behalve dat op haar nachtkastje een half leeggegeten bord stond. Broccoli met een ondefinieerbaar sausje, aardappelen die gezien hun glans te kort waren gekookt.

'Ik kon toch zo niet naar huis.'

'Zijn jullie opgeschoten vandaag?'

'Wat doet dat er nou toe?'

Ze greep de stang boven het bed en hees zich meer rechtop. 'Dat doet er alles toe. Ik heb de krant gelezen.'

Hij wuifde het weg. 'Zijn de kinderen nog langs geweest?'

'Jawel. Je hebt ze net gemist. We moeten hierover praten, Sjoerd.'

'Dat zie ik niet in. Er is nog niks zeker.'

'Nee, maar daarom juist.' Haar ogen waren streng. 'We kunnen niet langer net doen alsof er niets aan de hand is.'

'Famke,' zei Talsma. 'We weten nog helemaal niet of er wat aan de hand is.'

Ze lachte. Hij keek er met verbazing naar, maar ze lachte inderdaad. 'Hou daar nou mee op, Sjoerd. We draaien om de hete brij heen.' Onder het schone maar gekreukte T-shirt haalde ze diep adem. 'We moeten dingen regelen nu ik nog goed ben. De flat. Het huis in Friesland. De famkes kunnen zomaar hun erfdeel opeisen. Ze doen het niet, vast niet, maar we moeten het erover hebben.'

'Niet nu.' Talsma bewoog ongemakkelijk. Hij wilde dit niet. Hij had gerekend op een verzoeningsscène, maar in plaats daarvan ging ze gewoon door waar ze gebleven was. Waar zat al die kracht in dat magere lijfje?

'Jawel. We moeten een testament laten maken. Dat hadden we allang moeten doen, meteen toen we het huis erfden, en eigenlijk al toen we de flat kochten.'

'Toen waren we nog jong.'

'Ja, en dat zijn we nu niet meer. Toen dachten we nog... Hoe zeg je dat ook alweer zo mooi in het Duits?'

Hij groef in zijn geheugen. 'Wenn man jung ist, hängt der Himmel voller Geigen.'

'Ja, precies. Ik heb het er met de famkes over gehad, en je kunt gewoon de notaris hier laten komen. Wees nou niet zo dwars, Sjoerd. Ik heb geen rust zolang het niet in orde is.'

Haar vingers plukten aan de dunne deken, en hij zuchtte. 'Ik zal het deze week nog regelen.'

'Zo lang red ik het nog wel,' zei ze.

Hij lachte mee, aanvankelijk aarzelend, daarna harder en ten slotte voluit. Ze pakte zijn hand, en samen lachten ze zich tranen.

■

Vegter zat buiten met een biertje en keek naar de donkerblauwe wolkenformatie die boven de horizon torende en het landschap opsloot. Wij hebben geen bergen, dacht hij. Wij hebben wolken, wat eigenlijk op hetzelfde neerkomt.

Renée was met hem meegereden, in haar eigen auto gestapt en

naar huis gegaan, hem daarmee de gelegenheid biedend een gesprek met Ingrid te voeren. Hadden Stef en hij iets verkeerd gedaan, of leek alleen in zijn ogen Renée meer volwassen dan Ingrid? Onzin. Hun problemen waren niet vergelijkbaar, en hoe volwassen ging Renée met de hare om? Welbeschouwd was volwassenheid ook niet meer dan een synoniem voor ervaring. Hij dronk zijn bier en strekte zijn rug. Er deugde iets niet aan die redenering, maar hij was niet in de stemming voor een analyse die eerlijkheidshalve ook hemzelf zou moeten betreffen. Drijfzand, dacht hij, zonder te weten waar het woord opeens vandaan kwam. Binnen rinkelde zijn telefoon, en hij stond op.

'Ik heb nog een dag nodig,' zei Talsma.

'Waarom?'

'Omdat ik die knakker van Safety First bijna op de richel heb, en morgen helemaal. Als het goed is, heb ik een verrassing voor hem.'

'Ik heb je volgens instructie morgen ingepland.'

'Dat kan wezen,' zei Talsma. 'Maar ik wil dit graag afmaken. Het stinkt. En als dat verrekte hagelgeweer waarmee Reekers is omgelegd het enige is dat we hebben, dan wil ik hier in elk geval het fijne van weten.'

'Wat had je in gedachten?'

'Ik ga praten met de gemeente. En, afhankelijk van dat gesprek, met wat andere mensen. Zonde om dit te laten glippen.'

'Doe maar,' zei Vegter roekeloos. Op de een of andere manier zou hij het wel rechtbreien.

'Bedankt, Vegter.'

Talsma bedankte nooit. 'Hoe gaat het met je vrouw?' vroeg Vegter behoedzaam.

'Ze is nog de baas.'

'Dat geeft goede hoop.'

Talsma hing zonder verder commentaar op. Nu hij de telefoon in zijn hand hield, besloot Vegter dat verder uitstel geen zin had. Hij belde Ingrid.

'Heb je gegeten?' vroeg ze.

'Nee.'

'Er ligt hier een mooie entrecote die eigenlijk voor Thom was bestemd.'

'Komt hij niet thuis?'

'Jawel, maar pas laat.'

'Ik kom.'

Het voelde vertrouwd, toen hij met zijn glas wijn in haar keuken zat – de vanzelfsprekendheid waarmee ze voor hem stond te koken, en die verloren leek te zijn gegaan nadat ze Thom had leren kennen. Hij wilde die sfeer niet verstoren, maar wist dat ze erop wachtte dat hij dat deed. Hij dronk zijn glas leeg en liet haar bijschenken. 'Er zitten ons wat dingen dwars.'

'Straks.' Ze keerde de sissende entrecote. 'Ik kan maar één ding tegelijk. En dank je wel, het gaat uitstekend met je kleinzoon.'

'Kleinzoon?'

'Je weet wel.' Ze klopte op haar bollende buik.

'Dat wisten we toch nog niet?'

'Nee, maar nu wel. De scan was overduidelijk, maar ik wilde het je niet door de telefoon vertellen. Je krijgt een kleinzoon, of je het nu wilt of niet.'

'Ik kan niet voetballen,' zei hij hulpeloos.

Ze schaterde. 'Thom ook niet. We maken er een sterrenkundige van. Of een boekhouder. Of een dameskapper.'

Hij kreeg borden in zijn handen geduwd, en bestek. 'Wil je buiten eten? Het is nog warm genoeg.'

Er stonden twee olijfboompjes op het dakterras, en rond de balustrade slingerde zich een plant met uitbundige oranje bloemen. In een grote schaal geurde tijm, de dichtgeklapte parasol flapperde in de zwakke wind.

Vegter ontspande zich. De wijn was vol en rond van smaak, de schemering verzachtte de strenge contouren van de stad. Ergens speelde iemand piano, en hij probeerde het stuk te herkennen, maar de klanken verwaaiden en zijn hersens weigerden informatie te interpreteren, waren tevreden met de toegevoegde waarde van de muziek.

Ingrid schepte salade op zijn bord. 'Maken jullie vorderingen?'

'Nog niet echt.'

'Is er een link?'

Eigenlijk wilde hij er niet over praten, maar hij begreep dat het haar manier was om een opening te vinden naar waar hij voor kwam. 'Op het eerste gezicht niet. Ze kenden elkaar niet. Renée legt die link overigens wel.'

Ingrid sneed haar entrecote aan. 'Waarom?'

'Vanwege de meedogenloosheid, en omdat het wraak lijkt.' Hij stak zijn vinger op. 'Maar niet altijd wordt wraak genomen op de juiste persoon.'

'O god,' zei ze. 'Laat de literatuur erbuiten.'

Hij lachte ook. 'Wat hebben we je toch goed opgevoed.'

Ze dronk van haar water. 'Een groot nadeel van zwanger zijn is dat je geen wijn mag drinken. Entrecote met water is een waardeloze combinatie. Je wordt geen grootvader van zes, mocht je daarop hebben gehoopt. Hoe was de precieze tekst ook alweer?'

'Men wreekt zich altijd in het leven, alleen meestal niet op de personen die schuldig zijn.'

'En uit welk boek?'

'*De tranen der acacia's.*'

Ze zuchtte. 'Je bent onverslaanbaar. Al ben jij natuurlijk in het voordeel met een citaat dat je beroepshalve goed kunt gebruiken. Dan beklijft het beter. Geloof je dat zo'n misplaatste wraak hier het geval is?'

Vegter haalde zijn schouders op. 'Mijn gevoel zegt dat er een regelrechte lijn loopt van dader naar slachtoffer. Er staan geen grote zakelijke belangen op het spel, het is geen afrekening in die zin. Geen dramatisch gedoe met een huurmoordenaar. De gebruikte wapens zijn daarmee in tegenspraak, plus het milieu. Een gepensioneerde landmachtsergeant en een huisarts. Bovendien denk ik dat het woede vraagt om moorden op deze manier te plegen.'

'Met die sergeant kan ik niet veel,' zei ze. 'Maar heeft de huisarts iemand dodelijke medicijnen voorgeschreven? Lijkt me een mooi motief.'

'Niet zover ik weet.' Hij hief verontschuldigend zijn hand. 'Ik kan er ook niet veel over zeggen.'

'Waar zit Thom?' vroeg hij halverwege de entrecote.

'Vergaderen, dineren, opnieuw vergaderen.' Ze legde haar mes en vork neer.

'Je bord is nog lang niet leeg,' zei Vegter.

'Nee, maar als ik te snel eet, komt het terug.'

'Het gaat toch wel goed met je?' Waarom was hij zoveel vergeten? Het leek honderd jaar geleden dat hij Stefs haren uit haar gezicht had gehouden terwijl zij kotsmisselijk boven de wc-pot hing.

'Ik heb me nooit beter gevoeld.'

Hij nam haar aandachtig op. Haar huid was gaaf, haar ogen waren helder en er was een weloverwogenheid en rust in haar bewegingen die hij zich niet van vroeger herinnerde. Geen meisje meer maar een vrouw, en zo mooi dat het pijn deed. Hij streelde haar arm. 'Ik word een sentimentele oude man.'

'Fijn,' zei ze. 'Hou vol, pap. Ik heb met Thom gepraat, of eigenlijk hij met mij. Hij zegt dat ik geen snars van mannen begrijp. Maar ik moet steeds aan mama denken. Jullie hoorden zo bij elkaar. Ik weet niet beter. En zelfs nu nog denk ik dat daar geen verandering in mag komen.' Ze keek van hem weg. 'Meer excuus krijg je niet.'

'Dat hoeft ook niet,' zei hij. 'Het is zo verschrikkelijk onherroepelijk, Ingrid. Het heeft een tijd geduurd voor dat tot me doordrong.'

'Dat weet ik.'

'Ik bleef maar op haar wachten,' zei hij. 'En nog steeds vraag ik me dagelijks af wat zij van iets gevonden zou hebben. Ik leef nog volgens haar normen, omdat die houvast geven, en uit een soort van trouw. Ik praat tegen haar, maar ik krijg geen antwoord meer.'

'Ik weet het. Ik doe het ook. Zeker nu.' Ze raakte vluchtig haar buik aan. 'Ik had zo graag…' Ze snoot haar neus in haar servet. 'Nu junior bestaat, denk ik opeens na over continuïteit, en over erfelijkheid. Karakter, uiterlijk, ontwikkeling. Begrijp je?'

'Ja.'

'Ik kan niets checken, straks. Verifiëren is een beter woord.'

Hij knikte.

'En ik kan niet die dingen doen waar je je op zou verheugen. Onnozele dingen als samen kleertjes kopen, of zeuren over hoe ik me voel. Vergelijken.'

'En Thoms moeder?'

'Die is lief, maar anders.' Ze haalde diep adem. 'Ik mis haar zo, papa.'

'Ik moet misschien wat meer mijn best doen,' zei hij onhandig.

'Je praat nooit. Dit is de eerste keer, en ik kan zien dat het je moeite kost. Hoe deed je dat met mama? Had zij daar geen last van?'

'Dat heb ik haar nooit gevraagd.'

Hij kreeg een waterig glimlachje. 'Het probleem in een notendop.'

'Het probleem is misschien niet zozeer dat ik het niet wil.' Vegter dacht na. 'Taal is zo'n armzalig vehikel om over te brengen wat je voelt.'

'En dat zegt de man die verslingerd is aan literatuur.'

'Jawel,' zei hij. 'Maar ook die omcirkelt alleen, kan niet meer doen dan voorbeelden geven. Soms denk ik dat muziek directer is. Misschien moet ik adequater zeggen.'

'Ik weet niet of ik je kan volgen.'

'Nee,' zei hij met een zucht. 'Dat bewijst meteen mijn stelling.'

Ze nam een slokje van zijn wijn. 'Je bedoelt dat muziek geen omwegen kent, maar je meteen raakt?'

Hij knikte. 'En probeer daar dan maar eens woorden bij te vinden.'

'Dus,' zei ze met de rechtstreeksheid waar hij zo van hield, 'jij troost je met muziek en niet met boeken.'

'Boeken zijn de verdoving,' zei Vegter. 'Muziek is de boor. Uiteindelijk doet de boor het werk.'

'Zou Bach blij zijn geweest met jouw definitie?'

Hij lachte. 'Ingrid,' zei hij. 'Wat Renée betreft: ze heeft problemen sinds die aanslag, maar ze wil er niet over praten, in elk geval niet met mij.' Hij greep zijn glas. 'Al kan dat ook aan mij liggen. Ik weet niet waar het heen gaat. Waar het toe zal leiden. Of het tot iets zal leiden. Renée ook niet, denk ik.'

'Denk je dat?' Ze schudde haar hoofd. 'En neemt ze daar genoegen mee?'

Hij at het laatste stukje tomaat. 'Bespeur ik hier vrouwelijke solidariteit?'

'Ja. Ik heb nagedacht. Dat heb je aan Thom te danken. En je geeft geen antwoord op mijn vraag.'

'Omdat ik dat niet heb.'

Ze schonk zijn glas bij, en ze bleven zwijgend zitten tot de tafel alleen nog werd verlicht door de kaarsen die ze had neergezet. Hij dacht aan Renée, die nu thuis was en zich zou afvragen wat de uitkomst was van dit gesprek. In elk geval hoopte hij dat ze zich dat zou afvragen; ze had nauwelijks gereageerd op zijn mededeling dat hij onderweg was naar Ingrid, en zonder verder commentaar opgehangen. Een vleermuis scheerde langs, en Vegter stond op. Ingrid liep met hem mee naar het trappenhuis.

Hij omhelsde haar voorzichtig. 'Groet de vader van mijn kleinzoon.'

■

Het was druk in de sportschool. Het parkeerterrein stond vol, rechts naast de ingang waren meerdere fietsen gestald, links een paar scooters.

Ferry had patat en een frikadel gegeten in een naburige snackbar, en nu stond hij al anderhalf uur te wachten onder een boompje dat zo jong was dat het de steun van een paal nog niet kon ontberen. Hij had André's auto zien staan. Zijn eigen auto had hij verderop in de straat geparkeerd. Intussen was het na halftien, en allang volslagen donker, en hij had bijna spijt dat hij het geweer niet had meegenomen. Maar hij had niet geweten of André er zou zijn. Wel lagen er nu twee patronen in het dashboardkastje. Van Andriessens achtertuin, waar hij verbaasde en geschokte gasten had achtergelaten, te dronken om te reageren, was hij regelrecht naar zijn eigen wijk gereden, had de auto een paar straten verderop geparkeerd en was naar huis gegaan. Zoals hij had verwacht, was zijn vader nog niet thuis, en voor de zoveelste maal had hij zich afgevraagd waar en hoe de man zijn dag doorbracht. Zat hij ergens in een park op een lullig bankje naar de eendjes te staren, wachtend tot er voldoende uren waren verstreken? Dat beeld had hem gesterkt in zijn besluit, het laatste restje twijfel tenietgedaan. Voortaan regisseerde hij zijn eigen leven. Dit zou de triomf worden over jarenlange onderhuidse vernedering, en het betekende een nieuwe start. Hij was niet stom, hij besefte dat een carrière flitsender kon beginnen dan als vakkenvuller of pompbediende, maar eerlijk verdiend geld betekende rust in zijn hoofd, wat voorlopig alles was wat hij wilde.

Hij maakte een nieuw rondje, scharrelde tussen de auto's door en hield de helder verlichte ingang in het oog. Sportschool Everybody was gevestigd aan de rand van een bedrijventerrein, had de juiste mix tussen trendy en luxe en hanteerde tarieven die fors hoger waren dan gemiddeld, daarmee het publiek trekkend dat het prettig vond te laten zien dat men zich die kon permitteren.

Ferry nam zijn positie weer in, bijna achteraan op het terrein en uit de buurt van André's auto. De volgende keer zou hij wachten tussen de heesters die het pad markeerden dat in een rechte lijn van de straat naar het gebouw liep. Het was de enige plaats die een vrij schootsveld bood, en bovendien de enige plaats waar hij zich zou kunnen verschuilen, omdat het begin van het pad alleen werd verlicht door een straatlantaarn aan de overkant. Maar niet alleen dat: het was hem opgevallen dat bijna iedereen die naar buiten kwam, even zijn pas inhield en rondkeek voor hij het bordesje van twee treden hoog afdaalde. Die paar seconden dat hij André frontaal zou zien, had hij hard nodig. De auto zou hij op ongeveer dezelfde plaats neerzetten, maar dan zo dicht mogelijk bij de kruising, zodat er niemand meer vóór hem zou kunnen parkeren. Het betekende een sprintje van hooguit zestig meter door een slecht verlichte straat in een buurt die 's avonds niet bepaald levendig was, en de kruising had geen verkeerslichten. Alles bij elkaar leek het een fluitje van een cent.

Hij stak de zoveelste sigaret op en schuifelde ongedurig op het metalen rooster dat de boomspiegel van het jonge eikje moest beschermen. Bleef die gozer tot sluitingstijd aan de bar hangen? Geen wonder dat hij ondanks die drie sessies per week geen gram afviel.

De glazen deuren van de sportschool gleden weer open, en hij rekte zijn hals. Twee jonge vrouwen kwamen naar buiten en liepen het bordes af. Achter hen kwamen André en de geblondeerde vriend. Ferry liet zijn sigaret vallen zonder dat hij het merkte. Vriend zei iets tegen André, die lachte en in de binnenzak van zijn jack tastte. Ze bleven staan, het blonde en het kale hoofd dicht bij elkaar boven het vlammetje van André's aansteker.

Ferry kon alleen maar staren. Daar stonden de twee mannen die hem hadden behandeld als was hij een beest, puur geschapen voor hun plezier. Mannen die zich geen moment hadden afgevraagd wat ze hem aandeden, hem hadden weggegooid na gebruik. Ze hadden hem zelfs kunnen afmaken als ze bang waren geweest voor de gevolgen van hun daden. Dat hadden ze niet gedaan omdat ze die gevolgen niet vreesden, maar vooral uit onverschilligheid. Hun leven ging door waar het zijne was gestopt.

De mannen daalden de twee treden af en gingen op weg naar hun auto. Ferry boog zich voorover en kotste de patat en frikadel over het rooster.

Hij hurkte tot de paniek was bedaard. Eikel. Waar bleef hij nou met al zijn heldhaftigheid? Als dat de volgende keer ook zo ging, kon hij het wel vergeten. Maar het zou niet zo gaan, de volgende keer was hij voorbereid. Waar was hij bang voor? Ze konden hem geen kwaad meer doen. André zou zijn mond houden, want anders kwam alles aan het licht, en Vriend kende hem niet. Woedend keek hij naar zijn trillende handen, probeerde ze stil te houden, stopte ze in zijn zakken toen het niet lukte. Hij zou ze allebei moeten pakken, de klootzakken. Hij had twee patronen. Beng-beng.

'André? Die is al weg,' zei de jongen achter de balie. 'Je hebt hem net gemist.'

'Jammer.' Ferry draalde. 'Is hij er morgen?'

De jongen knikte. 'Ik denk het wel. Hij is er meestal drie avonden achter elkaar.'

Ferry maakte een gebaar alsof het er ook weer niet zoveel toe deed. 'Bedankt.'

Thuis trok hij de koelkast open in de vage hoop dat er iets te drinken in te vinden zou zijn, en tot zijn verbazing zag hij een pak melk en een fles cola. Hij wilde niet nadenken over waarom zijn vader in godsnaam melk zou hebben gekocht terwijl hij die zelf nooit dronk, maar nam de cola mee naar de zitkamer, deed een paar lampen aan, pakte de afstandsbediening, ving een glimp op van zichzelf in de weerspiegeling van de ruit van de tuindeur en bedacht dat hij hier zat zoals zijn vader altijd zat; alleen in een vervuilende kamer, met de televisie als enig gezelschap. Hij dronk van de cola en keek afwezig naar een pratend hoofd dat vertelde wat er in de wereld zoal gebeurde terwijl hij met andere dingen bezig was, overwoog een joint en zag ervan af. Morgenavond, dan had hij iets te vieren. Tot die tijd zou hij nuchter blijven – iets had hij wel geleerd van zijn vader. Geen alcohol of drugs als er nog geschoten moest worden.

De cola viel goed, zijn maag was weer tot rust gekomen, en zijn zelfvertrouwen keerde terug. Het zou allemaal in orde komen. Hij zou daar staan, *cool and collected*. Schouderen, richten, adem inhouden, afdrukken. Drie seconden concentratie en het was voorbij.

De nieuwslezer gebruikte een woord dat dwars door zijn rozige gedachten sneed. Hagelgeweer. Hij graaide naar de afstandsbediening om het geluid harder te zetten, ving de helft van de laatste zin op. Waar had die vent het over? Hij schakelde naar teletekst, klikte door naar het binnenlands nieuws, en terwijl de weerman voor de volgende dag toenemende bewolking voorspelde, las Ferry gejaagd het beknopte item over de moord op een arts. Zuiderpark. Geen aanwijzingen omtrent de dader. Politie tast in het duister. Onderzoek in volle gang.

Hij zakte terug in de versleten kussens van de bank. Fucking christ, was het Mo? Was dat waarom Mo dat geweer had achterovergedrukt? Hij was ertoe in staat. Mo was een ongeleid projectiel, Mo dacht niet maar handelde. Hij was gevaarlijk omdat hij stom was. Vandaag was vandaag en het woord morgen kon hij waarschijnlijk niet eens spellen. Mo had de ballen verstand van wapens, maar een geweer was zo ongeveer het simpelste wapen dat er bestond. Een kind kon de was doen. Had die idioot om de een of andere reden besloten wraak te nemen? Op een arts, godbetert. Hij herinnerde zich de keer dat ze in een discotheek waren geweest, waar Mo plotseling iemand ontdekte met wie hij nog iets had af te handelen. Natuurlijk ging het om een of andere meid die volgens Mo van hem was, omdat hij vond dat meisjes van jou waren als je ze had geneukt, zelfs al had je ze daarna laten barsten. Als een dolle stier was hij eropaf gegaan, en het was ermee geëindigd dat ze allebei de disco waren uit getrapt, terwijl hij nota bene alleen had geprobeerd Mo te kalmeren.

Hij gooide de afstandsbediening zo hard terug op de tafel dat het klepje van het batterijhuis eraf vloog. Aan alles had hij gedacht, overal rekening mee gehouden, er kon niks misgaan. Maar nu had die loser het nodig gevonden om zijn nieuwe speeltje uit te proberen.

Misschien was het toeval. Als het Mo was, waarom dan een arts? Als het Mo was, had dat consequenties voor hemzelf? Niet zolang Mo ermee wegkwam. En hoe lang zou dat duren? Als het hem was. Godallemachtig, was het Mo?

26

'Jazeker zijn wij benaderd door een geïnteresseerde,' zei de gemeenteambtenaar. 'Maar ik ben niet bevoegd u daarover verdere mededelingen te doen.'

Talsma had een bloedhekel aan ambtelijke taal. Zijn rapporten getuigden daarvan en hadden voor Vegter dikwijls een hoge amusementswaarde. Talsma wist dat, en al meer dan dertig jaar trok hij zich daar niets van aan. Maar indien nodig beheerste hij het jargon, en soms moest je mensen met hun eigen wapens verslaan. 'Misschien moet u niet uit het oog verliezen dat ik ambtenaar met opsporingsbevoegdheid ben. U kunt ervoor kiezen mij te belemmeren in mijn taken, maar de consequentie daarvan is dat ik me rechtstreeks tot de wethouder moet wenden.'

Ze zaten in het gemeentehuis, in een kamer die de status van de ambtenaar weerspiegelde; geen vaste vloerbedekking maar linoleum, geen kunst aan de muur maar een paar reproducties in goedkope lijsten, een bureau dat zijn beste tijd had gehad. Bovendien een kamer in het hart van het gebouw, dus zonder ramen.

'Uiteraard is het niet de bedoeling u op welke manier dan ook tegen te werken,' zei de ambtenaar. De inhammen die leidden naar zijn vaalbruine haar glommen in het licht van de tl-buizen boven zijn hoofd.

'Mooi,' zei Talsma. 'Dan zou ik van u graag de naam van de geïnteresseerde horen.'

'Voor ik u die geef, wil ik benadrukken dat de gemeente op geen enkele wijze heeft geprobeerd invloed uit te oefenen. Wij hebben tegenover de geïnteresseerde…' De ambtenaar zocht naar het juiste woord.

'Benadrukt?' offreerde Talsma.

'Gestipuleerd,' zei de ambtenaar. 'Gestipuleerd dat het perceel eigendom is van de kleiduivenschietvereniging, en dat de vereniging daar dus naar eigen goeddunken over kan beslissen.'

Talsma knikte. 'Maar ingeval de vereniging zou willen verkopen, stond de gemeente daar positief tegenover?' Heilige Maria, nog zo'n kwezel en hij zou vervroegd pensioen aanvragen.

'Zeker. Het woningaanbod houdt niet gelijke tred met de vraag, zoals dat helaas in veel gemeenten het geval is.'

'U werd dus benaderd door…'

'Neprova. Een projectontwikkelaar die zich voornamelijk bezighoudt met woningen in de hogere prijsklasse.'

'Wat had men in gedachten?'

'Een park,' zei de ambtenaar. 'Het terrein meet vier hectare, groot genoeg voor zo'n vijftig woningen, elk op een ruim perceel. Ik heb de rapporten er even bij gepakt, en als u de situatie kent, dan weet u dat het terrein aan drie zijden is omgeven door water, wat precies is wat de projectontwikkelaar voor ogen stond. Men had een luxueuze woonomgeving gedacht, met een toegangspoort met bewaking, al is dat misschien een wat zware term. Hoe dan ook, woningen voor de beter gesitueerden.' Hij spreidde zijn handen. 'Verder zijn wij niet gekomen, aangezien het terrein immers niet het eigendom is van de gemeente.'

'Het contact is afgebroken?'

'Ja, want de vereniging was niet van zins te verkopen. Hoe dat nu ligt, gezien de huidige situatie, daar heb ik geen inzicht in.' Talsma kreeg een wrang glimlachje. 'Daarvoor zult u inderdaad contact moeten opnemen met de wethouder.'

Even prees Talsma zich gelukkig; je leven doorbrengen in zo'n steriele cel, hopend op promotie die niet kwam, was hem tenminste bespaard gebleven. Hij stond op. 'Dan dank ik u voor uw tijd, en ik ga ervan uit dat dit gesprek niet verder komt dan deze kamer.'

'Nee, nee.' De ambtenaar stond ook op. 'Daar kunt u op rekenen.'

Op weg naar de projectontwikkelaar die zich voornamelijk bezighield met woningen voor de beter gesitueerden, kwam Talsma langs het ziekenhuis, waar Akke op dat moment een darmonderzoek onderging dat onder meer inhield dat ze in een ruimtevaartachtige contraptie zou worden gegespt die haar in alle gewenste richtingen zou kantelen terwijl er foto's werden genomen.

Hij zou niet verder zijn gekomen dan de wachtkamer, waar hij zich klein en overbodig zou hebben gevoeld, maar had hij daar niet moeten zijn? Zij vond van niet. 'Laat me nou maar. Ik ben net een kat, Sjoerd. Als die ziek zijn, kruipen ze weg en doen het alleen.'

Nooit eerder had hij dit besef van urgentie ervaren. Je werd ouder, en je wist dat het leven eindig was, maar zolang alles goed ging, was je geneigd dat te vergeten omdat het je gevoel van welzijn in de weg stond. Nu leek het alsof elke minuut telde.

Neprova was gevestigd in een van de nieuwe kantoorgebouwen aan de rand van de stad. Toen Talsma naar binnen liep en de marmeren vloer zag, herinnerde hij zich dat hij hier eerder was geweest. Een gesprek met een of andere zelfverzekerde knul die jong genoeg was om te geloven dat de bomen tot de hemel zouden blijven groeien.

Achter de receptiebalie glimlachte een jonge vrouw plichtmatig naar hem. 'Wat kan ik voor u doen?'

'Recherche.' Talsma wapperde met zijn identiteitskaart. 'Ik ben op zoek naar de directeur van Neprova.'

'Ik weet niet of hij aanwezig is. Er zijn trouwens twee directieleden.' Ze hield vragend haar hoofd schuin.

'Een van beiden, liefst allebei.'

Ze knikte en toetste met spitse vingers iets in op het toetsenbord op haar bureau. Zijns ondanks bewonderde Talsma haar perfecte figuur terwijl ze zachtjes sprak in de ultramodern vormgegeven telefoon. Waar haalden ze die schoonheden toch altijd vandaan? En werden ze volgens contract vervangen door nieuwe zodra ze begonnen te bladderen? Waarna ze verdwenen in de anonimiteit van een etage driehoog achter, voorzien van man en kind.

Ze wees met een gemanicuurde hand naar de lift. 'Eerste verdieping, meneer. Er wordt op u gewacht bij de lift.'

Er stond een jongeman, goed in het pak, die zich niet voorstelde maar hem meenam naar een kamer die met recht een directiekamer mocht worden genoemd. Uitdagende luxe, bedoeld om te imponeren. Lichtgrijze wanden, hoogpolig tapijt, een zithoek die groter was dan Talsma's huiskamer en voorzien van een dieppaars leren hoekbankstel, palmen in enorme zwarte potten, designverlichting, een glanzend wit barmeubel.

De jongeman loste op in het niets en vanachter een leeg bureau met zwart glazen blad kwam een man met uitgestoken hand op hem af. Talsma registreerde hem automatisch. Veertiger, krijtstreep, lawaaidas. Het jasje, waarvan de onderste twee knopen correct waren gesloten, zat strak. Te veel zakendinertjes. Boven de das een paar staalblauwe ogen met een directe blik. 'Sandfort. Ik begrijp dat u van de politie bent.' Een knikje naar de zithoek. 'Zullen we daar gaan zitten, dan kunnen we rustig praten.'

Talsma liet zich meevoeren naar het paarse universum en zonk daar diep in weg.

'Koffie misschien?' Sandfort had vaker op de bank gezeten, want hij koos een fauteuil. Ook paars, maar minder omhelzend.

'Nee, bedankt.'

'Wat kan ik voor u doen?'

Talsma had geen zin in sociale rimram. Hij was al moe, hoewel de dag nog jong was. Wat hij een halfjaar geleden had gekund – het scheiden van zijn werk en persoonlijk leven – lukte nu niet meer. Destijds had hij hoop gehad, en hoop gaf energie. Het gesprek dat hij nu ging voeren, was routine. Ze kronkelden en draaiden, ze vergisten zich altijd wel een keer, was het niet met woorden dan wel door hun lichaamstaal. Ze gaven je houvast om verder te wroeten. Soms voelde hij zich als een metaaldetector – het spul kon zich nog zo diep hebben verstopt, de signalen die het uitzond, werden onherroepelijk opgevangen.

'U bent geïnteresseerd in aankoop van een perceel dat eigendom is van de plaatselijke kleiduivenschietvereniging,' zei hij plompverloren.

'Van wie hebt u dat begrepen?'

'Onder andere van de gemeente.'

'Ja, en?'

'Wij hebben ook begrepen dat u een bod hebt gedaan.' De kortste weg van A naar B was de rechte lijn.

'Dat is niet helemaal correct,' zei Sandfort. Hij nam een nadenkende pose aan.

'Wat is wel correct?'

'Wij hebben blijk gegeven van onze interesse, niet meer dan dat.'

'Zowel bij de gemeente als bij de vereniging.'

'Ja.'

'Wat was de reactie?'

'Van de gemeente dat men hierin geen partij kan zijn zolang het perceel eigendom is van de vereniging. Van het bestuur van de vereniging dat men onze wensen begreep, maar geen onderhandelingsruimte zag, aangezien immers wettelijk het perceel toebehoort aan alle leden van de vereniging.'

'U hebt gesproken met de voorzitter?'

'Met de voorzitter en de secretaris.' Sandfort sloeg het ene krijtstreepbeen over het andere. 'En ik meen een keer ook in bijzijn van de penningmeester.'

'Waar resulteerden die gesprekken in?'

'In niets.' Sandfort glimlachte. 'Er was geen ruimte, zoals ik zei.'

'Toch is er een bod,' zei Talsma boud. 'Hoe hoog is dat?'

'Het was geen bod,' herhaalde Sandfort. 'Wij hebben desgevraagd een bedrag genoemd, zeer vrijblijvend. Men wilde weten wat de grond in theorie waard is.'

'Hoe hoog was dat bedrag?'

'Acht miljoen,' zei Sandfort losjes. 'Maar dat was dus rekenwerk op de beroemde achterkant van een sigarendoosje.'

'En men ging daarmee akkoord?'

'Er was geen akkoord, want men was niet vrij om te handelen.'

'Hebt u contact gezocht met de vereniging of omgekeerd?'

'Dat kan ik me niet herinneren.'

'Dat is vreemd. Uit onze informatie blijkt dat het hooguit een jaar geleden was,' zei Talsma, hopend dat hij juist gokte.

Sandfort sloeg het andere krijtstreepbeen over het ene. 'Dat is niet onmogelijk.'

'Is het contact hernieuwd sinds de brand?'

'Nee.'

'Maar u bent wel op de hoogte van het feit dat er brand is geweest.'

'Via het nieuws.'

'U had al redelijk omschreven plannen,' zei Talsma. 'Vijftig woningen in een parkachtige omgeving, water rondom, bewaking in de vorm van portiers. Een soort enclave voor de welgestelden.'

'Dat klopt.'

'U had er dus al tijd en geld in gestoken.'

'Niet veel. We hadden een onderzoekje gedaan, en aan de hand daarvan onze gedachten laten gaan over de mogelijkheden, maar dat was alles. Er is bijvoorbeeld geen bodemonderzoek gedaan.'

'Ik denk dat u verder was dan dat,' zei Talsma. 'En ik betwijfel of het contact tussen u en het bestuur zo oppervlakkig was als u voorgeeft.'

'U bedoelt?'

'Ik bedoel dat wanneer het perceel, om wat voor reden dan ook, zou vrijkomen voor verkoop, Neprova de eerste zou zijn die dat hoorde.'

Sandfort trok zijn zware wenkbrauwen op. 'Is daar iets mis mee?'

'Op papier niet,' zei Talsma. 'Wel als kort nadien het verenigingsgebouw afbrandt, waarna blijkt dat de vereniging niet kapitaalkrachtig genoeg is om te herbouwen, en dat de gemeente bepaald niet afkerig is van een andere bestemming voor het terrein. Dan wordt het een heel ander verhaal.'

Sandfort bleef hem aankijken.

'Ik zou u kunnen vragen hoeveel u het bestuur hebt geboden,' zei Talsma. 'Maar dat zal ik niet doen, want dat hoor ik zo meteen van hen.'

'U insinueert. Die acht miljoen was een indicatie. Wij hebben geen inzicht, noch interesse in hoe de vereniging die eventueel zou verdelen. En ik zeg met nadruk zou. Er is niets vastgelegd, er zijn geen onderhandelingen gevoerd.'

Talsma stond op. Onrust zaaien moest je zo kort mogelijk doen, anders schoot die geen wortel. 'U weet bliksems goed dat ik die acht

miljoen niet bedoel. Ik ga nu mijn gesprek met het bestuur voort-
zetten.'

Bij de deur keek hij om. 'Doet u geen moeite, ze zijn niet bereikbaar.'

■

Ferry had liggen luisteren. Wc. Douche. Keuken. Het geborrel van
het koffiezetapparaat. De voordeur. Nooit een andere volgorde.
Zou hij ook ooit zo vastroesten?

Hij had overwogen zijn vader te volgen, had een scenario bedacht waarin hij hem zou aanspreken als hij op zijn bankje zat. 'Hoi
pa.' Naast hem gaan zitten. Eerst niks zeggen, even rustig wachten
tot zijn vader de verrassing, of de schok, had verwerkt. Daarna heel
voorzichtig proberen te praten. Het was waar, wat hij had gezegd –
hij was niet langer bang. De klappen die zijn vader had uitgedeeld,
hadden het tegenovergestelde effect gehad; ze toonden onmacht in
plaats van gezag. Het inzicht was bevrijdend. Voor het eerst voelde
hij zich de meerdere, wat ruimte schonk voor hoop en vergevensge-
zindheid. Als hij dit begreep, moest zijn vader dat toch ook kunnen. Hij was geen kind meer, zorgde al een paar jaar voor zichzelf, al
was dat dan niet op een manier die zijn vader kon waarderen. Hij
kon hem uitleggen hoe het allemaal zo gekomen was, en ook dat hij
er een punt achter ging zetten. Ze zouden een gesprek van man tot
man voeren.

Het scenario was 's nachts ontstaan, terwijl hij wakker lag met
het gevoel dat alles hem ontglipte. Het zou zijn laatste poging zijn,
en zolang het donker was, had hij erin geloofd, zich uitsluitend de
goede dingen willen herinneren. Maar toen het grijze ochtendlicht
binnensloop, hem zijn schamele jongenskamer toonde waar sinds
zijn schooljaren niets was veranderd, kwam de twijfel. Ze waren
nooit een eenheid geweest, er waren twee partijen – pa en Niek tegenover mama en hij. Heel soms was dat verschoven; Niek en hij,
schuilend bij elkaar als dat nodig was.

Het had geen zin. Al jaren hadden pa en hij niet kunnen praten.
Er was geen reden waarom daar nu verandering in zou komen, ze-

ker niet als je bedacht dat pa zijn werkloosheid had verzwegen, omdat die hem in zijn eigen ogen tot een nul reduceerde, gelijk aan zijn zoon. De zoon die méér had gewild dan metselaar worden, en die de kont tegen de krib had gegooid toen hij daarom werd geminacht in plaats van geprezen. De zoon die op zijn moeder leek. Maar zijn moeder was een vrouw, en dan mocht het, want dan kon het worden afgedaan als wijvengezeur.

Hij stond op, liep de kamer naast de zijne binnen, keek naar het bed, keurig opgemaakt met inmiddels vergelende lakens, keek naar de verbleekte voetbalposters aan de muur, de judobekers, het bureautje dat nauwelijks een functie had gehad, maar welke jongen kon zonder bureau? Opende de kast en betastte de stapeltjes ondergoed en T-shirts, de spijkerbroeken, de schoenen. Vier paar sneakers, een paar nette. Hij tilde ze op. De hakken waren nauwelijks versleten, maar toonden niettemin hoe Niek had gelopen; met de O-benen van de sporter. Waarom waren schoenen het ergst? Hij zette ze terug en deed de kastdeur dicht. Stond daar in die stille kamer waar stofdeeltjes dansten in het zonlicht, en miste zijn broer.

Naar de zolder dan, waar hij in geen jaren was geweest. Eén keer nog. Over hooguit een week was hij weg.

Het tuimelraam verschafte voldoende daglicht, zodat hij de dozen kon mijden die hij niet wilde zien. Dozen gevuld met wat zijn moeder sentimentalia had genoemd. Kleutertekeningen, gekleide asbakken, twee beschilderde stenen met opschrift; mijn vader is een kei. Knullige schilderijtjes voor de liefste mama ter wereld. Schoolrapporten. Allemaal uit de tijd dat alles nog goed leek.

Hij opende de grootste doos, achteraan. Haar kleren zaten erin. Zij was verbannen naar de zolder, Niek bleef beneden. Shirts, bloesjes, een spijkerrokje. 'Ben ik er niet te oud voor?' De jurk van het jubileumfeest. Helemaal onderin haar ochtendjas. Hij haalde hem uit de doos en verborg zijn gezicht in de rulle badstof. Verbeeldde zich dat hij haar rook.

Hij douchte, schoor zich. Poetste zijn tanden zo grondig dat ze als losse kiezels in zijn mond lagen. Schoon moest hij zijn. Vandaag zou hij een streep zetten onder alles. De dag hoefde alleen nog maar voorbij te gaan.

■

'Het is bijvangst, Vegter,' zei Talsma. 'Dat begrijp ik ook. Maar het is beter dan niks.' Hij ging zitten, zwaar en traag.

'Ik zou dit geen bijvangst willen noemen.' Vegter had de behoefte hem te complimenteren. 'Ze zijn onderweg?'

'Kunnen elk moment hier zijn.'

'Ik kan dit ook met iemand anders doen. Is er al nieuws?'

'Nee.' Talsma rolde een sigaret en stond op om het raam verder open te doen, bleef naar buiten kijken terwijl hij zijn aansteker openklikte.

'Dus ook geen slecht nieuws,' zei Vegter voorzichtig.

Talsma rookte. 'Ik begrijp het nu pas,' zei hij ten slotte. 'U moet ook spijt hebben gehad, Vegter.'

'Waarvan?'

'Je bent vijfendertig jaar bij elkaar,' zei Talsma. 'Er groeien dingen scheef. Maar er was altijd nog tijd om ze recht te breien.'

'Dat soort spijt probeer ik van me af te zetten.' Vegter draaide zijn stoel en keek naar Talsma's rug. Zijn haar was te lang, grijsblonde pieken over de boord van zijn ongestreken overhemd. 'Je hebt een leven samen, maar dat wordt ook beïnvloed door zaken waarover je geen controle hebt. En als je erover nadenkt, is spijt altijd zinloos. Hou je geest schoon, Sjoerd. Concentreer je op wat nu van belang is.'

Talsma rookte, gooide zijn peukje naar buiten. 'Ik wou niet luisteren. Terwijl ze nooit dramatisch doet. Dat zit me verrekte dwars.'

'Neemt ze je dat kwalijk?'

'Nee. Ze houdt me op afstand, wil alles alleen doen. Niet uit nijd, maar omdat ze denkt dat ik het niet aankan. Daar zou ze verdomd nog weleens gelijk in kunnen hebben.' Talsma keek wrokkig naar de drukke straat beneden hem. 'En alles gaat maar gewoon door, nou?'

Vegter herinnerde zich zijn ontreddering dat het alleen zíjn bestaan was dat ondersteboven werd gegooid, en de verontwaardiging daarover, die pas veel later in opluchting was verkeerd. 'Daar zit ook iets geruststellends in.'

'Nu nog niet,' zei Talsma, en Vegter bewonderde in stilte zijn snelle begrip.

'Ik ga geen dingen zeggen in de trant van dat ze tegenwoordig zoveel kunnen,' zei hij. 'Maar jij en ik zitten niet in dezelfde positie, Sjoerd. Het verbaast me dat jij nu ook de moed opgeeft.'

'Ik dek me in.' Talsma draaide zich om. 'Het kan zomaar wezen dat ze gelijk heeft. En dan sta ik daar bemoedigend te doen. Maar ik krijg het ook de bek niet uit om met haar mee te praten. Op dit moment heb ik het idee dat wát ik ook zeg...' Hij wreef over zijn rasperige wangen.

'Kom vanavond eten,' zei Vegter. Nooit eerder waren ze bij elkaar thuis geweest. 'Ik ben geen kok, maar een behoorlijke biefstuk lukt nog wel.'

'Ik zou het graag doen, maar ik moet bij de famkes eten. Die weten dat ik niet los vertrouwd ben achter een fornuis.' Talsma lachte. 'En in elk geval denken zíj dat ik de antwoorden heb.'

Vegters telefoon ging, en Talsma sloot het raam met een klap.

'Er zijn wat zaken opgehelderd,' zei Vegter. 'En daaruit is gebleken dat u in een lastig parket zit, heren.' Hij lichtte een hoek op van het stapeltje papieren op zijn bureau. 'Allereerst heb ik hier het ledenbestand waarvan meneer Eggink beweerde dat het niet langer bestond.'

'We hebben veel aan ons hoofd momenteel,' zei Eggink. Zijn grijzige krullen lagen tegen zijn hoofd geplakt alsof hij net gezwommen had. 'Allerlei zaken waar wij als bestuur geen ervaring mee hebben. Terwijl onze belangrijkste zorg is om de vereniging draaiende te houden, zo goed en zo kwaad als dat gaat. Ik heb er niet bij stilgestaan dat de penningmeester over dat bestand beschikte in verband met de inning van lidmaatschapsgeld.'

Het bestuur zat gedrieën naast elkaar tegenover Vegters bureau, als vogeltjes op een tak, de voorzitter in het midden, rechts van hem de penningmeester, een kleine man met een kromme rug en een zorgelijke blik.

Vegter trok zijn wenkbrauwen op. 'Merkwaardig. U stond er ook niet bij stil dat de vereniging een website heeft met een toegangscode voor het gedeelte met de meer privacygevoelige informatie? Een website die door u thuis wordt onderhouden? Want niet alleen de penningmeester heeft die ledenlijst af en toe nodig. U bent secretaris.'

'U hebt helemaal gelijk.' Eggink wreef zijn handen over elkaar. 'Ik heb inmiddels alle leden schriftelijk op de hoogte gesteld van wat er is gebeurd, maar ook toen heb ik er niet aan gedacht. U moet niet vergeten dat dit een schok voor ons is.'

'Ik denk dat dat wel meevalt,' zei Vegter. 'Gezien het feit dat een van u de firma Safety First nadrukkelijk opdracht heeft gegeven de extra controle die nacht niet uit te voeren zoals gebruikelijk, wat wil zeggen tot voorbij het toegangshek, inclusief een ronde om het gebouw. Voor alle duidelijkheid: ik heb het over de controle tussen halfeen en een uur. Wie van u was dat?'

Geen van de mannen reageerde.

'U verbaast me opnieuw.' Vegter keek hen beurtelings aan. 'U protesteert niet tegen deze aantijging.'

De voorzitter zette zijn ellebogen op zijn knieën. 'U probeert ons te imponeren met beweringen die nergens op zijn gebaseerd. Als dit alles is wat u te vertellen hebt, dan zit ik mijn tijd hier te verdoen.'

'Ik meen dat u momenteel geen drukke werkzaamheden hebt,' zei Vegter mild. 'En ik imponeer u niet, ik ga uit van de feiten. Safety First heeft een schriftelijke verklaring afgelegd.'

'Wie?' De voorzitter schudde zijn hoofd. 'Doet er ook niet toe. Het zijn leugens. Ik weet niet wat Safety First bezielt. Ik weet wel dat wij vandaag nog het contract met hen zullen beëindigen. Met onbetrouwbare partners doen wij geen zaken. Welk belang zouden wij als bestuur hebben om de vereniging schade te berokkenen? Ons clubhart zit op de juiste plaats.'

Vegter glimlachte. 'Dat betwijfel ik.'

'O ja?'

'Ja. Vooral omdat wij weten dat u onderhandelingen voerde met projectontwikkelaar Neprova over de waarde van het terrein. Dat lijken me misplaatste acties voor een bestuur.'

'Wie zegt dat er onderhandelingen zijn geweest? Gelul.'

'Meneer Landman,' zei Vegter. 'U lijkt mij een redelijk intelligent mens. U zou dus beter moeten weten dan uw energie te verspillen aan het in twijfel trekken van informatie waarvan overduidelijk is dat de politie daarover beschikt.'

Landman wreef over zijn kaak, bleef wrijven. In de stilte klonk het als fijn schuurpapier op hout. 'Wij hebben Neprova verteld dat er geen sprake kon zijn van verkoop,' zei hij ten slotte. 'Het waren dus geen onderhandelingen, het waren niet meer dan oriënterende gesprekken. Bovendien zijn wij benaderd door Neprova, niet andersom.' Hij keek naar links en naar rechts, maar zijn secretaris en penningmeester gaven niet thuis.

'Gesprekken die dus hebben plaatsgevonden,' zei Vegter opgewekt. 'Ik ben blij dat we het in elk geval daarover eens zijn. Uit die gesprekken bleek dat de grond zo'n acht miljoen waard is.'

'Dat was een geschat bedrag.'

'Zeker. Maar zeer de moeite waard. Zelfs zodanig dat u zich bent gaan afvragen of er niet toch een mogelijkheid zou zijn de grond te verkopen.'

Landman lachte. 'En dan? Dan zou die acht miljoen hoofdelijk worden omgeslagen over ruim vierhonderd leden.'

'Een kleine twintig mille is niet te versmaden,' zei Vegter. 'De directeur van Safety First was zelfs al blij met de tien mille die hij kreeg voor zijn medewerking. Maar u hebt gelijk, naast die twintigduizend euro, die u natuurlijk ook zou hebben opgestreken, zat er voor u veel meer in.'

Landman stond op en steunde met zijn handen op het bureau. Grote knuisten, behorend bij een man die vertrouwde op zijn fysieke overwicht. 'Waar zouden wij die tien mille vandaan moeten halen?' Hij sprak luider, zijn ogen zonder te knipperen op Vegter gericht. 'Vertelt u me dat eens? Onze administratie is piekfijn in orde, ik zal ervoor zorgen dat u die krijgt, met afboekingen en al. Geen speld tussen te krijgen.'

'Gaat u zitten, meneer Landman.'

Landman bleef staan. 'Ik laat me door niemand de wet voorschrijven. Kom maar! Kom maar met een bewijs voor die tien mille. Ik kan u vertellen dat ik die niet heb betaald.'

Vegter zuchtte. De wereld leek in toenemende mate te worden bevolkt door mensen die geloofden dat alles moest kunnen, dat alles maakbaar was als je maar hard genoeg schreeuwde. Ze lazen de krant en bedachten dat wat de grote jongens zich permitteerden, voor hen ook haalbaar moest zijn. Hij keek naar het grove, rood aangelopen gezicht. Hier stond een haantje dat gewend was geweest in zijn eigen hok koning te kraaien. 'Ik vroeg u te gaan zitten.'

Landman sloeg zijn armen over elkaar. 'Zodra ik dat wil.'

Talsma stond op en deed op zijn gemak twee stappen naar hem toe. 'Zitten,' zei hij zachtjes. 'Als de bliksem. Wij bepalen hier de regels.'

Landman ging zitten.

'Gezien uw huidige omstandigheden kan ik me voorstellen dat u niet uit eigen zak die tienduizend euro hebt betaald,' vertelde Vegter hem. 'U was er voor de organisatie. En u begreep dat u de vereniging niet voor dat bedrag kon laten opdraaien. Of misschien ging het zelfs u te ver om de leden te laten betalen voor het om zeep helpen van hun eigen club. Het geld kwam van iemand anders.' Hij glimlachte. 'Meneer Eggink bijvoorbeeld heeft een bloeiend bedrijf.'

Na een aantal telefoontjes had Talsma een beeld gekregen van de hiërarchie binnen het bestuur. Zoals bij veel verenigingen was de animo voor een bestuursfunctie niet groot, temeer niet omdat dit driemanschap al jaren de touwtjes stevig in handen hield en nauwelijks inmenging duldde. Vegter keek van de harde ogen van Landman naar de nerveuze handen van de secretaris en zette daarop in.

'Meneer Eggink?'

De directeur van Safety First had het geld uiteraard contant ontvangen. Hij had er zelfs, zoals hij verklaarde, een soort reçuutje voor getekend. Maar hij had hardnekkig geweigerd te vertellen wie hem de envelop had overhandigd.

'Meneer Eggink? Ik wil een antwoord van u.'

'We hebben gelapt.' Egginks hoge stem was nauwelijks verstaanbaar.

'Jezus!' Landman kwam half overeind. 'Laat je niks wijsmaken, je ziet toch dat hij zit te bluffen.'

'Gelapt,' zei Vegter. 'Bent u het eens met die bewering, meneer Geelaerts?'

De penningmeester had gedurende het hele gesprek zijn ogen op de vloer gericht. Nu keek hij op. 'Nee.'

'Dat dacht ik al,' zei Vegter vriendelijk. 'U bent werkzaam bij een schildersbedrijf, heb ik begrepen. Ruim drieduizend euro is een heel bedrag. Ongeveer twee maandsalarissen, als ik het wel heb. Al had u natuurlijk wel een forse som in het vooruitzicht. En dan heb ik het niet over een miezerige twintigduizend.'

Geelaerts zei niets.

'Dat lappen laten we voorlopig even voor rekening van meneer Eggink,' zei Vegter. 'Ik begrijp dat hij graag de verantwoordelijkheid met u tweeën wil delen, en vanuit zijn standpunt gezien heeft hij daar gelijk in. Maar nu we zover zijn gekomen, is het misschien tijd om over te stappen naar het volgende stadium. De details, zoals wie het alarmsysteem onklaar heeft gemaakt, vullen we later in. Ik wil van u de naam van degene die de inbraak plus brandstichting heeft geregeld.'

Hij bestudeerde de drie gesloten gezichten tegenover hem en dacht aan de jonge Marokkaan die nog steeds weigerde zijn mond open te doen, hoewel hij – gezien zijn ervaring – beter zou moeten weten.

Het was niet zo eenvoudig als veel mensen graag wilden geloven, en nog altijd kon hij zich verbazen over hun naïviteit. Ze minachtten de politie, ze kenden de wet slecht, ze verkeken zich op de hardnekkigheid waarmee het justitiële apparaat hen kon achtervolgen. Hijzelf vond dat apparaat bij tijden afschrikwekkend in zijn nietsontziende, kafkaëske kilheid, zelfs al had hij begrip voor het feit dat de molen alleen kon malen, voortgedreven door de wetten en regels waarvan een gecompliceerde maatschappij hem noodzakelijkerwijs voorzag, maar als die molen eenmaal draaide, maalde hij alles fijn. Dit waren drie kleine kruimelaars, in zee gegaan met de verkeerde mensen, en niet intelligent genoeg om de eventuele consequenties van hun daden te overzien, er domweg op vertrouwend dat die consequenties zich niet zouden voordoen, zich blindstarend op het geld dat hun in het vooruitzicht was gesteld. Doodgewone mannen, misschien niet mislukt, maar toch ook niet geslaagd. Ze zouden hem tijd kosten, meer tijd dan hij zin had om aan hen te besteden. Maar ten slotte zouden ze door de knieën gaan.

Dat deden ze uiteindelijk altijd.

■

De caravan stonk. Nu Ferry hem bekeek met de ogen van een toekomstige bewoner, rook hij de geur van verwaarlozing en bederf.

De wagen was niet eens zo klein. Een zitgedeelte met een tafel en banken die konden worden omgeklapt tot slaapplaatsen, de schuimrubber kussens nog in model, al schimmelde de gebloemde bekleding. Gordijntjes met groene ranken en onduidelijke gele bloemen. Hij had ze dichtgetrokken en weer opengedaan. Het keukentje was voorzien van een roestende kookplaat met twee pitten, maar een gasfles ontbrak. Een slaapkamertje met twee tweepersoonsbedden boven elkaar, de loopruimte ernaast niet breder dan veertig centimeter. In het onderste bed lag nog een vlekkerige matras, en in een van de bergruimtes onder de banken had hij een deken aangetroffen boven op een reservewiel waarvan het rubber bezig was te verkruimelen. Over alles lag een donkergrijze, kleverige stoflaag.

Even had hij een visioen van zichzelf, bivakkerend in dit armzalige onderkomen op een verlaten terrein zonder enige voorziening, maar hij zette het onmiddellijk van zich af. Er was een waterleiding, aangelegd door de gemeente, en uit de kraan, vlak bij de caravan, kwam tot zijn verrassing water. Hij kon kaarsen kopen, en in de caravan stond een gaskacheltje. Een butagasfles en een paar nieuwe gasslangen en hij was in business. Grootste voordeel was dat niemand hem hier zou zoeken. Hij verjoeg ook de beelden van hemzelf en Niek als kleuters, op een camping sjouwend met jerrycans met water, hun trots als ze hijgend aankwamen bij de tent, waar hun moeder hen uitbundig prees.

In plaats daarvan hief hij het geweer en schouderde. Net zoals vroeger schonk het wapen hem een gevoel van macht. Een kleine vingerbeweging was genoeg om het hele mechanisme in werking te stellen. De tik van de hamer op de slagpen, het slaghoedje dat werd ingedrukt, de ontbranding van het kruit, de druk die daardoor werd opgebouwd en die maar één uitweg had: naar voren. Meer dan driehonderd hagelkorrels die met een snelheid van driehonderdvijftig meter per seconde de loop verlieten. Samen met zijn vader had hij, na zijn eerste les, patronen opengesneden, zich laten uitleggen hoe ze waren opgebouwd – hulsbodem, slaghoedje met slagsas, kruit, prop en hagel – zich de functie van de diverse onderdelen laten verklaren. Hij haalde een van de patronen uit zijn zak en rolde hem heen en weer in zijn hand. Zeven centimeter vernietigingskracht.

De eerste keer dat hij op aandrang van zijn vader had meegedaan aan het jaarlijkse zomerfeest, had hij gezien welk verwoestend effect een schot hagel had op een watermeloen. Zijn vader had maar één opmerking gemaakt. 'Denk je in dat het een mens is.'

Hij schroefde de chokes uit de lopen en bekeek ze. Met clubvrienden had zijn vader daarover diepzinnige gesprekken gevoerd, biertje in de hand. Geknik, hoofdschudden, felle discussies soms. Gemoedelijke mannenpraat. In de loop der jaren had hij diverse chokes aangeschaft en uitgeprobeerd, zoals een jongen van zestien eindeloos prutste aan zijn scooter in de hoop de snelheid te kunnen opvoeren. Zijn vader was een goed schutter geweest, stond graag op de skeetbaan, was trots als hij een score van vier- of vijfentwintig had behaald. Niek had er het geduld niet voor gehad, maar hijzelf had week in week uit staan drukken als er een kleine competitie werd georganiseerd. Op weg naar huis had zijn vader soms een hand door zijn haar gehaald. 'Goed gedaan, jongen.'

Wanneer en waarom was het toch zo verschrikkelijk misgegaan? Maar de vraag stellen was hem beantwoorden, al deed het daarom niet minder zeer. Ondanks alles had hij medelijden met zijn vader, en bijna had hij ook spijt van zijn leugen. Niek had niet op zijn vader gespuugd. Voor Niek was sinds zijn eerste tand zijn vader zijn grote voorbeeld; ze dachten hetzelfde, praatten op dezelfde manier, liepen op dezelfde manier, met zwaaiende schouders, knieën naar buiten. Niek wilde zijn vader worden, was in de bouw gaan werken, *one of the guys*, en toen dat vanwege gezondheidsredenen niet meer ging, had hij een alternatief gezocht dat zijn vaders goedkeuring kon wegdragen. Hijzelf had hen nagekeken als ze naar de judotraining gingen, Niek zich haastend op het tuinpad, als een kuiken achter zijn vader aan, zijn bewegingen imiterend.

Even bleef hij zitten, chokes in zijn hand. Wie was er nu eigenlijk het vaderskindje geweest? Allebei hadden ze gehunkerd naar waardering, maar waar hij noodgedwongen zijn eigen weg was gegaan, had Niek nooit anders gedaan dan zich conformeren aan zijn vaders wensen. Nu pas wilde hij tegenover zichzelf toegeven dat Niek even beperkt was, zijn wereldbeeld verengd tot dezelfde blauwe-boordenmentaliteit; het kapitaal tegen de arbeiders, en de arbeiders waren altijd de lul. Dat was geboortebepaald, en daar viel niet aan te tornen. Jezus, wat een stakkers. Nieks grote naïeve ogen, de vraag daarin: 'Maar Ferry, het *is* toch zo? Je wordt toch altijd genaaid?' Terwijl hij nog niets had meegemaakt, nog moest beginnen, zich alleen maar liet beïnvloeden door de bouwvakkers, in de keet hun zwarte koffie drinkend, de rook van hun shag kringelend boven hun hoofd, terwijl ze kankerden op de baas, de regering, de vakbond, en het leven in het algemeen. Altijd de underdog, altijd aan de verliezende kant.

Hij wreef hard over zijn ogen. Ophouden nu. Dit waren gedachten die nergens toe leidden, gedachten die maar één richting kenden; Niek had gelijk gehad, zijn vader had gelijk. Je werd altijd genaaid. Maar hij zou het anders doen. Vanaf vandaag.

Hij schroefde de chokes terug. Natuurlijk zou hij de bovenste loop gebruiken; nauwere choke, minder sproei. Al deed het er waarschijnlijk amper toe. De afstand zou niet meer bedragen dan zo'n twintig meter, terwijl een hagelpatroon zoals waarover hij nu beschikte, een dracht had van tweehonderdvijftig. André was de meloen. André zou rond de zeventig procent opvangen, de rest was randhagel. Voor het eerst realiseerde hij zich dat ook de geblondeerde vriend, mits die had mee gesport, gewond zou raken. Was dat erg? Nee, dat was helemaal niet erg.

De lopen tikten tegen de ruit van de caravan toen hij richtte op de gemeenschappelijke kraan, dof glimmend boven het afvoerputje. Het was jammer dat zijn vader nooit zou weten hoe hij de hem bijgebrachte kennis had toegepast.

27

'Er komen twee namen voor op beide lijsten.' Renée legde de uit-draai van Reekers' patiëntenbestand op Vegters bureau.

'Maar twee?'

'Er woont een flink aantal verenigingsleden buiten de stad.'

Ze ging zitten en strekte haar benen voor zich uit. Er zat een vlek op haar T-shirt, en haar haren hingen futloos neer.

'Wordt het niet tijd dat je naar huis gaat?' vroeg hij.

'Als jij dit volhoudt, moet ik het ook kunnen. Ik wil een sigaret.' Ze klopte vergeefs op de zakken van haar jack en spijkerbroek. 'Shit, ze moeten nog in de auto liggen.'

'Ik dacht dat je ze niet meer kocht.'

'Dan heb je niet goed opgelet.'

Vegter noteerde het stilzwijgend als een terechtwijzing en las de aangekruiste namen. 'Al enig idee om wie het gaat?'

Ze knikte. 'H. Peters is een ingenieur van drieënveertig, die sa-menwoont met zijn zuster, G.J. Sickinghe is een jongeman van tweeëntwintig, woont nog bij zijn ouders.'

'Zijn er eigenlijk vrouwelijke leden?' vroeg Vegter in een opwel-ling.

'Niet veel. Maar er is er een die het heeft gebracht tot Nederlands kampioen.'

'Misschien denken we te veel in clichés,' zei hij. 'We gaan uit van een mannelijke schutter, maar waarom eigenlijk? Al lijkt dit me toch een typische mannensport.'

'Bestaan die nog?' zei ze meteen. 'Noem er eens een.'

Hij ging er niet op in, maar gebaarde naar de lijst. 'Daar lijkt het op.'

'Ik ben een van de betere schutters van het korps,' zei ze.

'Ik weet het.' Vegter lachte in een poging de spanning weg te nemen. 'Je vindt het niet prettig, maar anders zou ik zeggen dat je schiet met mannelijke bravoure.' Het was geen geestige opmerking, maar het kon hem niet schelen.

Ze verstrakte, wilde iets zeggen, maar bedacht zich. 'We hebben het er later wel over.'

'Nee,' zei hij geprikkeld. 'Dat hebben we niet, want het sop is de kool niet waard. Ik vraag me zonder enige bijbedoeling iets af, en jij reageert alsof je door Pavlov zelf bent geconditioneerd. Ik heb er geen zin in om elk woord op een goudschaaltje te moeten wegen. Ik heb evenmin zin om jou anders te behandelen dan voorheen, wat je trouwens ook niet zou willen. Ik geloof niet dat je me kunt betichten van vrouwonvriendelijke opvattingen, om die gruwelijke term maar eens te gebruiken. Ten opzichte van je mannelijke collega's heb ik je nooit achtergesteld, noch voorgetrokken. Maar als jij een andere mening hebt, moet je het nu zeggen.' Hij keek op zijn horloge. 'Daar heb je dan precies tien minuten voor.'

'Nee, dank je.' Ze stond op. 'Ik heb trouwens vanavond een afspraak, ik was vergeten het je te vertellen.'

'Renée,' zei hij vermoeid. 'We komen geen stap verder. We bereiken elkaar niet.'

'Vind je?'

'Ja.' Hij stond ook op, duwde zijn stoel zo hard achteruit dat die tegen de radiator botste. 'Dat vind ik, ja. Zodra er een meningsverschil dreigt, vertoon je vluchtgedrag. Zo ken ik je niet. Of misschien moet ik zeggen: zo kende ik je niet. Ik loop voortdurend op mijn tenen, bang om iets verkeerds te zeggen. Ik zie dat het niet goed met je gaat, iedereen ziet het.'

Ze ging weer zitten. Hij zag een ader kloppen in haar hals. 'En jij begrijpt daar niets van.'

'Jawel, maar ik kan er niet met je over praten, want dat sta je niet toe.'

'O god,' zei ze. 'Jij denkt dat wanneer je me een beetje ontziet – want dat doe je – het therapeutisch zal werken, en voor de rest vertrouw je erop dat de tijd alle wonden wel heelt. Weet je hoe ik 's nachts in mijn bed lig? Weet je hoe het voelt om van elk geluid wakker te schrikken? Op straat te lopen en bang te zijn voor wie achter je loopt?' Haar stem werd hoger. 'Ik ben gevangene en bewaker tegelijk.'

'Je hebt gelijk,' zei hij. 'Ik weet niet hoe die angst voelt. Je bent bang, en je kunt die angst niet van je afzetten. Tot zover kan ik je volgen. Maar je haalt twee dingen door elkaar. Je lijkt nu elke man als een potentiële belager te zien. Je voert het door tot in het extreme.'

'Je begrijpt er geen barst van,' zei ze.

'Leg het me dan uit.'

'In tien minuten?' Ze haalde diep adem. 'Ik denk dat ik het wel in minder kan. Ik heb het geprobeerd, Paul. Ik dacht: jij hebt je vrouw verloren, ik mijn vertrouwen. En wij allebei… Misschien moet je het hoop noemen, of onschuld. Ik weet het niet. Ik voel me honderd nu ik dit zeg, ik voel me twee keer zo oud als jij. En je begrijpt het niet. We zijn allebei bezig met overleven, en in plaats van dat we elkaar helpen, staren we alleen maar naar onze eigen puzzel. Ik kan het niet allebei. Ik kan niet jouw gemis vergoeden en tegelijk met het mijne bezig zijn. Ik ga gewoon voor, net zoals jij. Waarom hou je niet op te eisen dat ik tweeënvijftig ben? Maar goed, daar ging het niet over. Het ging over mijn feminisme, zoals jij het zo graag noemt. Misschien begrijp je het niet omdat je nooit totaal onderworpen, en ik bedoel totaal onderworpen, bent geweest aan een ander mens. Een man, als je dat vergeten mocht zijn. Wat weet jij ervan? Mannen zijn jouw soortgenoten, niets om bang voor te zijn. Jij spreekt de taal, jij kent de codes. Ik kan je vertellen: primitiever bestaat niet. Vrouw ligt op de grond, man buigt zich over haar heen. Vrouw heeft geen wapens meer, zelfs niet de beroemde vrouwelijke.' Ze lachte. 'Vrouw heeft minder spierkracht, want ze is immers vrouw? Vrouw overleeft door puur geluk en neemt zich voor dat ze dit nooit meer zal laten gebeuren.' Ze tastte in de binnenzak van haar spijkerjack en gooide met kletterend lawaai iets op zijn bureau. 'Vrouw gaat voortaan alleen nog goed beschermd de deur uit.'

Met ongeloof keek hij naar het slanke vlindermes. 'Jezus, Renée.'

'Ja, jezus Renée.' Ze staarde terug.

'Dit is absurd.' Hij hief zijn hand toen ze wilde antwoorden. 'Je draagt dat altijd bij je?'

'Ja.'

'Dus ook in diensttijd.'

'Ja.'

Hij pakte het mes. Het lag koel en glad in zijn hand. 'Moet ik blij zijn dat je niet met je dienstwapen op zak gaat winkelen?'

'Misschien wel.' Ze streek de haren uit haar gezicht, en een ogenblik vond hij het gebaar te theatraal, had hij de indruk dat ze dat deed om de aandacht te vestigen op wat er met die haren was gebeurd, de kale plek die schuilging onder het koperrood. Waarschijnlijk moest hij zich voor de gedachte schamen, maar die was er en liet zich niet verdrijven.

'Renée,' zei hij. 'Dit is het verkeerde moment en de verkeerde omgeving. En ik zou heel goed de verkeerde persoon kunnen zijn, juist nu.'

Ze lachte weer. 'Over vluchtgedrag gesproken.'

'Goed.' Hij legde het mes in een lade, duwde zijn stoel terug en ging zitten. 'Dan handelen we dit nu af. Ik tolereer niet dat een van mijn mensen rondloopt met een mes. Niet terwijl ik daarvan afweet. Je bent dom geweest door het me te vertellen.'

'Niet dom,' zei ze. 'Eerlijk.'

Vegter zweeg. Niet dikwijls was hij in een situatie geweest waarin hij niet wist wat te doen. Tot Talsma's frustratie placht hij niettemin zijn beslissingen uit te stellen tot hij alle aspecten en consequenties ervan had overwogen. Ook nu wist hij wat hij zou moeten besluiten, zoals Renée dat moest weten. Ze had hierop aangestuurd, en hij begon te vermoeden waarom. Misschien was hij blind geweest, had hij zich laten geruststellen door de harmonie gedurende die ene week samen. Misschien had die harmonie niet meer ingehouden dan zijn verlangen naar vertrouwdheid, geborgenheid, een zwijgende vanzelfsprekendheid. Ze had verdomme gelijk. Hij was gemakzuchtig, accepteerde niet de verschillen tussen haar en Stef, zocht alleen koppig naar overeenkomsten. Wilde hij haar corrigeren omdat hij haar niet begreep, of was hij bang dat begrip correctie in de weg stond? Het leek erop dat zij hem beter begreep dan hij zichzelf. Het was geen comfortabele gedachte, en het inzicht opende geen perspectieven. Niet nu. Geen tijd, geen energie, en misschien zelfs te weinig betrokkenheid, of moest hij het liefde noemen? Liefde was een dameswoord, en hij had zich er nooit bij op zijn gemak gevoeld. Liefde hoefde je niet uit te spreken, liefde bleek. Stef had dat begrepen, er grapjes over gemaakt. 'Jij bent zo'n man die op zijn trouwdag zegt: "Ik houd van je, en als daar verandering in komt, laat ik het je weten."' Renée was Stef niet. Renée wilde bevestiging en steun. Hulp. En op dit moment kon hij die maar op één manier geven.

Ze bewoog zich niet, keek hem alleen maar aan, haar ogen wijd open in haar witte gezicht, en hij probeerde die blik te interpreteren, wensend dat hij ongelijk had. Opeens was hij zich bewust van de indruk die hij moest maken – de manier waarop hij zat, enigszins onderuitgezakt omdat anders zijn maag hem hinderde, het overhemd dat hij die ochtend had aangetrokken, ongestreken maar schoon, nu met een grote zweetvlek op de rug, en hij voelde zich oud en verbruikt. Hij had het allemaal gezien, hij verbaasde zich nergens meer over. Dat zou flexibiliteit moeten inhouden, maar vermoeidheid was alles wat het had opgeleverd. Ze zou dit niet van hem moeten vragen. Hij was geen psycholoog, hij was geen psychiater. Wat was hij eigenlijk wel? Niet meer dan een politieman met te veel ervaring en te weinig illusies.

Op de gang klonken stemmen, een deur sloeg dicht, vóór hem lag een stapel rapporten die hij die avond zou moeten doornemen, en tegenover hem zat iemand die wilde dat hij voor haar besliste, omdat ze dat zelf niet kon.

'Ik was van plan je twee opties te bieden,' zei hij. 'Maar er is er maar één. Je bent vanaf nu met ziekteverlof, en je zoekt professionele hulp.'

Ze stond opnieuw op. 'Ik dacht al dat je dat zou zeggen.'

'Dat dacht je niet,' zei Vegter. 'Dat hoopte je.'

Toen ze weg was bleef hij nog lange tijd zitten, terwijl op zijn bureau het ouderwetse wekkerklokje dat hij ooit van Ingrid had ge-

kregen, de minuten wegtikte, minuten waarin hij iets nuttigs had
kunnen doen, zoals de maatschappij dienen, wat dat begrip ook
precies mocht inhouden, en ten slotte ging hij voor het raam staan,
omdat het nooit veranderende uitzicht houvast bood.

28

Hoewel zijn maag krampte van de honger kon Ferry niet eten. Hij was niet meer naar huis gegaan, uit angst zijn vader daar tegen het lijf te lopen. In plaats daarvan had hij de auto alvast geparkeerd waar hij hem wilde hebben; zo dicht mogelijk bij de kruising, maar niet helemaal op de hoek. Een bekeuring kon hij zich in geen enkel opzicht permitteren. Hij had ettelijke rondjes moeten rijden, omdat de plaats die hij op het oog had voortdurend in beslag bleek te zijn genomen door bestelbusjes die onduidelijke spullen afleverden bij onduidelijke bedrijfjes, en pas na vijven was het verkeer rustiger geworden. Maar nu was alles geregeld. Het geweer lag in de auto, de patronen zaten in zijn zak, zijn plaats tussen de struiken had hij nauwkeurig bepaald. Zelfs had hij een paar takken afgebroken die hem hadden kunnen hinderen als hij overeind kwam en het pad op stapte. Op dat pad had hij een vrij schootsveld en stond hij vis-à-vis met zijn duif. Het bordesje mat zo'n drie meter vanaf de ingang tot de traptreden. Drie meter die André zou afleggen in een paar seconden, als je ervan uitging dat hij onderweg niet werd opgehouden. Goddank waren er alleen treden recht vooruit en niet opzij. Pas vanavond was hem dat opgevallen, en hij had zichzelf vervloekt om zijn nonchalance. Hij was te gemakzuchtig geweest, had niet goed genoeg gekeken.

Maar alles was nu in orde. Alles was in orde. Hij liet het als een mantra rondzingen in zijn hoofd. En toch kon hij niet eten. Hij was een snackbar binnengegaan – niet dezelfde als de vorige keer – en had iets besteld, hij wist al nauwelijks meer wat. Een worstje, overgoten met rode drab, een driehoekig donkerbruin gefrituurd iets met een houten stokje erin geprikt. Buiten stonden witte kunststof tafels en witte kunststof stoelen oogverblindend te glimmen in de zon, en hij had het bakje met voedsel op een tafel gezet, ernaar gekeken en geweten dat één hap genoeg zou zijn om ieders aandacht op hem te vestigen. Het armzalige terrasje zat vol met etende mensen, en een jongen die alles onderkotste zou in het geheugen blijven hangen. Dus had hij het bakje in de afvalmand gegooid en was gaan lopen. Zonder richting, zonder doel. Lopen als tijdspassering. Langs een firma die handelde in schuimrubber, langs een armetierig kapperszaakje met een hoopvolle plantenbak naast de deur, langs een dumpshop die zijn naam verloochende door uitsluitend nieuwe, nagemaakte legerkleding aan te bieden, langs een bedrijf dat handgeweven kleden verkocht en uitnodigend een levensgrote plastic indiaan, compleet met verentooi, op de stoep had gezet.

Lopen.

Lopen tot hij zo moe was dat de struiken bij de sporthal een welkom toevluchtsoord hadden geleken. Maar hij kon er niet gaan zitten vóór het donker was. Hij kon niet in de auto gaan zitten, omdat hij ook daar zou opvallen. Ongezien blijven was van het grootste belang. In zijn zak brandde het stukje hasj. Tabak zou zijn honger wegnemen, de hasj zijn angst. Maar het mocht niet, het kon niet, hij moest helder zijn.

Voor de vierde keer sjokte hij de lange, kaarsrechte weg af die eindigde in een T-splitsing, waarachter de weilanden begonnen. De zon was inmiddels verdwenen achter sanitairbedrijf Aquarius, voor al uw luxe badwensen. Ferry liep tot aan de splitsing, stak de weg over en ging in de berm zitten. Zijn voeten brandden, en hij trok zijn schoenen en sokken uit en bekeek zijn tenen, die er rood en warm uitzagen. Achter hem trok grommend een laatste vrachtwagen op die een blauwe dieselwalm achterliet. Daarna was het stil. Ergens riep een vogel herhaaldelijk dezelfde monotone boodschap, die onbeantwoord bleef. In de verte graasden schapen, en opeens herinnerde hij zich een bezoek aan een boerderij. Hoe oud was hij geweest? Acht of negen. Onder begeleiding van de meester en een paar ouders had de hele klas mogen toekijken bij het schapen scheren. Hij wist nog hoe de schapen blatend hadden geprotesteerd toen de boer hen met snelle halen van hun vacht ontdeed, wist nog dat hij zijn handen in zo'n vacht had begraven en hoe die had gevoeld; ruwer dan je zou verwachten en met overal harde stukjes waarvan de meester grijnzend zei dat het waarschijnlijk stront was. De geur had dat bevestigd – een sterke lijflucht, maar niet onaangenaam. De blote schapen krabbelden na hun scheerbeurt overeind en sprongen weg. Iele beesten, hun huid roze en kwetsbaar met hier en daar een bloedige schram waar het mes was uitgeschoten, alleen hun kop nog voorzien van nuffige krulletjes, waardoor het leek alsof hij los op het lijf was gezet.

Het was een prettig schooljaar geweest, vooral omdat Niek in een andere groep had gezeten, zodat ze eindelijk eens niet voortdurend met elkaar werden vergeleken. Een veilig, warm jaar.

Hij haalde zijn shag tevoorschijn, legde tabak op het vloeitje, aarzelde even, vouwde toen het zilverpapier open en brak een stukje hasj af. Fuck iedereen, hij had het verdiend.

29

Vegter liep op gezette tijden de gang op om een bekertje water te halen. Gegeten had hij niet – geen trek in de liefdeloze happen uit de kantine, en het eetcafé was ondenkbaar. Even geen opgewekte mensen om hem heen. Hij kneep het zoveelste bekertje plat en gooide het in de prullenmand, las daarna weer verder met een koppigheid die hemzelf verbaasde. Dit zou hij ook thuis kunnen doen, maar een huiselijke omgeving, zelfs al hield die huiselijkheid niet veel meer in dan een bank en een tafel, leek niet passend. Hij las om niet te hoeven denken.

Desondanks was de stapel rapporten nog niet bemoedigend geslonken toen er op zijn deur werd geklopt. Een agent stak zijn hoofd om de hoek. 'Ik heb net die Alzouri zijn eten gebracht, en hij vraagt naar u.'

Met immense opluchting schoof Vegter de stapel opzij. 'Is Talsma binnen?'

'Ik zag hem de recherchekamer in lopen.'

'Stuur hem hiernaartoe.'

De agent sloot de deur, en Vegter wreef met duim en wijsvinger over zijn ogen. Er ging iets rollen, hij wist het alsof het hem was verteld. Talsma zou blij zijn, voor zover hij op dit moment met iets blij kon zijn.

'Renée is vanaf vandaag met ziekteverlof,' zei hij, terwijl ze wachtten tot Mohammed Alzouri zou worden binnengebracht.

Talsma keek hem oplettend aan. 'Wilde zij dat?'

'Indirect wel.'

Talsma's blik bleef op hem gevestigd, en hij voegde er onbeholpen aan toe: 'Ze komt terug wanneer ik denk dat het kan, niet eerder.'

'Mooi,' zei Talsma. 'Dit had allang gemoeten, maar enfin. Zoals u zei: het zijn mijn zaken niet.'

Vegter incasseerde de terechtwijzing zonder morren. Als het op loyaliteit aankwam, was Talsma zijn meerdere.

De deur ging open en Alzouri kwam binnen.

'Wachten?' vroeg de begeleidende agent met een gebaar naar de gang.

Vegter nam Alzouri op toen die zich met mislukte bravoure op een van de rechte stoelen liet vallen. De jongen zag er niet uit alsof hij een vluchtpoging had gepland.

'Niet nodig, denk ik.'

Talsma had het opnameapparaat al ingeschakeld en sprak de gegevens in. Vegter vouwde zijn handen voor zich op het bureau. 'Allereerst wil ik van u naam en adres van uw opdrachtgever. Of houdt u vol op eigen initiatief te hebben ingebroken en brand gesticht? Als dat zo is, bent u ook degene die daarvoor de volle verantwoordelijkheid draagt en zult u overeenkomstig worden gestraft.'

Alzouri aarzelde niet. 'André Lensink.'

'Adres?'

'Admiraalsgracht. Ik weet geen nummer.'

'U hebt al eerder opdrachten uitgevoerd voor meneer Lensink?'

Mohammed wikte en woog. 'Een paar.'

'We zullen ons eerst concentreren op deze,' zei Vegter. 'Wat hield uw opdracht precies in?'

'Geweren meenemen en de gebouw in brand steken.'

'Daarbij moet u hulp hebben gehad.'

Alzouri zat in zijn leren jack weggedoken alsof het aan hem was vastgegroeid. Zijn veterloze schoenen stonden open en leken te ruim rond de smalle enkels. 'Ik ging dat samen met Ferry doen.'

'Ferry wie?'

Mohammed keek naar het plafond.

'Geen geintjes,' zei Talsma scherp.

'Laat me denken,' zei de jongen. Hoewel zijn Nederlands tijdens de vorige verhoren verzorgd was geweest, brak nu zijn Marokkaanse accent door. 'IJsman. Nee. Ef… Elsman.'

'Ferry Elsman?'

'Ja.'

'Adres?'

'Weet ik niet.'

'Woont hij in de stad?'

'Ja. Denk ik wel.'

'Goed,' zei Vegter. 'Jullie kregen dus opdracht alle geweren mee te nemen en daarna het gebouw in brand te steken. Wie van jullie heeft dat gedaan?'

'Weet ik niet meer.'

'Jij dus,' zei Talsma.

Mohammed keek gekwetst. 'Weet ik niet meer. Wij moesten dat doen, en Ferry had haast. Bewakers kwamen… Ik weet het niet meer. Alles ging heel vlug.'

'Waar hebben jullie die geweren naartoe gebracht?'

'Naar de loods van André.'

'Waar is die?'

De jongen maakte een vaag gebaar. 'Bij de haven. Ik weet niet hoe dat heet daar.'

'Maar u kunt het wel terugvinden?'

'Jawel.'

'En die geweren liggen daar nog?' vroeg Talsma nonchalant.

'Weet ik niet.'

'Wat was André Lensink daarmee van plan?'

'Verkopen, zegt hij.'

Vegter dacht even na. Als Alzouri de waarheid sprak, en daar leek het op, zou dat betekenen dat Ferry Elsman om de een of andere reden de wapens had teruggebracht naar de eigenaar, wat inhield dat hij die goed moest kennen, zo goed dat hij zijn privéadres wist. Lensink zou het niet hebben gedaan, al moest die mogelijkheid worden ingecalculeerd.

'Het geweer waarmee u schoot bij de rivier was een van de gestolen wapens. Waarom schoot u?'

'Zomaar. Gewoon voor fun.'

'Waarom had u dat geweer niet bij de andere in de loods gelegd?'

'Ik wilde die verkopen,' zei Mohammed.

'U bedoelt dat ene geweer?'

'Ja.'

'Waarom?'

'Omdat Ferry zei dat die duur was.'

'U dacht dat u daarmee nog wel iets extra's kon verdienen?'

'Ja.'

'Met dat geweer is een moord gepleegd,' zei Talsma bot. 'In het Zuiderpark. Was jij dat?'

'Nee!' Alzouri ging in paniek rechtop zitten, het laatste restje brutaliteit gesmolten. 'Ik heb niks gedaan. Niks!'

'Alleen maar ingebroken en brand gesticht,' zei Vegter zachtzinnig.

'Ja.'

'Dus u was degene die de brand heeft veroorzaakt.'

De jongen leek kleiner te worden toen het tot hem doordrong dat hij in een overduidelijke val was getrapt. 'Ja.'

Een ogenblik had Vegter met hem te doen. Intussen was Mohammed Alzouri's doopceel gelicht. Hij was een van de Marokkaanse jongens die de boot hadden gemist en waren terechtgekomen in het foute circuit. Gebrekkige, onafgemaakte opleiding, vader terug naar Marokko met medeneming van de paspoorten van vrouw en kinderen. Armoede, achterstandswijk, minachting en wantrouwen. Deze jongen was vanaf zijn kinderjaren gewend geweest zich schreeuwend als een biggetje naar de voorste tepel te vechten, had niet leren nadenken, was zonder begeleiding het leven in geschopt en meende het te kunnen rooien met een grote bek en misplaatst bravado. Nu was hij verslagen, en hij wist het, maar naar alle waarschijnlijkheid zou hij de volgende keer gewoon proberen slimmer te zijn, meer op zijn hoede.

'Waarom wist Ferry Elsman dat het hier een duur geweer betrof?'

'Hij weet dat. Hij heeft daar verstand van.'

'Waarom?'

'Hij kan schieten.'

'Waarom kan hij dat?' Vegter zag Talsma's ongeduld. Talsma was van de rechte lijn, terwijl hijzelf van mening was dat er meer te halen viel als je het stapsgewijs aanpakte.

'Hij heeft geschoten.'

'Dat begrijp ik,' zei Vegter. 'Maar wanneer en hoe vaak?'

'Hij schoot vroeger bij die club. Met zijn vader,' zei Mohammed. 'Hij wist ook precies de weg in die gebouw.' Het was een laatste poging de schuld zo netjes mogelijk te verdelen.

'Wisten jullie dat het alarm niet werkte?'

'Ja. André had alles geregeld.'

'Met wie?'

Alzouri haalde zijn schouders op. 'Weet ik niet. Hij zegt nooit wat, André.'

Vegter had Talsma weleens verteld dat ook hij intuïtief werkte, iets wat hij altijd lachend had ontkend. Nu werd zijn stelling bewezen toen Talsma zich naar voren boog en zei: 'Vertel eens, Mohammed, hoe jullie dat deden met die vrachtwagens die jullie hebben overvallen.'

'Op naar Lensinks huis,' zei Talsma, nadat Mohammed was teruggebracht naar zijn tijdelijk verblijf.

Je kon het ook níét doen, dacht Vegter. Lensink wist van niets, die zou niet weglopen, en morgen was een nieuwe dag. Maar hij begreep dat die redenering niet opging. Alles werd opgeslagen, alles werd geregistreerd, dus ook het tijdstip van beëindiging van het verhoor van Alzouri. Het zou op zijn minst merkwaardig lijken als ze niet meteen actie ondernamen.

'Natuurlijk,' zei hij.

'Knippen en scheren,' zei Talsma lusteloos, en Vegter besefte dat ook hij aan het eind van zijn Latijn was.

'Misschien is het goed om wat mensen mee te nemen.'

Talsma wuifde dat weg. 'Gewoon u en ik.' Zijn grijns miste overtuigingskracht.

'Eerst even iets checken.' Vegter pakte de ledenlijst van de vereniging uit een bureaula. Hij had al niet meer getwijfeld, maar daar stond het. F. Elsman. Dat zou de vader zijn. Alzouri's verhaal klopte.

Het schemerde toen ze naar buiten liepen, de lauwe september-avond in.

André Lensink was niet thuis. Achter de ramen van het apparte-ment op de Admiraalsgracht brandde geen licht, en op hun bellen werd niet opengedaan. Vegter was heimelijk opgelucht. Hij zou opdracht geven tot observatie. Vier man zou genoeg moeten zijn, en zodra Lensink arriveerde, zou hij worden aangehouden. Hij kon naar huis.

'Verdomme,' zei Talsma terwijl hij de traptreden afdaalde. 'Ik had dit vandaag nog willen afronden.'

Hij zag ertegen op om naar huis te gaan, begreep Vegter. Hij was bang voor de stilte van zijn flat.

Ze gingen terug naar de auto, slordig geparkeerd op de nabije brug. Er dreven een paar eenden in het donkere water, zonder ani-mo pikkend naar het gele, gevallen blad van de bomen, waarvan de kruin elke dag doorzichtiger leek te worden. De gracht lag verlaten – de kantoren gesloten, het uitgaanspubliek nog niet op oorlogs-pad. Een brommer scheurde de stilte stuk, de berijder zorgeloos zonder helm, overhemd flapperend in de wind.

Ze stapten in, en Talsma startte.

30

Pas toen de lantaarns aanfloepten liep Ferry terug op gekalmeerde voeten. Het industrieterrein was leeg, alle bedrijven donker, de toegangshekken gesloten. Het enige geluid was dat van zijn stappen op de geasfalteerde weg. Eerst een snel rondje over het parkeerterrein van Everybody. Stond André's auto er niet, dan ging hij naar huis.

Er stonden betrekkelijk weinig auto's, en die van André was er een van. Het bescheiden jointje bleek niet in staat zijn schrik te dempen. Hij kon niet meer terug, ook al leek wat hij van plan was steeds surrealistischer nu het werkelijkheid dreigde te worden. Voor de zoveelste maal hield hij zichzelf voor dat het zou zijn als schieten op een levenloos schoteltje. Honderden, duizenden keren had hij de trekker overgehaald. Een spelletje was het, meer niet. Beng raak, beng mis.

Het beeld voldeed niet. Deze duif had armen en benen, een hart, lever, longen, een brein. Dat brein had besloten dat het er niet toe deed als je iemand beschadigde, vernederde, weggooide. Deze duif verdiende het om aan stukken te worden geschoten. Dat moest hij voor ogen houden, de rest was flauwekul.

Hij liep naar de auto, opende de achterklep, wachtte tot een fietser hem was gepasseerd en haalde de Browning eruit, hing er een lap overheen. Hij sloot de achterklep en ging terug naar de sportschool, bedacht onderweg dat hij leek op zo'n stierenvechter die een over een stok gedrapeerde doek sarrend voor de neus van een getergde stier hield.

Hij kwam niemand tegen. Dat moest een goed teken zijn. De struiken waren al enigszins vochtig toen hij zich ertussendoor wurmde, takken opzij boog. Hij spreidde de lap uit en ging erop zitten. De grond was nog warm. Geweer breken, laden met de twee patronen, sluiten. Hij legde het op zijn knieën en begon met wachten.

31

'Geldt dat aanbod nog, Vegter,' zei Talsma terloops toen ze op weg waren naar het bureau.

'Welk aanbod?'

'Van die biefstuk.'

Nee, dacht Vegter. Niet vanavond. Niet na een werkdag van alweer dertien uur, een dag bovendien die op geen enkele manier had beantwoord aan de verwachtingen. 'Natuurlijk, Sjoerd.'

Talsma knikte. 'Handiger om met twee auto's te gaan.'

'Dat zeker.' Vegter was de verrassing te boven, en hij kwam tot de ontdekking dat hij als een huismoeder de inhoud van zijn koelkast zat na te gaan. De biefstuk was er, en er was groente. Meer hoefde niet. Er was bovendien whisky en jenever, en zelfs nog wat bier. En Talsma zou terug naar de stad moeten. Geen slemppartij van twee gefrustreerde mannen van zekere leeftijd, die ten slotte ergens om zouden vallen nadat ze hun narigheid diepgaand hadden geanalyseerd en gekoesterd.

Ze reden achter elkaar aan naar het dorp, Vegter voorop. De schemering had zich verdiept tot de blauwe tijdloosheid waar hij zo van hield. Dit was een stilstaand uur – de dag nog niet afgesloten, de nacht nog niet begonnen. Waar eenzelfde uur 's ochtends frisheid en sprankeling beloofde, betekende het 's avonds verlangen en melancholie.

Op het kanaal dreven ongehaast wat bootjes, zeilen gereefd, alsof ook de opvarenden beseften dat deze dag ten einde liep, een bestemming ook morgen bereikt kon worden, en dat het geen verschil zou maken.

In kalm tempo reden ze de straatweg af, de klinkers ratelend onder hun wielen. Vegter parkeerde op het pad, achter hem deed Talsma hetzelfde.

'Mooie Andalusiër,' zei Talsma met een blik op het paard, dat stond te grazen.

'Hoe weet je dat?' vroeg Vegter verrast.

'Je ziet het altijd aan het hoofd.' Talsma lachte een beetje. 'U en ik komen uit twee werelden, Vegter.' Hij floot zachtjes, en het paard kwam bedaard aangelopen.

'Fijne beesten.' Talsma beklopte de flank, bekeek nauwlettend de hoeven. 'Van de ijzers, en net bekapt. Deze jongen heeft het niet slecht.'

'Hoe oud schat je hem?' vroeg Vegter. De avond zou weleens beter kunnen verlopen dan hij had gedacht.

Talsma opende met een handige beweging de mond. 'Achttien, minstens. Misschien wel ouder.'

'Waar zie je dat aan?'

'Een paardengebit slijt,' zei Talsma. 'Ze malen hun kiezen steeds platter.' Hij demonstreerde de beweging. 'Je kunt het ook zien aan hoe ze lopen. Hij is al aardig stram. Maar er mankeert hem niks.' Hij stuurde het paard met een fikse klap terug de wei in.

'Hoe is het nou met Akke?' vroeg Vegter boven de sputterende biefstuk. Het klonk bijna te intiem, maar hij had Vivaldi opgezet, en Talsma zat uiterlijk tevreden met een biertje op de bank, het schoteltje dat als asbak diende naast hem.

'Het duurt,' zei Talsma. 'Het duurt allemaal zo verrekte lang dat je je afvraagt waar al die moderne apparatuur voor is uitgevonden, als het de boel toch niet kan versnellen. Ik ben vanmiddag nog even langs geweest, en ze was moe. Honderd onderzoeken, en de helft wordt nog niet verklaard. Maar blij zijn ze niet. Straks krijg je een uitslag van zo'n knakker die tien minuten heeft uitgetrokken voor een slechtnieuwsgesprekje. Is allemaal in voorzien bij de opleiding. Of anders wel tijdens een seminar.' Hij sprak het woord seminar uit alsof het iets onsmakelijks betrof.

'Ben je niet erg bitter?' Vegter keerde de biefstuk terwijl hij zich afvroeg waar hij de brutaliteit vandaan haalde om zo'n vraag te stellen. Niets wist hij van het ijzeren protocol dat in ziekenhuizen werd gevolgd, niets behalve in theorie.

'Natuurlijk.' Talsma zette het flesje aan zijn mond, dronk en veegde zijn lippen af. 'En dat is maar deels terecht, Vegter, dat weet ik ook. Die dokters doen hun best, en dingen gebeuren. Sommigen worden honderd, sommigen worden vijftig. Het is alleen een kwestie van je erbij neerleggen. Maar ik voel me bestolen. En als ik me al bestolen voel...'

'Ik dacht dat je zei dat Akke er vrede mee had,' zei Vegter behoedzaam.

'Dat lijkt zo. Maar een halfjaar geleden werkte ze nog. Paste op de kleinkinderen, sportte.' Talsma zweeg even. 'Had een leven.'

'Alles staat stil, bedoel je.'

'Alles staat stil.' Talsma draaide het lege flesje rond in zijn handen. 'Misschien wordt dat anders als we weten waar het heen gaat. Dan moet je wel plannen maken, of je nou wilt of niet.'

Vegter trok de koelkast open. 'Ik heb er nog vier.'

'Meer dan genoeg.' Talsma stond op.

32

Minstens tien keer was hij van houding veranderd, bang dat hij zou verstijven, niet snel genoeg overeind zou kunnen komen nu de grond onder hem afkoelde en de lap waarop hij zat koud en vochtig maakte.

Het geweer, dat steeds zwaarder leek te worden, op zijn schoot, het zweet dat ondanks de kilte maar bleef stromen, zijn T-shirt aan zijn lijf liet plakken en zijn handen glibberig maakte, zodat hij bang werd dat op het cruciale moment zijn vinger van de trekker zou glijden. Zijn lege maag die krampachtig samentrok, gal omhoog stuwde die hij moest wegslikken en die een bittere smaak achterliet. De paniek telkens als de deur openging. Het verlammende, adembenemende bonzen van zijn hart dat zijn oren deed ruisen, elk ander geluid overstemde. Was het hem? Was het hem? De beschamende opluchting als het iemand anders bleek te zijn.

Minstens tien keer had hij op het punt gestaan zich uit de struiken te vechten, naar de auto te lopen, in te stappen. Geweer op de vloer achterin. Portieren dicht. Radio aan. Niets aan de hand, niets gebeurd. Naar huis. Lamellen gesloten, de wereld niet groter dan de kale, slecht verlichte kamer. Naast zijn vader op de bank. De geur van shag, zwaar en prikkelend, symbool van het leven zoals hij dat had gekend – eenvoudig, overzichtelijk, gevuld met kleine verlangens, kleine genoegens. Vertrouwd. Nooit eerder was hij zo alleen geweest.

Bij alles wat hij tot dusver had uitgehaald, had hij geen geweld gebruikt. Mo wel. Mo zag het als een noodzakelijk iets, stond er onverschillig tegenover. Hij genoot er niet van, was er niet op uit, maar beschouwde het als onvermijdelijk zodra iemand zijn plannen dreigde te dwarsbomen.

Het hoefde niet, hij hoefde dit niet te doen, niemand zou het weten als hij een streep haalde door de hele krankzinnige onderneming. Hij zou zich voor niemand hoeven te schamen. Behalve voor zichzelf. Ging hij weg, was hij een loser. Liet hij zich net als zijn vader en zijn broer fucken door het recht van de sterkste. In zijn nek kriebelde iets, en hij sloeg het weg, brak een twijg af die hinderlijk in zijn wang prikte, probeerde op zijn horloge te kijken, al deed de tijd er niet toe. Misschien verstreek er geen tijd, stond alles stil, zou dit blauwe duister eeuwig duren, hijzelf als het versteende middelpunt ervan.

Hij concentreerde zich, sloot zijn geest af zoals hij dat vroeger al had gedaan tijdens de eindeloze autoritten naar de vakantiebestemming, die dikwijls ruzie hadden opgeleverd. Twee vermoeide, geïrriteerde volwassenen, hun stemmen steeds luider naarmate het conflict escaleerde, op de achterbank twee zwijgende jongetjes die hadden geleerd hun mond te houden.

Een claxon bracht hem terug, joeg het bloed naar zijn wangen, maakte hem bewust van de kramp in zijn benen. De auto jakkerde langs, een flard muziek dreef naar hem toe – dwingende bass, de langgerekte snik van een gitaar. Hij krabbelde op, ging op zijn knieën liggen, strekte zijn rug, geweer steeds in zijn handen, lopen naar de grond gericht.

Weer ging de deur van sportschool Everybody open, en tegen het heldere licht tekende zich de brede gestalte van André af, Vriend links van hem, een halve pas achter.

Ferry struikelde toen hij op zijn voeten sprong, de lopen sloegen pijnlijk tegen zijn knie.

André droeg bijna dezelfde kleren als de avond tevoren; spijkerbroek, donkerrood openhangend sportjack met een witte streep over de lengte van de mouwen, hagelwit T-shirt deze keer. Het stak fel af tegen de donkere broek en het hield precies op de juiste hoogte op.

Ferry's bovenlip trok zich terug van zijn tanden toen hij het pad op stapte.

Hij kon dit.

Hij kon dit.

Achter hem sloten zich de struiken met nauwelijks hoorbaar geritsel. Terwijl hij schouderde en richtte had hij zelfs nog tijd om te constateren dat zijn handen plotseling kurkdroog waren, even droog als zijn keel.

André bleef staan op het bordesje, Vriend naast hem nu, beiden full front in Ferry's schootsveld. Een volmaakt rechte lijn van loop naar doel.

André sloeg een pand van het jack terug, tastte in zijn binnenzak, en Vriend boog zich lachend naar hem toe, de goudglanzende haren als een aureool rond zijn hoofd.

Ferry's vinger lag zonder beven rond de trekker. De straatlantaarn achter hem wierp zijn schaduw smal en langgerekt over de klinkers van het pad. Hij kneep zijn linkeroog half dicht en keek over de bies. De kolf lag genesteld in de holte van zijn schouder, het satijngladde hout warm tegen zijn wang. Rechtervoet in een volstrekt automatische beweging iets naar achteren, zoals het een ervaren schutter betaamt – het lichaam in balans en voorbereid op de terugslag.

Er was alle tijd. Er was alle tijd. Dit was de simpelste duif *ever*.

André had een pakje sigaretten in zijn hand, al zijn aandacht daarop gericht. Hij stond wijdbeens, het bekken naar voren gekanteld. Alfamannetje.

Ferry schoot hem recht in het kruis.

33

Ze zaten buiten aan het campingtafeltje, een kaars tussen hen in. Twee wrakkige stoeltjes, twee borden, twee messen, twee vorken. Een schaal groente waarvan Vegter zich had afgevraagd of die iets toevoegde aan de glorieuze biefstuk, en of het ertoe deed.

'Dit,' zei Talsma. Hij gebaarde met zijn vork om zich heen.

De verstilde weilanden waren nauwelijks zichtbaar in de nevel die er vlak boven hing. Ergens koerde lokkend een duif, Warmans klompen klepperden, een schuurdeur piepte in zijn hengsels. Vocht trok op, vliegjes dansten rond de kaars. Half september – de herfst was nog niet gearriveerd, maar de zomer stond klaar om af te reizen.

'Meer hoef ik niet,' zei Talsma. 'Is dat te veel gevraagd?'

'Lijkt me niet.' Vegter lachte omdat het nu kon. 'Maar wij zijn niet degenen die dat bepalen.'

Talsma fronste wantrouwig. 'Kom me niet aan boord met God. Of gelooft u daarin?'

'Nee.'

'Ik heb er natuurlijk over nagedacht,' zei Talsma. 'Je ziet hoeveel er voortijdig sneuvelen. Voor mezelf kan het me niet schelen. Ik weet hoe ik leef, en dat is niet gezond. Ik tel dingen bij elkaar op, en ik trek er weer wat af, en ik heb besloten: liever kort maar prettig, dan lang en vervelend. De dood is niks, en wie is er bang voor niks? Maar Akke is een ander verhaal. Die verdient beter. Eet biologisch, rookt niet, drinkt matig, fietst, zwemt elke ochtend. Ik dacht, die wordt honderd. En dan in haar eigen dorp. Dat had ik haar beloofd. En nou dit. Het is verrekte oneerlijk, ik heb er geen ander woord voor.'

Vegter nam nog wat van de koude blikartisjok gemengd met verse tomaten en ui. Het smaakte nergens naar, iets wat hij had geprobeerd te verhelpen door er royaal peper overheen te malen. 'Dat impliceert dat je gelooft dat er toch over je hoofd heen wordt besloten.'

'Heb ik ook over nagedacht.' Talsma sneed in zijn biefstuk. De salade had hij nog met geen vinger aangeraakt. 'Ik denk dat het te maken heeft met genen. Twee van haar zussen zijn al weg. Ook kanker. Moeder idem. Volgens mij heeft het geen flikker van doen met levensstijl. Het is allemaal al bepaald.'

'Dus jij wordt oud?'

Talsma knikte. 'Ik ben er bang voor.'

'Bij wijze van spreken?'

'Nee. Echt. Ik had zo'n omke, broer van mijn moeder.'

Hij zweeg, terwijl Vegter bedacht dat het Fries meer aan de oppervlakte kwam naarmate Talsma zijn best deed zich adequaat uit te drukken.

'Nooit getrouwd geweest,' zei Talsma. 'Wij verdachten hem ervan dat hij homo was, wat hij altijd heeft ontkend. Nou ja, dat begrepen we wel. Openlijk belijden kon ook niet, toen, in zo'n dorp. Maar af en toe was hij een weekend zoek. Dan zat hij in de grote stad en haalde fratsen uit, zoals mijn moeder dat noemde. Tot hij een ouwe kerel werd en was uitgewoed. Werd zo'n beetje verzorgd door wat zussen en nichten. Zat als een pad in zijn huisje dik te worden, liet het zich allemaal aanleunen alsof hij er recht op had.' Hij dronk zijn laatste beetje bier als had hij drie dagen zonder water in de Sahara rondgedoold. 'Ik moet er niet aan denken.'

Vegter besloot mee te gaan in de gedachtegang, nu hij niet bij machte was gebleken Talsma uit zijn pessimisme te praten. 'Je bedoelt dat je niemand tot last zou willen zijn. En als je niet naar Friesland gaat, maar hier blijft?'

'Dan kom ik voor rekening van de dochters. Ik weet niet wat erger is.'

'Denk je niet erg ver vooruit?'

'Misschien wel.' Talsma zweeg een poosje. 'Maar het lijkt opeens niet meer zo ver.'

Vegter draaide zich half om naar zijn huis, waarvan de voordeur wijd openstond, zodat de muggen niet konden verdwalen op weg naar de verlichte zitkamer. De klimroos gloeide tegen de gevel, in de vensterbank zat Wolf zich te wassen. 'Toch geef ik hier de voorkeur aan.'

'Ik ook. Ondanks alles.' Talsma lachte opeens. 'Kippen komen er, hond komt er, bootje komt er.' Hij zette zijn flesje terug op tafel. 'Maar de sjeu is eraf.'

Vegters telefoon ging, en terwijl hij keek van de oplichtende display naar de halve biefstuk op zijn bord, wist hij dat dit het einde was van wat een waardevolle avond had kunnen worden. Hij nam op terwijl Talsma, na een blik op zijn gezicht, zijn stoel al achteruit schoof. Hij luisterde, knikte zonder dat hij daar zelf erg in had en hing ten slotte op. Intussen bracht Talsma de restanten van de maaltijd naar binnen, waar Vegter pas veel later zou merken dat zijn bord zorgvuldig afgedekt in de koelkast stond.

'André Lensink is neergeschoten.' Vegter blies de kaars uit. 'Met een hagelgeweer.'

Talsma floot zachtjes. 'Joost mag weten hoe, maar we zijn er bijna.'

'Hij is onderweg naar het MCW. Jij gaat daarnaartoe. Ik bel je in de auto voor de details.' Vegter trok de voordeur dicht, en Talsma, die nooit iemand aanraakte, legde vluchtig een hand op zijn schouder. 'Beste biefstuk, Vegter.'

34

Lichten die hem tegemoet komen. Opnieuw richting aangeven. Veel te snel de bocht om, nog net door het rode licht. Het schrille rinkelen van een helverlichte tram. Jezus, die had hij niet gezien. Hoe kun je een tram over het hoofd zien? Langzamer, langzamer! Terugschakelen. Steeds meer verkeer nu. Hij maakt er deel van uit, gewoon een auto op weg ergens naartoe. Rustig, rustig, hoofd erbij houden. Niet denken aan André, de manier waarop hij in elkaar zakte, op zijn knieën viel, handen in een reflex beschermend voor zijn kruis.

Honderden films gezien, en niet één die klopt. Geen achteruit struikelend slachtoffer, de armen omhoog gooiend, om zijn as tollend alvorens dramatisch ineen te zijgen. Niets van dat al. André was een seconde blijven staan terwijl de massa van zijn lichaam het schot opving, boog licht naar achteren, als wilde hij iets zien dat zich boven hem bevond en kromp pas daarna in elkaar. Brulde. Een geluid dat niets menselijks had.

Vriend had naar zijn maag gegrepen. Vriend had niet gebruld maar gegild, ongearticuleerd en schel. Een vrouwenschreeuw.

Rechtsaf. Weer rechtsaf. Voorsorteren. Wachten voor het verkeerslicht. Kalm optrekken, geen spelletjes met het Golfje naast hem. Laat je niet opnaaien. Proletenbak. Uitdagende blik van het joch achter het stuur. Niet reageren. Niet opvallen.

Golfje spuit weg met gillende banden. Prima, hij mag winnen. Laten gaan. Linksaf nu. Vluchtheuvel ontwijken. Slippen op de trambaan. Corrigeren. Rakelings langs geparkeerde auto's. Een metalige klap ergens rechts. Buitenspiegel tegen buitenspiegel. Spiegel hangt los, glas is verdwenen. Shitshitshit, wat is er met hem?

Opeens is hij op weg naar huis. Dat is de bedoeling niet. Dat had hij niet gepland. Hij moet naar de caravan. Niet keren, doorrijden. Rondweg op. Tweede afslag. Niets aan de hand, niets aan de hand. Alles gaat goed. Wanneer houden zijn benen op met trillen? Het zou zoveel prettiger zijn, en de auto zou niet langer bokken en stoten.

Lantaarns vliegen langs. Buigen voor hem, wijken weer in een krankzinnige dans van licht. Waarom zijn ze zo snel? Omdat hij honderdzeventig rijdt. Gas los, gas los!

Daar is de afslag. Rustig sturen nu. Niet nog eens. Afsteken door het wijkje waar alle flats op elkaar lijken. Auto's bij elkaar gekropen, niemand op straat, rijen verlichte ramen. Daarachter wonen mensen die een leven hebben. Niet zeiken. Opletten. Hij is er bijna.

Geen verkeer meer. Geen lantaarns meer.

Duisternis en stilte.

De oprit naar het terreintje. Lichten uit. Hobbelen over het onverharde pad. Motor afzetten. Niet blijven zitten, niet treuzelen.

Sleutel.

Geweer.

Auto op slot.

De stank van de caravan bijna vertrouwd. Geweer in de bergruimte onder de bank. Liggen, helemaal opgerold. Armen om zijn knieën.

Het is klaar. Over. Voorbij.

35

'Meneer Lensink wordt op dit moment geopereerd,' zei de verpleegkundige op wie Talsma beslag had weten te leggen nadat hij de bureaucratische horde van Spoedeisende Hulp had genomen. Nu bevond hij zich voor een balie ergens in het inwendige van het ziekenhuis, na een labyrint van gangen te hebben doorkruist. Achter de balie zat een jongeman rust en kalmte uit te stralen.

De verpleegkundige was een gezette vrouw van middelbare leeftijd, op haar gezicht de afstandelijke uitdrukking van professionele behulpzaamheid. Haar lichtblauwe uniform vertoonde zweetplekken die het okselgebied ruimschoots waren gepasseerd. Felblauwe leren klompen aan haar blote voeten.

'Hoe ernstig is het?'

'Hij is niet in acuut levensgevaar, maar heeft zwaar letsel. Hij ondergaat momenteel een operatie om te redden wat er van zijn testikels is overgebleven.'

De vrouw had een glimlachje dat Talsma wantrouwig maakte. Misschien had hij te maken met een mannenhaatster die in haar vrije tijd aan modderworstelen deed. Terwijl hij de boodschap liet bezinken ving hij de gechoqueerde blik van de jongeman achter de balie.

'Hoe lang gaat dat feest duren?' vroeg hij bruusk.

'Moeilijk te zeggen.' De verpleegkundige wreef over haar armen, die ondanks de fraaie zomer bleek als deeg waren, met kuiltjes bij de ellebogen. 'Pas als alle kogeltjes zijn verwijderd, zal duidelijk worden wat de mogelijkheden zijn.' Ze keek naar zijn borstzak, waarin hij zijn identiteitskaart had teruggestopt, als wilde ze zich er nogmaals van vergewissen dat ze sprak met iemand die geen direct belang had bij het wel en wee van André Lensink. 'Wat weg is, kan niet worden hersteld.'

Godsamme, dacht Talsma. Je hele klok- en hamerspel aan flarden geschoten. Iemand moest zwaar de pest hebben aan Lensink. 'En die andere gozer?'

'U bedoelt meneer Gabriëls? Ook hij is nu onder behandeling, maar zijn verwondingen zijn aanzienlijk minder ernstig.'

'Ik wil hem spreken.'

'Dan zult u geduld moeten hebben. U kunt hier wachten, ik kom straks bij u terug.' Ze draaide zich om, Talsma uitzicht biedend op een massieve rugpartij met daaronder een paar machtige kuiten, even wit als haar armen.

Talsma had geen geduld. Talsma had de afgelopen dagen te veel geduld moeten tonen, zich bescheiden op moeten stellen tegenover het vanzelfsprekende gezag van de medische stand. 'U vergeet iets,' zei hij. 'Het gaat hier om een misdrijf. Als meneer Gabriëls aanspreekbaar is, wil ik hem nu zien. Vertel dat aan uw meerdere.'

'Ik ben hoofdverpleegkundige,' zei ze gekwetst.

'Mooi,' zei Talsma. 'Dan is dat dus de dokter.'

'Ik zal kijken wat ik voor u kan doen.' Haar klompen weergalmden haar afkeuring toen ze de gang af liep.

■

Vegter stond in de deuropening van sportschool Everybody, waar intussen de rust min of meer was weergekeerd. De nog resterende bezoekers waren verhoord en daarna vertrokken, het personeel was bijeengedreven en had tot dusver niets belangwekkends te melden gehad.

Op het bordesje was zelfs onder het helle licht van de lampen de glinstering van bloed verdoft tot donkere plekken op de lichtgekleurde tegels, en hij kon nog net het roodwit van de afzettingslinten aan het begin van de oprit ontwaren. De lap die tussen de struiken was gevonden, het patroon van blauw, geel en oranje vrolijk afstekend tegen het dorre groen, was al verwijderd en meegenomen.

'Die Gabriëls heeft geen idee? Van wat ik hier heb begrepen, moet de schutter recht tegenover hen hebben gestaan.' Hij verplaatste zijn mobiel van zijn linker- naar zijn rechteroor.

'… niemand gezien,' zei Talsma.

'Sorry, wat zei je?'

'Gabriëls heeft niemand gezien. Ze stonden voor de deur om een sigaret op te steken voor ze naar de auto liepen. Hij denkt ook niet dat Lensink iets heeft gezien. Hij begreep aanvankelijk niet eens wat er gebeurde, al herinnert hij zich de knal.'

'Hoe is het met hem?'

'Hij heeft een hoop randhagel opgevangen. Zit van borst tot knieën vol gaatjes. Maar niet al te diep. Lensink is een ander verhaal. Vol in het kruis geraakt. Het schot was duidelijk voor hem bedoeld. Ze zijn nog wel een paar uur met hem bezig.'

Vegter werd door een agent aan zijn mouw getrokken. 'Moment.'

De agent wees met zijn duim achter zich. 'Een van de mensen binnen denkt dat hij misschien bruikbare informatie heeft.'

Vegter knikte. 'Kom hiernaartoe,' zei hij tegen Talsma. 'Het heeft geen zin om daar te blijven, en het wordt tijd dat we twee en twee bij elkaar optellen.'

Het personeel zat zwijgend in het kleine kantoor, de enige ruimte waar niet de typische geur van een gymzaal hing. Zes man plus de sportschoolhouder, en Vegter dacht dat hij zelden een fitter stel mensen bij elkaar had gezien. Stuk voor stuk straalden ze gezondheid uit, waren gebruind en gespierd, de twee jonge vrouwen niet minder dan de mannen. Ze waren identiek gekleed in een wit T-shirt en een donkerblauwe knielange sportbroek, en ze wogen geen ons te veel. Een wandelende reclame voor hun baas, een strakke veertiger met een gouden knopje in zijn oor, een slavenarmband rond zijn geschoren onderarm en een grove gouden ketting in de V-hals van zijn shirt. Het moest jaloezie zijn die Vegter zich liet afvragen waarom mannen zich tegenwoordig optuigden als een levende kerstboom.

'Wie van u had mij iets te zeggen?'

'Ik. Het schoot me opeens te binnen dat er gisteravond iemand naar André vroeg,' zei de jongen die de receptie bemande.

'Wie?'

De jongen haalde zijn schouders op, zodat het logo van de sportschool rimpelde op zijn gewelfde borst. 'Ik kende hem niet. Een knul van een jaar of twintig.'

'Hoe zag hij eruit?'

'Daar heb ik niet echt op gelet. Donker haar, niet kort maar eerder bijna te lang, met een soort lok over zijn voorhoofd. Niet groot, zowat een kop kleiner dan ik.'

'Hoe lang bent u?'

'Een meter negentig.'

'Is een meter vijfenzeventig een redelijke schatting?'

'Jawel.'

'En verder?'

'Dun ventje. Magere armen. Ik weet nog dat ik dacht dat hij wel wat training kon gebruiken.'

'Wat zei hij precies?'

De jongen dacht na. 'Is André er nog. Zoiets.'

'En wat zei u?'

'Dat die net weg was. En toen vroeg hij…' De jongen ging rechtop zitten, opwinding in zijn stem. 'Hij vroeg of hij er morgen weer was. Vanavond dus. En ik zei, ja, waarschijnlijk wel, want hij komt meestal drie avonden achter elkaar.' Hij keek Vegter aan, ontzag in zijn ogen. 'Shit hé, ik heb hem gezien!'

Vegter glimlachte. 'Dat is nog niet zeker. Ik kom zo bij u terug.'

Hij liep weer naar buiten en belde Talsma. 'Waar zit je?'

'Ik rij net het parkeerterrein af.'

'Ga terug en vraag Gabriëls of hij onlangs in Lensinks buurt een magere jongen van een jaar of twintig heeft gezien. Ongeveer een meter vijfenzeventig, donker, halflang haar, lok over het voorhoofd. Vraag ook of hij de naam kent.'

'Dat kan even duren,' zei Talsma. 'Ik moet eerst weer in gevecht met een draak. Ze heeft nog zes koppen.'

36

De caravan was niet langer beschermend maar benauwend, en de stank leek met de minuut erger te worden.

Hij had even geslapen, kort maar heftig gedroomd in een warreling van beelden, was zich ervan bewust dat het een droom was, maar zag niettemin geen kans zich eraan te ontworstelen, en toen hij wakker schrok, was hij kletsnat van het zweet. Hij ging rechtop zitten en luisterde. Van buiten kwam geen geluid, maar de nacht stond als een vijand achter de vuile ramen.

Op de tast stommelde hij de caravan uit, sloot de deur en ging op het trapje zitten, slap en ellendig. De silhouetten van de andere woonwagens rezen zwijgend rond hem op, boven hem hing de bleke sikkel van de maan als getekend door een kinderhand. Fonkelende speldenkoppen in een zwarte hemel, verderop verblekend tot het vuile neonroze van de stad. Daar waren mensen, de kroegen nog vol, geluid, licht, warmte.

Ergens ritselde iets, en hij verstrakte, ontspande toen het geritsel ophield. Een egel, of misschien zelfs een fret. Hij had er hier ooit een zien lopen, de spitse kop bijna ongemerkt overgaand in het slanke lijf, slinks voortglijdend door het hoge gras.

Hij draaide een sigaret en inhaleerde diep. De wind streek langs zijn armen, plakte met kille hand zijn shirt aan zijn rug, zijn spijkerbroek aan zijn dijen, en hij huiverde. Een hele nacht in die polyester doodskist liggen hield hij niet vol. En waarom zou hij ook? Niemand had hem zien weglopen, niemand had hem zien wegrijden, de straat was leeg geweest toen hij naar de auto was gesprint, geweer verticaal voor zijn borst. Hij was onnodig in paniek geraakt. Waarschijnlijk was het zelfs verstandiger om gewoon naar huis te gaan en de auto, die hij morgen naar het mannetje moest brengen, weer verderop neer te zetten. Het mannetje zou niet schrikken van een beetje extra schade. Als je er rustig over nadacht, en dat kon hij nu, was alles boven verwachting goed gegaan. Zelfs de reparatie van de auto paste in het schema alsof hij die zo had ingepland. Er was geen enkele reden om hier te blijven. Hij zou in zijn eigen bed kunnen slapen, misschien zelfs eerst iets eten. Als er iets te eten was. Pa zou naar bed zijn, het huis donker. Business as usual.

37

'Ik moest het zowat uit hem trekken,' zei Talsma. 'Gelukkig zat hij nog zwaar onder de verdoving, dus hij was niet erg bij de pinken, anders had hij zijn kiezen op elkaar gehouden. Zei dat hij de jongen maar één keer had gezien, en dat Lensink hem Ferry noemde. Het kost nog een paar uur, Vegter, maar dan hebben we ook wat.'

Vegter dacht aan de ledenlijst van de schietvereniging. F. Elsman. Toch de zoon? Het was allemaal ongetwijfeld heel logisch, al begreep hij nu nog niet waarom.

'Even ervan uitgaand dat het hem is,' zei Talsma, 'moet er iets behoorlijk fout zijn gegaan tussen die knul en Lensink, en misschien ook die Gabriëls, want dat is een glibber.'

'Daar ziet het naar uit. Hoe dan ook heeft hij genoeg op zijn conto staan om hem op te pakken.' Vegter las het adres op van het papiertje waarop hij het had genoteerd nadat hij het bureau had gebeld. 'Ga daarnaartoe. Wacht op de hoek. Ik moet nog even een paar mensen regelen.'

'Kunnen we het niet gewoon samen?' vroeg Talsma, die een bloedhekel had aan politioneel machtsvertoon.

'Nee. Jij bent moe, ik ben moe, en ik wil geen fouten maken. We weten niet of de jongen het wapen mee naar huis heeft genomen, we weten niet over hoeveel munitie hij beschikt.'

'We weten ook niet of hij thuis is.'

'Nee. Maar we moeten ergens van uitgaan.'

'Best.' Talsma hing op.

Vegter dacht even na. Vijf man plus hijzelf en Talsma; het zou afdoende moeten zijn. Geen opengebroken voordeur, geen afzettingen, schijnwerpers, megafoons of andere filmische attributen. Hij deelde Talsma's afkeer daarvan. Maar Brink was waarschijnlijk geen slecht idee. Hij weifelde een ogenblik en besloot toen dat hij de hoofdinspecteur ook kon bellen als het allemaal achter de rug was.

Talsma zat in zijn auto te roken toen ze arriveerden. Een dunne grijze sliert ontsnapte via het linkerportierraampje. Hij stapte soepel uit, sloot het portier bijna geruisloos. 'Niemand sinds de laatste tien minuten.'

Vegter keek de verlaten straat af. Achter vrij veel ramen brandde nog licht. Aan weerszijden auto's, al was het niet bumper aan bumper vanwege de parkeerhaven aan het begin van de straat. Kleine voortuinen, zorgvuldig afgepaald. De algemene indruk was die van bescheiden welvaart. Een arbeidersbuurt waar de meeste mensen werk hadden. Hij realiseerde zich dat Leo Wissink om de hoek had gewoond, en een gevoel van onbehagen bekroop hem. Hij schudde het van zich af. Dat hij niet geloofde in toeval betekende niet dat het niet bestond. Een knul van twintig die wild om zich heen schoot, had geen enkele relatie met een gepensioneerde legersergeant. Daarentegen was André Lensink een man van twijfelachtige reputatie gebleken. Onbewezen verdenking van heling en drugshandel. Vier jaar geleden wegens gebrek aan bewijs vrijgesproken van betrokkenheid bij de mishandeling van een paar jochies. Geen beste broeder, zoals Talsma zou zeggen.

'Er loopt een brandgang achter de huizen,' zei hij. 'Twee man achter, elk aan een kant, twee man voor, uit het zicht. We gaan dit zonder ophef aanpakken. Talsma, Brink en ik bellen aan. Komt hij terwijl wij binnen zijn, of probeert hij weg te komen, hou je hem aan.'

Er werd geknikt, en hij keek op zijn horloge. 'Drie minuten vanaf nu. Geen onnodig geweld, maar hou er rekening mee dat hij nog gewapend kan zijn.'

Ze losten op in het duister, en Vegter hield zijn pols scheef om het lantaarnlicht op te vangen, bleef kijken terwijl de drie minuten verstreken. 'Oké.'

Naast elkaar liepen ze over het trottoir, hun voetstappen zwak echoënd tegen de gevels.

Nummer achtenvijftig had een voortuin waaraan al heel lang geen aandacht meer was besteed. Er lagen wat onduidelijke keien, een rotstuin suggererend, het paadje naar de voordeur was overwoekerd met onkruid. Het huis was donker, de lamellen voor de ramen gesloten. Naast het bordje met het huisnummer hing een roestend metalen rekje waarop een paar lege plantenpotten stonden. Vegter legde zijn vinger op de bel, hield hem daar tot hij licht zag aanfloepen achter de matglazen ruit.

De voordeur zwaaide open. Een kleine man, naakt op een boxershort na, tuurde met knipperende ogen naar buiten.

Vegter hield zijn identiteitskaart omhoog. 'Politie.' Zoals altijd stoorde hem het valse maar onvermijdelijke pathos van het moment, en iets in de houding van de man deed hem de rest van de zin inslikken. Hij stak een arm uit om Brink tegen te houden, die naar voren wilde dringen.

'Nee maar,' zei de kleine man. Zijn gespierde armen en maag compenseerden zijn gebrek aan lengte. Hij stond met de benen licht gespreid, de blote voeten ferm geplant op de lichtbruine kokosmat, zijn gestalte scherp afgetekend tegen het licht vanuit de hal.

'Ferry Elsman is uw zoon?' vroeg Vegter.

'Jawel.'

'Is hij thuis?'

'Dat weet ik niet.'

'Ik denk dat u dat wél weet,' zei Vegter. 'En u lijkt niet verbaasd om ons te zien.'

Elsman antwoordde niet. Hij kruiste de armen voor de borst, en een lachje trok rond de mond in het verweerde gezicht.

Op de bovenverdieping ging een deur niet zacht genoeg dicht.

'Corné!' zei Vegter scherp, en Brink liep bijna Elsman omver in zijn haast om binnen te komen, vloog met grote sprongen de trap op. Talsma was al op de eerste trede. Een deur knalde tegen een muur, een voorwerp viel met kletterend geraas, het geluid van een worsteling. Talsma nu boven aan de trap, Vegter een paar passen achter hem.

'Fuck off!' Een schelle jongensstem.

Toen Vegters hoofd op gelijke hoogte kwam met de bovenste trede, stond Brink in de deuropening van een slaapkamer, de jongen voor zich, armen op de rug gedraaid. De jongen probeerde naar achteren te schoppen, en Brink rukte zijn armen verder omhoog, zodat hij gedwongen werd diep voorover te buigen. Hij jammerde, het magere gezicht vertrokken van pijn, en Vegter stak een hand op. 'Kalm aan, Corné.'

'Hij was al halverwege het raam,' verklaarde Brink.

Ze stommelden naar beneden, waar Elsman nog steeds in de hal stond.

Vegter gebaarde naar een deur. 'Is daar uw huiskamer?'

Elsman knikte.

'Doet u wat lampen aan.'

Elsman verdween naar binnen, en licht gloeide op. Vegter negeerde Talsma's blik, maakte een hoofdbeweging. 'Jij eerst, Corné.'

De huiskamer was even verwaarloosd als die van ex-sergeant Dorhout, de man die inmiddels weer op vrije voeten was, maar nog de klok rond werd geobserveerd. Geen planten, nergens iets wat duidde op een huiselijk leven, alles ademde verval. Zelfs de meubels leken moedeloosheid uit te stralen, en een dikke stoflaag had de kleuren vervaagd. Alsof je keek door een vuile lens, dacht Vegter.

Iedereen was inmiddels binnen, de bescheiden kamer overvol met zwijgende mannen. Vegter keek naar hun neutrale gezichten, die de verbazing maskeerden over het afwijkende protocol, en hij wist wat ze dachten: gewoon een van de ingevingen van de baas. Vijftig procent kans dat hij gelijk heeft, en als dat niet het geval is, is het zijn verantwoording.

De jongen zat op de bank, ongeboeid, handen tussen zijn bleke bovenbenen. Ook hij droeg een boxershort, en hij leek een kopie van zijn vader, die naast hem zat. De donkere lok die over het voorhoofd viel, de zware wenkbrauwen, de brede mond met dunne lippen, en vooral de ogen; een zeldzaam bruingroen, opvallend afstekend tegen het oogwit.

De vader had geen woord meer gesproken. Nog altijd leek hij niet geschokt door de gebeurtenissen, en hij had geen enkele poging gedaan zijn zoon in bescherming te nemen. Het was precies wat Vegters intuïtie op scherp had gezet; de onaandoenlijkheid waarmee Elsman alles leek te ondergaan.

Hij wenkte Talsma. 'Jij en ik gaan even rondkijken.'

Talsma knikte en maakte zich los van de muur waartegen hij leunde. Ze liepen naar boven, de kamer van de jongen binnen, waar een omgevallen stoel op de vloer lag. Het bed was omgewoeld, het hoesloze dekbed hing af van het voeteneind. Het raam stond wagenwijd open.

Een bureautje met lege laden, een lange boekenplank erboven, gevuld met jeugdboeken en romans. Tot zijn verrassing zag Vegter er wat klassieke namen tussen. Voor het eerst vroeg hij zich af waarom de moeder ontbrak.

Talsma keek onder het bed, tilde de matras op, opende daarna de kast, die niet meer bevatte dan kleding en schoenen. Boven hun hoofd wiekte traag een ventilator, de bladen onhandig beschilderd in felle kleuren. De muren waren leeg, al tekenden zich blekere rechthoeken af die aantoonden dat er iets had gehangen. Ondanks het openstaande raam rook het er bedompt.

In de kamer ernaast bleef Vegter een ogenblik staan terwijl hij probeerde de ruimte te duiden. Was het een logeerkamer? Het pijnlijk nauwgezet opgemaakte bed wees daarop, maar de gevulde kledingkast was ermee in tegenspraak. Mannenkleren. Spijkerbroeken, T-shirts, een enkel overhemd aan een hangertje, stapeltjes ondergoed, vijf paar schoenen. Hij tilde een paar op en rook. De schoenen, hoewel duidelijk gedragen, gaven geen geur af, bevestigden daarmee de doodsheid van de kamer – reukloos, sfeerloos, ongebruikt. Hij keek naar Talsma, die zijn hoofd schudde.

De badkamer was overzichtelijk. Geen bad, een douchecabine waarvan de vloer al lange tijd niet was schoongemaakt, bruine kalkstrepen op de muurtegels, een dichtgeslibde afvoer. Onder de bespatte spiegel een wastafel als een miniatuur sneeuwlandschap van geklonterde tandpasta en scheerschuim. Twee klamme handdoeken elk over hun eigen stang.

'Tijd voor de werkster,' zei Talsma.

In de derde slaapkamer stond een tweepersoonsbed, een helft ervan beslapen. Eén hoofdkussen. Een bureautje in de ene hoek, in die ertegenover een degelijk uitziende wapenkluis, donkergroen gelakt en ferm verankerd aan de muur.

'Ik regel de sleutel.' Vegter liep de trap af.

Toen hij terugkwam, zat Talsma gehurkt voor het bureautje en rommelde in een lade.

Vegter opende de kluis. Er was ruimte voor twee geweren, maar er was er maar een – dubbelloops. Hij raakte het niet aan. Op de vloer stond een doosje met opschrift Calibre 12, Load 24. Hij opende het met behulp van de pennen uit zijn borstzak. Er ontbraken twee patronen.

Achter hem zei Talsma: 'Vegter, kijkt u hier eens naar.' Hij had een schrijfblok in zijn hand.

Vegter keek mee.

Het bovenste vel was gevuld met aantekeningen in een klein, naar rechts hellend handschrift. Twee kolommen, gevormd door een met pen getrokken streep. De eerste kolom gaf per regel een datum aan, beginnend met 31 mei. Achter elke datum een korte notitie.

31 mei	L.W.	06.10 – 06.35	tuin
31 mei	E.R.	06.50 – 07.40	parkroute
31 mei	L.W.	13.00 – 14.00	zwembad
31 mei	L.W.	21.05 – 21.50	sportveldroute
1 juni	L.W.	06.10 – 06.30	tuin
1 juni	E.R.	06.45 – 07.30	parkroute
1 juni	L.W.	13.00 – 14.00	zwembad
1 juni	L.W.	20.55 – 21.40	sportveldroute

'Ik heb dat handschrift eerder gezien,' zei Talsma. 'Weet alleen even niet meer waar, maar daar kom ik straks wel op.'

Vegter sloeg het vel papier naar achteren en begon aan de tweede bladzijde, die identiek was beschreven, de data elkaar opvolgend, de aantekeningen even beknopt, het woord parkroute af en toe vervangen door 'zuid', en het woord sportveldroute soms door 'volkstuinen'.

'L.W.,' zei Talsma. 'Wat zou u zeggen van Leo Wissink? 's Ochtends opdrukken in de tuin, 's middags zijn baantjes in het zwembad, 's avonds joggen.'

'E.R.,' zei Vegter, zich voelend als een quizkandidaat. 'Ernst Reekers.'

'Godverdomme,' zei Talsma hartgrondig. 'We zaten er al die tijd bovenop.'

'Misschien moeten we geen overhaaste conclusies trekken.'

'Nee. Maar we hoeven ons ook niet stommer voor te doen dan we zijn.'

Vegter bladerde verder. De letters L.W. kwamen voor de laatste maal voor op 1 september, de dag voordat Leo Wissink werd vermoord. De letters E.R. kwamen niet meer voor na 6 augustus, behalve dan op zaterdag 4 september, de dag voor Reekers' dood. Hij herinnerde zich dat mevrouw Reekers had gesproken over de blessure van haar man, die 'een paar' weken had geduurd.

De laatste aantekening dateerde van twee dagen geleden; 19.30 – 21.05, R.F., golfbaan. Wie was R.F.?

Talsma schoof het gordijn opzij en tuurde naar buiten. Vegter keek over zijn schouder mee. Wissinks straat lag haaks op die van Elsman, de achtertuinen naar elkaar gekeerd. De brandgangen werden verlicht door een enkele lantaarn, voldoende om Wissinks schutting en tuinpoort tussen de andere te kunnen herkennen, maar ook niet veel meer dan dat.

'De zolder.' Talsma liet het gordijn terugvallen.

Ze liepen naar de overloop en vonden de juiste lichtschakelaar. Van beneden kwam geen geluid. Achter elkaar beklommen ze de nauwe trap.

De zolder was de enige ruimte in het huis waar ordelijkheid heerste, al hing ook daar het stof in webachtige draden neer. Een aantal dozen was netjes gestapeld, in een hoek stonden vier witte kunststof tuinstoelen dichtgeklapt, de bijbehorende gebloemde kussens lagen erbovenop. In de hoek ertegenover twee kleuterfietsjes, een rood, een blauw. Een donkergroene rol, zo'n dertig centimeter in doorsnede en ruim een meter lang, die Vegter herkende als een tent, een tweede rol ernaast, waaruit een wirwar van aluminium buizen stak. Daarnaast een knalgele plastic schelp, bedoeld als zandbak of badje. Een parasol, vuil geworden, maar ooit crèmekleurig, leunde tegen de wand. Vegter besefte dat hij keek naar een verleden.

Talsma was al bij het steekraam en klom op het opstapje dat eronder stond. Hij stootte het raam open en stak zijn hoofd naar buiten. Een ogenblik bleef hij zo staan, en Vegter wist wat hij zag.

'Op een presenteerblaadje.' Talsma maakte plaats voor hem, en op zijn beurt keek Vegter in Leo Wissinks achtertuin.

Hij nam de tijd om de details in zich op te nemen. Het huis was donker, de gordijnen waren gesloten – de weduwe Wissink lag in bed. De bleekgele bloemen van de klimroos tegen het schuurtje lichtten op in het vage schijnsel van de buitenlamp bij de achterdeur. Driekwart van het grasveldje was zichtbaar, en een groot deel van het betegelde pad, dat kaarsrecht van achterdeur naar tuinpoort liep. De enorme hosta die het begin markeerde, de bladeren glanzend van dauw. De bloeiende oleander op het kleine terras, en rechts een ronde vorm die hij herkende als de lelijke betonnen schaal met imitatie Romeinse ornamenten. Elsman had een voortreffelijk zicht gehad op zijn slachtoffer.

In de huiskamer was aan het tableau vivant niets veranderd, behalve dat er een blauwgrijze nevel van tabaksrook was toegevoegd. Vader en zoon zaten nog naast elkaar op de bank, en hoewel de afstand tussen hen niet meer bedroeg dan een handbreedte, leek hij onoverbrugbaar.

De jongen hief zijn hoofd niet toen ze binnenkwamen, de vader zag het schrijfblok in Vegters hand, en hetzelfde heimelijke lachje trok rond zijn mond.

'U hebt meer gevonden dan u zocht.' In zijn stem klonk een mengeling van berusting en opluchting.

'Wie is R.F.?' vroeg Vegter.

'Ronald Fabricius, de luitenant van mijn zoon.'

De jongen keek met een ruk op, en Vegter hield zijn blik vast terwijl hij naar de kast liep en de foto in de zilveren lijst oppakte. 'Dit ben jij?'

Hij wist het antwoord al, ondanks de verbijsterende gelijkenis. Beide gezichten waren nog niet af, de baardgroei had nog amper doorgezet, de kaaklijn, die scherp en hoekig zou worden als bij de vader, werd nog verzacht door hun jeugd. Het verschil lag in de ogen. Die van de jongen op de foto keken bijna verontschuldigend in de lens, onzeker, onderworpen. De jongen tegenover hem was even zachtaardig, maar zijn ogen waren intelligenter, en ze bezagen de wereld met wantrouwen. Hij had geleerd op zijn hoede te zijn.

De jongen schudde zijn hoofd. 'Dat is mijn tweelingbroer.'

Vegter keek weer naar de vader, die zijn blik zonder knipperen beantwoordde. 'Wie is L.W.?'

'Leo Wissink,' zei Elsman vlak. 'Ex-legersergeant, ex-hufter.'

'En E.R.?'

'Ernst Reekers, huisarts en prutser.'

Vegter was zijn boekje al te buiten gegaan, wat hem deze maal ongetwijfeld de complimenten van de hoofdinspecteur zou opleveren, maar het was tijd zichzelf te corrigeren, de dramatiek een halt toe te roepen.

'U wordt beiden aangehouden,' zei hij kalm. 'Respectievelijk op verdenking van poging tot doodslag op André Lensink, en van moord op Leo Wissink en Ernst Reekers.'

De jongen greep zijn vaders hand.

38

'Ze hebben mijn zoon vermoord,' zei Elsman.

'Met "ze" bedoelt u Leo Wissink en Ernst Reekers?'

Elsman knikte.

Vegter gebaarde naar het opnameapparaat. 'Antwoordt u alstublieft met ja of nee.'

'Ja.'

'En Ronald Fabricius?'

'Hij ook.'

Fabricius zou misschien nooit weten hoeveel geluk hij had, dacht Vegter.

Ze zaten in een van de verhoorkamers van het bureau; een opzettelijk sfeerloze ruimte. Een tafel en drie stoelen, de vloer bedekt met lichtbruin linoleum, de wanden geschilderd in een bleekgroen dat ooit als rustgevend was aanbevolen. Fred Elsman was nu gekleed in een spijkerbroek en donkerblauw T-shirt, zijn blote voeten staken in een paar versleten sportschoenen. Hij wreef met een raspend geluid zijn handen over elkaar. 'Jullie hebben meer geduld dan ik dacht.'

Vegter zei niets. Inmiddels was het twintig minuten na middernacht, en als het mogelijk was geweest, had hij dit veel liever uitgesteld tot de ochtend. In de andere kamer zat Brink de jongen te verhoren. Brink was gretig geweest, verheugd dat hij dit had mogen doen met een jongere collega. Hij wilde hem straks nog spreken om te horen hoe het was verlopen.

Talsma zat enigszins opzij van de tafel, de handen op zijn knieën, de groeven in zijn gezicht als geëtst onder het naargeestige licht van de tl-buizen.

'Een jaar voordat ze Niek vermoordden had ik mijn vrouw verloren,' zei Elsman. 'En toen had ik dus niemand meer.'

'U hebt nog een zoon.'

Elsman keek naar zijn handen.

Vegter wachtte rustig. Naast hem zweeg Talsma, en Vegter bedacht hoezeer hij hem zou missen. Nog twee jaar, dan zou aan dit woordeloze begrip tussen hen een einde komen.

'Ik zal het allemaal vertellen,' zei Elsman. 'Maar ik zou het fijn vinden als u me niet in de rede valt.'

Hij was zonder verzet meegegaan, had eigener beweging zijn sleutels overhandigd, in de troosteloze kamer nog even om zich heen gekeken, zijn gezicht zonder emotie.

Vegter knikte. 'We zullen proberen dat te vermijden.'

'Ik dacht ermee weg te komen,' zei Elsman. 'Niet dat me dat veel kon schelen, maar ik had het idee dat ik nog op Ferry moest letten, voor zover ik de kans kreeg.'

'Misschien moet u bij het begin beginnen,' zei Vegter voorzichtig.

'Ja, maar wat is het begin?' Fred Elsman bleef naar zijn handen kijken, boog en strekte de vingers met de beschadigde nagels. 'Ferry was zijn moeders zoon,' zei hij ten slotte. 'Niek was van mij. Meteen al, vanaf dat ze konden lopen. Niek was een druk baasje, altijd bezig, terwijl Ferry met zijn neus in de boeken zat. Ik had het daar niet zo op. Uit boeken leer je niet hoe je jezelf moet redden. Maar je kunt een kind niet dwingen. En zijn moeder moedigde hem aan. Dus het was logisch dat Niek en ik naar elkaar trokken. Kon metselen toen hij tien was, dat jong. Wou ook de bouw in, dat wist hij al voordat hij van de basisschool kwam. Dus dat was wat hij deed. Werkte al bij mij bij hetzelfde bedrijf toen Ferry zijn kop nog volpropte met schoolkennis. Toen werd mijn vrouw ziek.' Hij keek op. 'Mag ik roken?'

Vegter knikte, en Talsma stond op en pakte een schoteltje uit de vensterbank, zette het op de tafel. Elsman draaide met snelle vingers een sprietdunne sigaret. 'Ze had borstkanker. Eerst de ene borst eraf, toen de andere. Maar we dachten nog een poosje dat het goed zou komen.' Hij likte het vloeitje dicht, en Talsma stond opnieuw op en gaf hem vuur. Elsman inhaleerde zo diep dat een derde van zijn sjekkie opgloeide en in as veranderde. 'Dat dachten we verkeerd. Opeens zat het overal, en een halfjaar later was ze dood.' Hij trok nog twee keer aan de sigaret en drukte het peukje uit. 'Vanaf toen ging alles mis. Ik werkte vijf dagen per week, en meestal zes. Dat deed ik altijd al, voor de extraatjes, maar nu was het nodig, want het inkomen van mijn vrouw was weggevallen. En ik wou graag werken, want als ik werkte, hoefde ik niet te denken. Niek begreep dat, maar Ferry werd dwars. Kreeg verkeerde vriendjes, blowde bij het leven en werd ten slotte van school getrapt. En hij was zo glad als een aal, ik kreeg geen vat op hem. Al die jaren dure boeken aangeschaft, schoolgeld betaald, werkweken en andere tripjes, meneer deed overal aan mee. Meneer had een luizenleven.'

'Maar wel zijn moeder verloren,' zei Vegter kalm.

Elsmans onderlip kwam naar voren. 'Dat gold ook voor Niek. En die werkte zich het schompes. Ging op vrijdag met mij en de maten van de bouw een pilsje drinken, was niet te beroerd om op zaterdag mee te gaan als ik bijkluste. We hadden wat aan elkaar.' Hij greep weer naar zijn shag.

'Laten we afspreken dat u er één per halfuur rookt,' zei Vegter. Nu hij eenmaal toestemming had gegeven, maakte het in feite niet uit, maar het ideaalbeeld van de zoon irriteerde hem opeens, al wist hij dat het onredelijk was.

Elsman haalde met een cynisch lachje zijn schouders op. 'U bent de baas.' Hij stak de shag terug. 'Niek werd ziek. Nooit wat gemankeerd, sporten op hoog niveau, medailles gewonnen, en opeens was het afgelopen. Zat waar hij zat, geen fut meer, niks. Scheet zich leeg. En maar klagen over buikpijn. Om de haverklap ziek thuis. De baas werd er niet blij van. Ik stuurde hem naar de dokter, maar die kon niks vinden en stuurde hem door. Uiteindelijk bleek dat hij de ziekte van Crohn had.' Hij sprak de term ietwat onwennig uit, al had hij hem waarschijnlijk vele malen gebruikt. 'Einde bouw. Hij opperde nog, want hij was de jongste, en het werd te zwaar voor hem. Dus er moest iets anders worden bedacht. Maar hij werkte met zijn handen, en hij kon slecht tegen binnen zitten. Het was nog niet zo eenvoudig.'

'Het leger,' zei Vegter.

Elsman knikte. 'Hij wou bij de landmacht. Liet zich opnaaien door die mooie spotjes die ze hebben bedacht. Hij heeft zelf alle informatie bij elkaar gesprokkeld, en hij ging ervoor. Zei dat je ook functies had die fysiek niet zo zwaar waren. Dus hij meldde zich aan.'

'En kwam door de keuring?'

'Met glans.' Elsmans monotone stem werd een ogenblik levendig. 'Hij had altijd een prima conditie gehad, en intussen kreeg hij medicijnen, en na een tijdje sloegen die aan. Hij ging de basisopleiding in.'

'In de Koningin Emma-kazerne?'

'Ja. En daar trof hij de verkeerden.'

'In zijn meerderen?'

'Niet alleen in zijn meerderen.' Elsman pakte in een gewoontegebaar opnieuw zijn shag, en deze maal liet Vegter hem begaan. 'Hij kwam terecht tussen een stelletje schorem. Ze nemen alles aan, volgens mij. Kijken nergens naar.' Hij staakte het rollen van zijn sigaret en keek op met felle ogen. 'Niek was niet stom, hij had zijn vmbo-diploma. Hij hoorde daar niet tussen. In de bouw zijn het ook niet allemaal lieverdjes, en daar had hij nooit problemen gehad. Maar dit was andere koek. Ze zeken hem af. Hoe dan ook, op zich beviel het hem wel. Zo lang duurt zo'n basisopleiding nou ook weer niet, en hij wou het afmaken. Hij dacht het wel vol te kunnen houden. Met zijn opleiding kon hij sergeant worden, en hij was trots op zijn kloffie, en op zijn wapen. Ik dacht, die redt het wel. Maar op het tweede bivak ging het mis.'

Hij legde de sigaret op het schoteltje. 'Dit valt niet mee.' Met beide handen wreef hij over zijn gezicht, pakte daarna de sigaret weer op.

Talsma gaf hem opnieuw vuur. 'Wat houdt zo'n bivak in?'

Elsman probeerde zijn zelfbeheersing te herwinnen. De sigaret danste op en neer tussen zijn vingers. 'Soldaatje spelen. Slapen in het bos. Schietoefeningen. Sleuven graven. 's Nachts ergens naartoe sluipen, en als ze je horen, ben je af. Dat soort flauwekul. Elke maand gaan ze een keer op bivak. Eerste bivak is één nachtje ergens in een tent. Tweede bivak is twee nachtjes. Enzovoort. Niek kreeg buikpijn. Medicijnen had hij bij zich, maar die hielpen niet. Om medicijnen mee te nemen moet je vrijstelling aanvragen. Dat kwam hem al op gezeik te staan, ook al wisten ze wat hij had. De tweede nacht zouden ze de hele nacht oefeningen doen, en omdat hij zich beroerd voelde, had hij gevraagd of hij kon worden vrijgesteld. Maar sergeant Wissink vond dat hij zich niet moest aanstellen, en luitenant Fabricius was het daarmee eens. Een beetje kerel mekkerde niet over wat buikpijn. Tijdens het eerste bivak ging het ook al bijna fout. Ze koken niet, ze leven op van die voedselpakketjes, en als je hebt wat Niek had, heb je regelmaat nodig. Dat probeerde hij uit te leggen, maar zij vatten het op als klagen. Dan ben je sip, zo heet dat in het leger.'

'Hoe weet u dit allemaal?' vroeg Vegter.

'Deels van een maat van hem die een keer is langs geweest, deels omdat er rapport van is opgemaakt.' Elsman had beide handen nodig om de sigaret naar zijn mond te brengen. 'Overal wordt rapport van opgemaakt. Laat dat maar aan het leger over. Of ze er wat mee doen is iets anders. Volgens hen had Niek zelf aangegeven dat het wel meeviel. Hij moest dat bivak afmaken en met de anderen naar de kazerne lopen. Heen worden ze gebracht, terug moeten ze lopen. Zo'n tien kilometer was het. Vraag me niet hoe hij dat heeft gered. In de kazerne heeft hij zich ziek gemeld. 's Avonds gevraagd om een dokter. De legerarts was al naar huis, en dus belden ze de dienstdoende huisarts.'

'Reekers?'

'Reekers. Die kwam, vroeg wat de klachten waren, hoorde dat hij Crohn had, en vertrok. Niek is naar bed gegaan. Zijn kamergenoten zeiden dat ze niets hadden gemerkt, dat hij leek te slapen toen zij naar bed gingen. De volgende morgen was hij dood.'

'Wat was de doodsoorzaak?'

'Geperforeerde darm. Zijn hele buik zat vol troep.' De sigaret viel op de tafel, en Elsman slaagde er niet in hem op te pakken. 'Ik heb…' Hij stopte zijn trillende handen tussen zijn knieën.

Talsma boog zich naar voren en doofde de sigaret.

Elsman probeerde uit alle macht controle te krijgen over zijn lip-

pen. 'Ik heb het onze eigen huisarts gevraagd, en die zei dat hij verrekt moet hebben van de pijn.'

'Zou het te constateren zijn geweest?' vroeg Vegter neutraal.

'Wel als…' Elsmans stem weigerde, en hij probeerde het opnieuw. 'Wel als er fatsoenlijk naar hem was omgekeken.' Er liepen
tranen over zijn wangen, en hij deed geen poging ze weg te vegen.
'Ze hebben hem gewoon laten creperen.''

Vegter stak zijn hand uit naar het opnameapparaat. 'Onderbre-
king verhoor Frederik Johannes Elsman.'

■

'Hoe lang is dit alles nu geleden?' vroeg Vegter.

'Anderhalf jaar.'

'Wat deed u?'

'Niks,' zei Elsman. 'Ik kon niks. Ik begreep het niet meer. Mijn
vrouw was pas een jaar dood. Mijn gezin was weg. Wat moest ik
doen? Ik liep een tijdje in de ziektewet, maar ik werd thuis knetter-
gek. Sliep niet, dronk te veel. Zag geen kans om de boel draaiende
te houden, en het kon me ook geen zak meer schelen. Dus ik ging
weer werken. En mijn maten begonnen vragen te stellen. Hoe het
nou kon. En of het wel klopte. Toen ging ik nadenken.'

Het had even geduurd voor hij zichzelf weer in de hand had. Vegter en Talsma waren om beurten de gang op gelopen. Talsma om te
roken, terwijl Vegter bekers water dronk.

'Wat deed u?' vroeg Vegter opnieuw.

'Jullie hebben niet goed gekeken,' zei Elsman moe. 'Anders had
je het gezien. Een mooie stapel brieven. Van mij aan de landmacht,
en van de landmacht aan mij. Ik ken ze uit mijn hoofd. Dat ze geen
verantwoordelijkheid droegen voor het tragische incident. Incident. Alsof hij zijn pols had verstuikt. Dat uit reconstructie van de
feiten niet was gebleken dat er sprake was geweest van laakbaar gedrag. Dat uit de verklaring van de sergeant Wissink en de luitenant
Fabricius kon worden opgemaakt dat er volgens de voorschriften
was gehandeld. Enzovoort. Daar bleven ze maar op hameren. Ik
kreeg geen poot aan de grond. Kotsmisselijk werd ik ervan. Ik heb

zelfs de minister een brief geschreven. Nooit antwoord gehad, behalve dat ze meldden dat ze hem hadden ontvangen.'

'U bent Wissink dreigbrieven gaan schrijven.' In een heldere ingeving had Talsma Elsmans handschrift vergeleken met dat op de envelop die hij in Wissinks auto had gevonden.

'Ja. Hij bleek om de hoek te wonen.'

'Dat wist u niet?'

'Nee, ik kende hem niet. Al kwam het later wel goed uit,' zei Elsman met onbewuste humor.

'Hebt u nog contact gezocht met dokter Reekers? Met hem gesproken?'

'Jawel. Die had weinig te melden. Het speet hem geweldig. Hij had alle begrip. Maar het was verdomd lastig een geperforeerde darm te...' Hij zocht naar het juiste woord.

'Diagnosticeren,' zei Vegter.

'Ja. Hij schoof het zelfs nog Nieks kant op. Die was niet duidelijk genoeg geweest. En dat was dat. Ik stond na een kwartier weer op straat. Hij handelde het af in zijn spreekkamer.'

Vegter herinnerde zich de afgeschermde correspondentie van Reekers. 'U hebt hem ook brieven geschreven?'

'Ja.'

'Waarom deed u dat?'

'Waarom?' zei Elsman. 'Waarom? Ik werd aan alle kanten genaaid. Ik was zo allejezus *kwaad.*'

'Hebt u rechtskundige hulp ingeroepen?'

'Bedoelt u een advocaat?'

Vegter knikte.

Elsman lachte. 'Een vriend van me had een keer een probleem. Hij huurde een advocaat in. Die vroeg een uurloon van dik tweehonderd euro. En toen puntje bij paaltje kwam, heeft het geen flikker geholpen. Ik reken dertig euro, en als ik klaar ben, staat er een muur.'

Vegter zweeg. Het was alsof hij een eeuw terugkeek. De onmacht van de arbeidersklasse tegenover het kapitaal. Of tegenover het systeem, gegrondvest door het kapitaal. Misschien was er sindsdien niet zo heel veel veranderd. Maar dat was het niet alleen. Het was ook een kwestie van onwetendheid, en in Elsmans bitterheid proefde hij de onwil, ingegeven door een diepgeworteld minderwaardigheidsgevoel, om daar verandering in te brengen. In de ogen van deze man was kennis bedreigend. Hij wist alles al, en wat hij niet wist, was onzin. Of verdedigde hij nu het systeem dat ook hij bij tijden verfoeide?

'Ons soort mensen trekt altijd aan het kortste eind,' zei Elsman, Vegters gedachten bevestigend. 'Daar begon ik genoeg van te krijgen. Het bleef maar malen, en ik wist geen oplossing. En toen werd ik werkloos. Dat was de druppel. Twintig jaar bij dezelfde baas, maar hij gooide me er zo uit.' Zijn pakje shag was bijna leeg, en hij draaide met nog zuiniger vingers een sigaret. 'Ik vond dat ik het niet had verdiend.'

Talsma knikte bijna onmerkbaar. Ook hij worstelde met de willekeur van het lot. En het hielp niet, dacht Vegter, of je intelligent was of niet – zodra het jezelf betrof, was je even hulpeloos als degene die niet had geleerd de dingen in een breder verband te zien. Je viel terug op dezelfde primitieve instincten.

'Ik zat weer thuis,' zei Elsman. 'En ik liep met mijn kop tegen de muur. Ik dacht: als er dan niemand luistert, moet ik het zelf doen. Dus ik begon hen te volgen. In het begin zei ik tegen mezelf dat het alleen voor de afleiding was. De dag moest toch om, en het gaf een soort van regelmaat. Ik zei tegen mezelf dat het kon, als ik het zou willen, maar dat het niet hoefde, dat het alleen maar een idee was. Daar had ik een tijdlang genoeg aan. Maar het leek steeds makkelijker te worden, en ook steeds…' Hij zweeg.

'Juister?'

'Ja.'

'U wilde wraak.'

Fred Elsman schudde zijn hoofd. 'U begrijpt het nog steeds niet. Al die maanden dat ik naar die klootzakken keek, was het net een film. Alleen was het geen film, het was echt.' Hij stopte de sigaret terug bij de shag. 'Voor hen was er niets veranderd, zij leefden gewoon door. Ik kon het niet langer verdragen.'

39

Dauw parelde op de motorkap, en de stoelbekleding was kil tegen zijn rug toen Vegter door lege straten op weg ging naar huis.

Het was ver na vieren, maar het duister leek onwrikbaar – nog geen begin van dageraad, en de vogels zwegen. Geen zomer meer. De lange dagen waar hij zo van hield waren bijna ongemerkt vergleden, en al wat ze achterlieten was weemoed.

De energie ontbrak hem om naar de kust te rijden, hoewel hij langs de vloedlijn zou willen lopen en de zee horen, het tijdloze van die onbegrensde ruimte voelen. Even overwoog hij af te slaan naar Renées flat, maar wat had hij haar te zeggen? Het was nog te vers; geen van hen beiden wist hoe het verder moest, en of het verder moest.

Hij verliet de slapende stad en reed langs het donkere kanaal. Achter de bomenrij links ontwaarde hij dommelende koeien, tot hun buik in nevel gehuld, zodat het was alsof ze dreven.

Brink had de jongen 'leeggetrokken', zoals hij met enige trots had verklaard, en terwijl hij keek naar het water, dat als een zwarte spiegel opglansde onder de smalle maan, vroeg Vegter zich af hoe uitzonderlijk het was dat een vader en zoon zo weinig van elkaar begrepen, ondanks dat ze in karakter zozeer op elkaar leken dat ze allebei hadden geweigerd nog langer de rol van underdog te spelen. Of was het veeleer een kwestie van opvoeding? Twee regels van Philip Larkin speelden door zijn hoofd.

They fuck you up, your mum and dad.
They may not mean to, but they do.

Er zat veel waarheid in, maar het waren niet de regels die hij zocht, en vergeefs probeerde hij zich de rest te herinneren. Hij gleed door het dorp, ving het natte zadel van een vergeten fiets in het licht van zijn koplampen, liet zijn raampje zakken om te luisteren naar een haan met een gebrekkig tijdsbesef en reed ten slotte het pad op. Wolf kwam aangeslopen, en Vegter sloot zachtjes het portier, probeerde zo weinig mogelijk gerucht te maken op de kiezels die hij had laten storten.

Binnen schudde hij brokjes in het etensbakje, keek rond in wat al een huiskamer had moeten zijn. Twijfelend stond hij voor de koelkast. Het bier was op en voor jenever was hij te moe, maar er lag nog een fles witte wijn, de laatste van de doos die hij had gekocht aan het begin van zijn vakantie, die een week had geduurd. Renée hield van witte wijn. Hij zou een nieuwe doos kopen, maar misschien was het verstandig die horizontaal te bewaren, zodat de wijn langer goed bleef.

Hij schonk een glas in, en pas toen hij de fles terugzette, viel hem het bord op, afgedekt met een tweede. Hij tilde het bovenste op en keek naar het restant van zijn biefstuk, waarvan de randen al begonnen te verdrogen. Waarschijnlijk was Akke minder ontevreden over de afgelopen vijfendertig jaar dan Talsma op dit moment geneigd was te geloven.

Wolf sprong op de bank, rolde zich op en sliep, en Vegter benijdde hem om zijn tevredenheid. Een droge slaapplaats en voldoende voedsel – met het verlangen naar méér moest de ellende zijn begonnen.

They fuck you up, your mum and dad... Als hij nu naar bed ging, zou hij niet kunnen slapen. Hij koos opnieuw Vivaldi uit de ordeloze stapels cd's. *La Stravaganza.* Het groef niet zo diep, eiste niet zoveel, het was precies goed. Hij ging op de vloer zitten en opende de eerste doos met boeken.

De fles was voor driekwart leeg en de zonsopgang bijna een feit toen hij het okerkleurige omslag herkende. Hij bladerde tot hij vond wat hij zocht. *This be the verse.*

Het gedicht was niet zo sterk als hij gemeend had zich te herinneren, op één regel na. *Man hands on misery to man.*

Wat hem betrof had Larkin het daarbij kunnen laten.

Met zijn glas in de hand liep hij naar buiten, zag de mistflarden verdampen in de eerste stralen van de zon, luisterde naar de stilte en onderging de bedrieglijke zuiverheid van een nieuwe dag.